SARAH LOTZ

Sarah Lotz est l'auteur de plusieurs romans pour la jeunesse et pour adultes, souvent coécrits et publiés sous pseudonyme. Elle travaille aussi comme scénariste. *Trois* (Fleuve Éditions, 2014), premier thriller publié en France et véritable condensé de son savoir-faire, lui a valu une renommée internationale. Il est suivi de *Jour Quatre*, paru en 2016 chez le même éditeur.
D'origine anglaise, Sarah Lotz vit avec sa famille au Cap en Afrique du Sud.

Retrouvez toute l'actualité de l'auteur sur :
www.sarahlotz.com

TROIS

SARAH LOTZ

TROIS

Traduit de l'anglais
par Michel Pagel

Titre original :
THE THREE

Pocket, une marque d'Univers Poche,
est un éditeur qui s'engage pour la préservation
de son environnement et qui utilise du papier fabriqué
à partir de bois provenant de forêts gérées
de manière responsable.

ISBN 978-2-266-25732-9

Pour mon oncle Chippy
(1929-2013)

Cela commence ainsi

Allez, allez, allez...

Pam ne quitte pas des yeux le voyant de la ceinture de sécurité et prie pour qu'il s'éteigne. Bientôt elle ne pourra plus se retenir, et c'est tout juste si elle n'entend pas Jim lui reprocher de n'avoir pas pris ses précautions avant de monter à bord : *Tu sais que tu as la vessie sensible, Pam, à quoi est-ce que tu pensais ?*

À dire vrai, elle n'a pas osé aller aux toilettes à l'aéroport, de crainte de se retrouver devant une de ces cuvettes futuristes dont parlait le guide et de ne pas savoir tirer la chasse. Ou encore de s'enfermer par erreur et de manquer son vol. Dire que Joanie lui a suggéré de passer quelques jours à Tokyo pour faire un peu de tourisme avant de reprendre sa correspondance pour Osaka ! À la simple idée d'arpenter seule des rues étrangères Pam a les mains moites ; l'aéroport a déjà été bien assez déroutant. Secouée, la peau grasse, après son vol en provenance de Fort Worth, elle s'est fait l'effet d'une géante molle en gagnant d'un pas traînant le Terminal 2 d'où partait sa correspondance. Tous les autres passagers irradiaient l'efficacité et l'assurance ; des corps secs et vigoureux la dépassaient dans un essaim de bagages balancés à bout de bras et de visages cachés derrière des lunettes de soleil. C'est consciente de tous ses kilos en trop qu'elle s'est hissée à grand-peine dans la navette, rougissant dès qu'on regardait dans sa direction.

Il y avait, Dieu merci, beaucoup d'Américains à bord de l'avion pour Tokyo (le gentil petit garçon assis près d'elle lui a patiemment appris à se servir du système vidéo) mais, sur ce nouveau vol, à son grand dam, elle est consciente d'être la seule… comment dit-on, déjà ? Le mot qu'on emploie toujours dans les séries policières que regarde Jim ? Caucasienne, voilà. Et les sièges sont bien plus étroits : elle est engoncée dans le sien comme une sardine dans sa boîte. Au moins, il y a une place libre entre elle et le type aux allures d'homme d'affaires assis près de l'allée – elle n'aura pas à craindre de lui donner un coup de coude par accident. Il lui faudra cependant le déranger quand elle ira aux toilettes, bien sûr. Et, Seigneur ! on le dirait en train de s'endormir, si bien qu'elle devra le réveiller.

L'avion continue de prendre de l'altitude et le voyant de briller. Pam regarde la nuit par le hublot. En discernant la lumière rouge clignotante de l'aile à travers le nuage, elle empoigne l'accoudoir de son siège et sent vibrer dans sa chair les entrailles de l'appareil.

Jim avait raison : elle n'a pas encore atteint sa destination et, déjà, l'entreprise se révèle au-dessus de ses forces. Il l'a avertie qu'elle n'était pas taillée pour de longs voyages, il a tenté de la convaincre que c'était une mauvaise idée : *Joanie peut rentrer quand elle veut, Pam, pourquoi t'embêter à lui rendre visite à l'autre bout du monde ? Et pourquoi veut-elle donner des cours aux Asiatiques, d'abord ? Les enfants américains ne sont pas assez bien pour elle, peut-être ? En plus, Pam, tu n'aimes même pas la cuisine chinoise : comment vas-tu faire avec le dauphin cru et les autres trucs qu'ils mangent, là-bas ?* Mais elle a tenu bon, grignotant petit à petit la désapprobation d'un mari surpris par son refus d'abandonner la partie. Joanie a quitté les États-Unis depuis deux ans et Pam a besoin de la voir car elle lui manque terriblement. Et puis, d'après les photos vues sur Internet, les gratte-ciel étincelants d'Osaka ne paraissent pas si différents de ceux des villes américaines. Joanie l'a avertie qu'elle jugerait peut-être déroutante, au premier abord, la culture locale, que le Japon ne se limite pas à des cerisiers en fleur et des geishas timides souriant derrière leur éventail, mais Pam s'est dit qu'elle s'en sortirait. Elle a bêtement cru à une aventure divertissante dont elle pourrait se vanter devant Reba pendant des années.

L'avion se stabilise et, enfin, le voyant de la ceinture s'éteint. Dans une soudaine éruption de mouvements, plusieurs passagers bondissent sur leurs pieds et se mettent à fouiller dans les compartiments à bagages au-dessus des sièges. Priant pour qu'il n'y ait pas la queue aux toilettes, Pam déboucle sa ceinture. Elle prend son courage à deux mains et se prépare à faire passer sa masse imposante devant son voisin quand retentit un bruit tonitruant. La pétarade d'un pot d'échappement, pense-t-elle aussitôt, mais cela n'arrive pas aux avions, si ? Un petit cri aigu lui échappe, une réaction à retardement qui la fait se sentir un peu bête. Ce n'est rien. Le tonnerre, peut-être. Oui, c'est ça. Le guide dit que les orages ne sont pas rares dans…

Une autre explosion – cette fois évocatrice d'un coup de feu. Un chœur de hurlements flûtés, à l'avant de l'appareil, dérive jusqu'à elle.

Le voyant se rallume.

Pam cherche la ceinture de ses doigts gourds mais ne se rappelle pas comment on la boucle. Quand l'avion attaque un piqué, des mains géantes se posent sur ses épaules, appuient, et il lui semble que son estomac lui remonte dans la gorge. Oh, non ! Ça ne peut pas arriver. Pas à elle. Ces choses-là n'arrivent pas aux gens comme elle, aux gens ordinaires. Des gens bien. Une secousse, les compartiments à bagages tressautent puis l'appareil, miséricordieusement, semble se calmer.

Un « ping » retentit, quelqu'un baragouine en japonais, puis :

— Veuillez ne pas quitter vos places et boucler votre ceinture de sécurité.

Pam recommence à respirer : la voix est sereine, détachée ; le problème ne peut pas être grave, elle n'a aucune raison de s'affoler. Jetant un coup d'œil par-dessus les sièges pour voir comment réagissent les autres passagers, elle n'aperçoit qu'une succession de têtes baissées.

Elle empoigne à nouveau les accoudoirs ; les vibrations de l'avion sont plus fortes, ses mains tremblent et une palpitation déplaisante monte à travers ses pieds. Un œil à demi caché derrière une frange noir de jais apparaît entre les fauteuils devant elle. Il doit s'agir de l'enfant qu'elle se rappelle avoir vu traîné par une jeune femme sévère, aux lèvres peintes, juste avant le décollage. Le garçon l'a fixée, visiblement fasciné. (On peut dire ce qu'on veut des Asiatiques, a-t-elle pensé, mais leurs petits sont mignons comme tout.) Elle a agité la main en souriant mais il n'a pas réagi. La mère du gamin a aboyé quelque chose, et il a disparu de son champ de vision quand il s'est rassis, obéissant. L'Américaine tente de sourire mais elle a la bouche sèche, les lèvres qui lui collent aux dents et, ô mon Dieu ! la vibration amplifie.

Une brume blanche flotte dans l'allée, dérive autour d'elle, Pam tapote en vain l'écran devant elle, elle cherche ses écouteurs. Cela n'arrive pas. Cela ne peut pas arriver. Non, non, non. Si seulement elle réussissait à allumer l'écran et à regarder un film, quelque chose d'apaisant – comme la comédie romantique qu'elle a vue durant la première partie du voyage, avec… Ryan quelque chose. L'avion est repris de soubresauts, il paraît rouler de droite et de gauche *et* de bas en haut. Pam a l'estomac qui s'envole à nouveau, mais elle se force à déglutir plusieurs fois : elle ne sera pas malade, pas question.

L'homme d'affaires se lève en agitant les bras tandis que l'avion tressaute encore. On dirait qu'il tente d'ouvrir un compartiment à bagages, mais il peine à trouver son équilibre. *À quoi vous jouez ?* voudrait lui crier Pam – qui a l'impression que la situation va empirer s'il ne s'assied pas. Cette vibration si puissante lui rappelle le jour où le stabilisateur de sa machine à laver s'est cassé, et que cette saleté s'est mise à faire des bonds dans la buanderie. Une hôtesse de l'air surgit de la brume, s'agrippant aux dossiers des sièges. Elle fait signe à l'homme d'affaires, lequel se laisse humblement tomber sur son siège. De la poche intérieure de sa veste, il sort un téléphone dans lequel il se met à parler, le front appuyé contre le siège de devant.

Elle devrait en faire autant. Elle devrait appeler Jim, lui parler de Snookie, lui répéter de ne pas donner à la chienne des boîtes bon marché. Elle devrait aussi appeler Joanie, mais pour lui dire quoi ? Elle manque éclater de rire. Qu'elle risque d'arriver en retard ? Non : qu'elle est fière de sa fille, mais captera-t-elle seulement le réseau ? Utiliser son téléphone portable ne risque-t-il pas de brouiller les systèmes de navigation de l'avion ? Faut-il une carte de crédit pour faire fonctionner le combiné fixé derrière son siège ?

Où est son téléphone ? Dans sa banane, avec son argent, son passeport et ses pilules, ou bien dans son sac à main ? Pourquoi ne s'en souvient-elle pas ? Tandis qu'elle cherche le second à ses pieds, son estomac lui donne l'impression d'être écrasé contre sa colonne vertébrale. Elle va vomir, elle le sait. Enfin, ses doigts rencontrent la sangle du sac – Joanie le lui a offert pour Noël il y a deux ans, avant son départ. Un Noël réussi. Même Jim était de bonne humeur ce jour-là. À l'issue d'une nouvelle secousse, la sangle lui échappe. Elle ne veut pas mourir comme ça – pas comme ça ! Pas au milieu d'inconnus et dans cet état-là, les cheveux gras – cette nouvelle permanente était une erreur – et les chevilles enflées, non, non, pas question. Vite : penser à quelque chose de joli, quelque chose de bon. Oui. Ce n'est qu'un rêve. En réalité, elle est assise sur son canapé avec un sandwich poulet-mayonnaise à la main, Snookie sur les genoux et Jim qui somnole dans son fauteuil La-Z-boy. Elle sait qu'elle devrait prier, le pasteur Len ne lui dirait pas autre chose – si elle priait, est-ce que tout s'arrangerait ? –, mais, pour la première fois de sa vie, elle ne se rappelle pas ses prières. Elle parvient tout juste à songer « Jésus, aide-moi », car d'autres idées s'imposent sans cesse à elle. Qui s'occupera de Snookie si quelque chose lui arrive ? Snookie est vieille, presque dix ans, pourquoi l'a-t-elle laissée ? Les chiens ne comprennent pas ces choses-là. Ô Seigneur ! et puis il y a cette pile de collants filés, au fond de son tiroir à sous-vêtements, qu'elle avait l'intention de jeter. Que va-t-on penser d'elle si on la trouve ?

La brume s'épaissit, une bile brûlante lui monte dans la gorge, sa vue se brouille. Un craquement sec, et un gobelet en plastique jaune passe dans son champ de vision. D'autres mots en japonais – ses oreilles se bouchent, elle déglutit, sent l'arrière-goût infect des nouilles épicées avalées sur le vol précédent, et elle se réjouit de ne plus avoir besoin d'uriner… Puis de l'anglais : *que quelque chose aide les autres passagers, quelque chose, quelque chose.*

L'homme d'affaires continue de babiller dans son téléphone. Un autre soubresaut de l'avion le lui arrache, mais sa bouche continue de remuer ; il ne semble pas se rendre compte que sa main est vide. Pam peine à aspirer assez d'air dans ses poumons, et c'est un air métallique, artificiel, terreux, qui lui vaut une nouvelle nausée. Des éclairs l'aveuglent momentanément. Elle tend la main vers le masque qui se balance, mais il lui échappe toujours. Soudain elle sent une odeur de brûlé – comme du plastique laissé sur une cuisinière allumée. Elle a fait ça une fois, oublier une spatule sur une plaque électrique – Jim en a parlé pendant des semaines. *Tu aurais pu faire brûler toute la maison, idiote !*

Un autre message… *Préparez-vous, préparez-vous, préparez-vous à l'impact.*

Alors que s'impose à elle l'image d'une chaise vide, elle est envahie par un apitoiement aigu et douloureux sur son propre sort : c'est *sa* chaise, celle qu'elle occupe tous les mercredis pendant la réunion d'étude de la Bible. Une chaise solide, fiable, *amicale,* qui ne se plaint jamais de son poids malgré les traces d'usure de l'assise. Pam arrive toujours en avance pour aider Kendra à installer les chaises, et chacun sait qu'elle prend place à la droite du pasteur Len, près de la machine à café. Tous ont prié pour elle la veille de son départ – même Reba lui a souhaité bon voyage. Elle avait la poitrine gonflée de fierté et de gratitude, les joues brûlantes d'être le centre de tant d'attentions. *Seigneur Jésus, prends soin de notre sœur et chère amie Pamela qui va…* L'avion frémit – et, cette fois, cela s'accompagne du bruit des sacs, ordinateurs portables et autres objets qui tombent des compartiments à bagages –, mais, si elle continue de se concentrer sur cette chaise inoccupée, tout ira bien. Comme durant ce jeu auquel il lui arrive de jouer quand elle revient de faire les courses : si elle croise trois voitures blanches, c'est à elle et non à Reba que le pasteur Len demandera de fleurir la salle.

Un bruit de déchirure, des ongles en métal géants griffant un tableau noir. Le sol convulse, un poids pousse la tête de Pam vers ses genoux, ses dents s'entrechoquent et elle voudrait hurler à la personne qui lui tire brutalement les mains au-dessus de la tête de la lâcher. Il y a des années, alors qu'elle partait chercher Joanie à l'école, un pick-up a surgi devant sa voiture. Le temps s'est alors écoulé au ralenti – elle a pris conscience de détails infimes : la fêlure du pare-brise, les points de rouille sur le capot de l'autre véhicule, la silhouette sombre du chauffeur coiffé d'une casquette de base-ball. Mais ça, ça arrive trop vite. *Faites que ça cesse, c'est trop long !* La voilà fouettée, martelée, battue. La tête ! Elle n'arrive pas à garder la tête droite et, d'un coup, le siège devant elle se précipite à la rencontre de son visage puis des éclairs de lumière blanche l'aveuglent et elle ne peut pas…

Un feu de joie crépite, crachote, mais elle a les joues froides. Gelées, même, l'air est mordant. Est-elle dehors ? Bien sûr que oui ! Idiote. On n'allume pas un feu de joie à l'intérieur ! Mais où est-elle ? Le soir de Noël, il y a toujours une réunion au ranch du pasteur Len – elle doit être dans la cour, à regarder les feux d'artifice. Elle apporte toujours sa célèbre crème de bleu. Pas étonnant qu'elle se sente à ce point perdue ! Elle a oublié la crème, elle a dû la laisser sur son plan de travail, le pasteur Len va être terriblement déçu et…

Quelqu'un hurle. *Il ne faut pas hurler le jour de Noël, pourquoi hurler le jour de Noël ? C'est un jour de réjouissance.*

Elle veut lever la main gauche pour s'essuyer le visage mais semble incapable de… Ce n'est pas normal : elle est couchée sur son bras, tordu dans son dos. Pourquoi est-elle couchée ? S'est-elle endormie ? Pas le soir de Noël, alors qu'il y a toujours tant à faire… Elle doit se lever, faire amende honorable pour avoir été impolie. Jim dit toujours qu'elle devrait avoir les idées plus arrêtées, être un peu plus…

Ses dents lui paraissent anormales. Elle promène sa langue dessus et l'arête d'une incisive cassée la lui entaille. Elle broie des fragments solides sous ses molaires, déglutit… Seigneur ! Elle a l'impression d'avaler des lames de rasoir, est-ce qu'elle…

Puis la conscience de ce qui s'est passé lui revient en pleine face, elle hoquette sous le choc, qui s'accompagne d'une poussée de douleur partant de sa jambe droite et qui se diffuse jusqu'à son abdomen. *Debout, debout, debout.* Comme elle tente de lever la tête, des aiguilles brûlantes se plantent dans sa nuque.

Un autre hurlement lui paraît s'élever à proximité. Elle n'a jamais rien entendu de tel – un son nu, cru, à peine humain. Elle voudrait qu'il cesse car il intensifie la douleur dans son ventre, comme s'il était directement relié à ses entrailles.

Oh, merci Seigneur Jésus, elle parvient à bouger le bras droit et le lève lentement, se tâte le ventre. Sa main rencontre quelque chose de doux et d'humide, de tout à fait *anormal,* mais elle refuse d'y réfléchir pour le moment. Ô Seigneur ! elle a besoin d'aide, elle a besoin qu'on vienne à son secours, si seulement elle avait écouté Jim, si elle était restée à la maison avec Snookie, si elle n'avait pas eu toutes ces mauvaises pensées au sujet de Reba…

Arrête. Elle ne doit pas céder à la panique. C'est ce qu'on dit toujours : pas de panique. Elle est vivante. Elle devrait s'en réjouir. Il lui faut se lever, déterminer où elle se trouve. Plus sur son siège, c'est certain : elle sent une surface douce et moussue sous son corps. Après avoir compté jusqu'à trois, elle prend appui sur son bras valide pour se retourner mais se voit forcée d'arrêter quand un flamboiement de douleur, aussi vif qu'un choc électrique, explose dans tout son corps – elle n'arrive pas à croire qu'elle endure une telle souffrance. Elle reste figée et, Dieu merci, la douleur commence à se dissiper, laissant dans son sillage un engourdissement inquiétant (mais elle ne va pas penser à cela non plus, non, non).

Elle ferme les yeux très fort avant de les rouvrir. Cligne des paupières pour s'éclaircir la vue. Prudente, elle essaie de tourner la tête à droite et, cette fois, y parvient sans éprouver cette horrible douleur. *Bien.* Une ecchymose de lumière orangée en arrière-plan ne lui permet d'apercevoir que des silhouettes sombres, mais elle distingue un épais bouquet d'arbres – des arbres étranges, tordus, qu'elle n'identifie pas – et, là, juste devant, un morceau incurvé de métal déformé. Ô Seigneur, serait-ce l'avion ? Oui… elle voit la forme oblongue d'un hublot. Le bruit d'une bulle qui éclate, un sifflement, une petite détonation, et la scène s'illumine soudain comme en plein jour. Ses yeux s'humidifient mais elle ne les détourne pas. Elle refuse de les détourner. Elle voit le bord déchiqueté du morceau de fuselage brutalement arraché à l'avion. Où est le reste ? Était-elle assise dans cette portion-ci ? Impossible. Elle n'aurait pas survécu. Cet énorme jouet brisé lui rappelle les terrains autour des caravanes où habitait naguère la mère de Jim, jonchés de débris, de vieilles pièces d'automobiles et de tricycles cassés.

Elle n'aimait pas aller là-bas, quoique la vieille dame ait toujours été gentille avec elle… Son champ de vision est limité en raison de sa position, elle tourne la tête et ignore le craquement qu'elle entend alors, jusqu'à ce que sa joue repose sur son épaule.

Le hurlement s'interrompt d'un coup. *Bien.* Elle ne veut pas que ce moment s'enlise dans la douleur et les bruits de quelqu'un d'autre.

Attendez un peu… Quelque chose bouge, juste à l'orée du bois. Une silhouette sombre. Quelqu'un ? Une personne de petite taille, un enfant ? Celui qui était assis devant elle ? La honte l'inonde : pendant la chute de l'avion, elle ne leur a pas accordé une pensée, à lui et à sa mère. Elle n'a songé qu'à elle-même. Pas étonnant qu'elle n'ait pas réussi à prier, elle fait une bien piètre chrétienne. La silhouette disparaît de sa vue. C'est frustrant mais Pam est incapable de tordre davantage le cou.

Alors qu'elle voudrait crier, elle semble incapable d'ouvrir la mâchoire. *S'il vous plaît. Je suis ici. Appelez les secours. Allez chercher de l'aide.*

Un bruit étouffé derrière sa tête.

— Ack, parvient-elle à articuler. Ack…

Quelque chose lui touche les cheveux et elle sent des larmes rouler sur ses joues : elle va s'en tirer. On est là pour la sauver.

Des pas qui s'éloignent en courant. *Ne partez pas. Ne me laissez pas.*

Des pieds nus apparaissent soudain devant ses yeux. De petits pieds sales. Il fait sombre, très sombre, mais on les dirait maculés d'une substance noire. De la boue ? Du sang ?

— Aidez-moi, aidez-moi, aidez-moi, répète-t-elle.

Voilà, elle parle à présent. Bravo, ma fille. Si elle parle, c'est qu'elle va s'en tirer. Elle est juste sous le choc. Oui. C'est tout.

— Aidez-moi.

Un visage de garçonnet se penche au-dessus d'elle, si près qu'elle sent un souffle léger sur ses joues. Elle tente de se concentrer sur les yeux de l'enfant. Est-ce qu'ils… ? Non, oh non. C'est juste le manque de lumière. Ils sont blancs, tout blancs, sans pupille. *Ô Seigneur Jésus, aide-moi.* Un hurlement enfle dans la poitrine de Pam, se coince dans sa gorge, elle n'arrive pas à l'expulser, il va l'étouffer. Le visage recule brusquement. Elle a les poumons lourds, liquides. À présent, respirer lui fait mal.

Quelque chose remue à l'extrême droite de son champ de vision. Est-ce le même enfant ? Comment a-t-il pu arriver là-bas aussi vite ? Il tend le bras pour désigner des… des formes, plus noires que le sous-bois qui les entoure. Des gens. Oui, des gens, sans aucun doute. La lueur orangée faiblit mais Pam distingue clairement les silhouettes. Des centaines de personnes, dirait-on, et qui viennent vers elle. Qui sortent de sous les arbres, ces arbres bizarres, noueux, bulbeux et tordus comme des doigts.

Où sont leurs pieds ? Ils n'ont pas de pieds. Ce n'est pas normal.

Non, non. Ils ne sont pas réels. C'est impossible. Leurs yeux sont invisibles, leurs visages des taches d'encre noire plates et immobiles tandis qu'éclôt et meurt la lumière derrière eux.

Ils viennent pour elle, elle le sait.

La peur reflue, remplacée par la certitude qu'il lui reste peu de temps. On dirait qu'une Pam froide et assurée – une nouvelle Pam, celle qu'elle a toujours voulu être – prend le contrôle de son corps mutilé, mourant. Elle ignore son abdomen en sang et cherche des doigts son sac banane. Il est toujours là, même s'il s'est retrouvé sur sa hanche. Les yeux clos, elle se concentre pour l'ouvrir. Ses doigts sont humides, glissants, mais elle ne va pas abandonner maintenant.

Le bruit retentit à nouveau, plus fort, il emplit ses oreilles. Une lumière apparaît dans le ciel et vient danser sur elle, autour d'elle, elle distingue une rangée de sièges éventrés au squelette métallique réfléchissant ; et une chaussure à talon haut qui paraît toute neuve. Pam se demande si la lumière va arrêter la progression de la foule. Non : tous ces gens continuent d'avancer à pas lents, et elle ne distingue toujours pas leurs traits. Où est le garçon ? Elle voudrait lui dire de ne pas approcher d'eux, parce qu'elle sait ce qu'ils veulent, oh oui, elle sait exactement ce qu'ils veulent. Mais elle ne peut pas y songer maintenant, pas alors qu'elle est si près du but. Elle plonge la main dans son sac et lâche un petit cri de soulagement quand ses doigts effleurent la coque lisse de son téléphone. Elle le sort péniblement en prenant garde de ne pas le lâcher. Elle s'étonne du sentiment de panique qu'elle a ressenti en se demandant où elle l'avait mis – puis elle ordonne à son bras de le lever vers son visage. Et s'il ne fonctionnait pas ? S'il était cassé ?

Il ne sera pas cassé, elle ne le permettra pas. Elle pousse un croassement de triomphe lorsqu'elle entend le carillon du message de bienvenue. Nous y voilà presque… Un claquement de langue exaspéré : elle est si peu soigneuse que l'écran est couvert de sang. Elle convoque ses dernières forces et trouve l'icône « magnétophone » dans le menu déroulant. Le bruit dans ses oreilles est désormais assourdissant mais Pam l'ignore, tout comme elle ignore le fait qu'elle n'y voie plus rien. Elle approche le téléphone de sa bouche et commence à parler.

LE JEUDI NOIR

Du Crash au Complot

Une étude du phénomène des Trois

Elspeth Martins

Jameson & White éditeurs

New York * Londres * Los Angeles

Note de l'auteur

Rares sont sans doute les lecteurs qui n'éprouvent pas un frisson d'angoisse en entendant les mots Jeudi Noir. Ce jour-là, le 12 janvier 2012, au cours duquel quatre avions de ligne s'écrasèrent à quelques heures d'intervalle, tuant plus de mille personnes, figure désormais dans les annales des catastrophes ayant modifié le regard que nous portons sur le monde.

Comme on pouvait s'y attendre, quelques semaines après les accidents, on vit apparaître sur le marché une profusion de récits, de blogs, de biographies et autres billets d'opinion, profitant tous de la fascination morbide du public pour les accidents eux-mêmes et les enfants leur ayant survécu, surnommés « les Trois ». Nul ne pouvait en revanche prévoir la succession d'événements macabres qui s'ensuivrait ni la vitesse à laquelle ils s'enchaîneraient.

Comme pour *Brisés,* mon enquête sur les crimes à main armée perpétrés par des Américains de moins de 16 ans, j'ai décidé que, si je devais ajouter ma voix à ce chœur, mon seul choix valable était de composer un récit objectif en laissant les personnes impliquées s'exprimer à leur manière. Dans ce but, j'ai puisé à une grande variété de sources, dont la biographie inachevée de Paul Craddock, les messages de Chiyoko Kamamoto et plusieurs interviews que j'ai réalisées en personne durant les événements en question ou juste après.

Je ne regrette pas d'avoir inclus dans ces pages des éléments que certains jugeront peut-être troublants, notamment les récits des premières personnes arrivées sur les lieux des tragédies, les déclarations de Pamélistes passés ou présents, les *isho* trouvés sur le site de l'accident du vol Sun Air 678, et l'interview jusqu'ici inédite de l'exorciste engagé par Paul Craddock.

Si j'admets volontiers avoir ajouté des extraits d'articles de journaux ou de magazines pour étayer le contexte (et, dans une certaine mesure, en tant qu'outil narratif), mon but premier, comme dans *Brisés,* est de fournir une base documentée afin d'étayer la réflexion de ceux qui ont vécu les événements s'étant déroulés de janvier à juillet 2012. Cela posé, j'invite les lecteurs à ne pas oublier que ces récits sont subjectifs et à tirer leurs propres conclusions.

Elspeth Martins
New York
30 août 2012

Ils sont là. Je suis… Ne laisse pas Snookie manger du chocolat, c'est un poison pour les chiens, elle va t'implorer, le garçon. Le garçon regardez le garçon regardez les morts, ô Seigneur ils sont tellement nombreux… Ils viennent pour moi à présent. Nous allons tous partir bientôt. Tous. Adieu Joanie j'adore ce sac adieu Joanie, pasteur Len avertissez-les que le garçon ne doit pas…

Les dernières paroles de Pamela May Donald (1961-2012)

Première partie

Le Crash

Extrait du premier chapitre du *Tuteur de Jess : Ma vie avec l'un des Trois* de Paul Craddock (avec la collaboration de Mandi Solomon).

J'adore les aéroports. Traitez-moi de vieux romantique si vous voulez mais je me réjouis toujours de voir familles et amants se retrouver, cette fraction de seconde durant laquelle s'illuminent les yeux des voyageurs las et couverts de coups de soleil au moment où ils franchissent les portes vitrées automatiques et qu'ils reconnaissent leurs proches venus les attendre. Quand Stephen me demanda de passer les chercher à Gatwick, les filles et lui, je fus donc plus qu'heureux d'accepter.

Je partis avec une bonne heure d'avance. Je désirais arriver tôt, m'offrir un café et passer un peu de temps à observer les gens. Quoique ce soit difficile à imaginer aujourd'hui, j'étais d'excellente humeur cette après-midi-là. On m'avait rappelé pour le rôle du majordome gay dans la troisième saison de *Cavendish Hall* (mon emploi habituel, certes, mais qui selon Gerry, mon agent, pourrait enfin faire décoller ma carrière) et j'avais trouvé une place de parking à moins d'une journée de marche de l'entrée. Puisque c'était un jour faste, je m'offris un café avec une double dose de crème, avant de me mêler à la foule qui attendait les passagers à la récupération des bagages. Dans une boutique voisine d'un fast-food, de jeunes stagiaires querelleurs démontaient comme des sagouins une vitrine de Noël très kitsch qui avait largement fait son temps, et je suivais le déroulement de leur mini-drame sans savoir le mien sur le point de commencer.

N'ayant pas songé à vérifier sur le panneau d'affichage que l'avion était à l'heure, je fus pris par surprise quand une voix nasale s'éleva dans les haut-parleurs :

— Les personnes attendant l'arrivée du vol Go ! Go ! Airlines 277 en provenance de Ténérife sont priées de se rendre au guichet des renseignements, merci.

Est-ce que ce n'est pas le vol de Stephen ? me dis-je en vérifiant sur mon BlackBerry. Je n'étais pas inquiet : sans doute le vol avait-il été retardé. Il ne me vint pas à l'esprit de me demander pourquoi Stephen ne m'avait pas appelé pour m'avertir de ce retard.

On croit toujours que ces choses-là n'arrivent qu'aux autres, pas vrai ?

D'abord, il n'y eut qu'un petit groupe à se présenter au guichet, les gens qui, comme moi, étaient arrivés en avance : une jolie fille aux cheveux teints en rouge, qui tenait au bout d'une baguette un ballon en forme de cœur, un colosse avec des dreadlocks, et un couple d'âge mûr en survêtement cerise, dont le teint trahissait la tabagie. Pas des gens que j'aurais choisi de fréquenter en temps normal. Bizarre comme une première impression peut se révéler erronée, n'est-ce pas ? Tous font désormais partie de mes amis intimes. Il faut dire que ce genre de mésaventure crée des liens.

J'aurais dû comprendre, à l'expression choquée du jeune préposé aux renseignements et de l'agente de sécurité blafarde qui se tenait près de lui, qu'une horreur se préparait, mais je n'éprouvais à ce stade que de l'agacement.

— Qu'est-ce qui se passe ? demandai-je sèchement, avec mon plus bel accent de *Cavendish Hall.*

Le jeune bredouilla que nous devions le suivre quelque part où « plus d'informations nous seraient fournies ».

Chacun s'exécuta. J'avoue avoir été surpris que l'homme et la femme en survêtement ne fassent pas plus de barouf, car ils n'avaient pas l'air du genre à se laisser donner des ordres. Comme ils me le confièrent quelques semaines plus tard, durant une de nos réunions des « 277 Ensemble », ils étaient alors dans une attitude de déni. Ils ne *voulaient* pas savoir et, si l'avion avait connu un problème grave, ils ne voulaient pas l'apprendre d'un gamin tout juste sorti de la puberté. Le jeune employé fila à toutes jambes, sans doute pour qu'aucun de nous ne puisse l'interroger davantage, puis il nous fit franchir une porte tout ce qu'il y a de plus banal près des locaux de la douane. On nous mena dans un long couloir qui, à en juger par sa peinture écaillée et son sol griffé, desservait une zone de l'aéroport rarement exposée aux regards de la clientèle. Je me rappelle avoir senti une odeur de tabac chaud flotter dans l'air, au mépris flagrant de l'interdiction de fumer.

Enfin, on nous introduisit dans un hall sinistre, sans fenêtres, meublé de sièges de salle d'attente lie-de-vin usés. Mon regard fut attiré par un cendrier tubulaire des années 1970, à moitié dissimulé derrière un hortensia en plastique. Amusant, les détails qu'on se rappelle, non ?

Un type vêtu d'un costume en polyester, une planchette porte-papier serrée contre lui, s'avança à notre rencontre d'un pas chaloupé, la pomme d'Adam oscillant de bas en haut comme un malade souffrant du syndrome de Gilles de la Tourette. Quoique aussi pâle qu'un cadavre, il avait les joues marquées d'une forte irritation due au rasoir. Ses yeux parcoururent toute la salle, rencontrèrent brièvement les miens, puis son regard se fixa dans le lointain.

Ce fut à ce moment-là que l'évidence me frappa, je crois. La conscience écœurante d'être sur le point d'apprendre une nouvelle qui changerait à jamais ma vie.

— Bon, vas-y, mon pote, finit par lancer Kelvin, l'homme aux dreadlocks.

L'employé en costume déglutit convulsivement.

— Je suis navré de vous transmettre cette information, mais le vol 277 a disparu de nos radars il y a environ une heure.

Le monde se mit à osciller et je sentis les prémices d'une crise de panique – des picotements dans les doigts, un poids sur la poitrine. Puis Kelvin posa la question que nous avions tous peur de formuler :

— Est-ce qu'il s'est écrasé ?

— Nous n'avons encore aucune certitude, mais soyez sûrs que nous vous informerons dès que nous en saurons plus. Des psychologues sont à la disposition de ceux d'entre vous qui…

— Et les survivants ?

Les mains de l'employé tremblaient. L'avion stylisé, façon dessin animé, qui clignait de l'œil sur son badge Go ! Go ! en plastique semblait nous railler de sa joviale insouciance. « Ils devraient appeler ça Gay ! Gay ! Air », lançait toujours Stephen quand une des lamentables publicités de la compagnie aérienne passait à la télé.

Selon lui, cet avion avait l'air plus homo qu'un bus

rempli de folles. Je ne m'en vexais pas : c'était une blague parmi d'autres entre nous.

— Comme je le disais, reprit le type en costume, des psychologues sont à votre disposition…

Mel, la moitié féminine du couple en survêtement, prit alors la parole :

— Au diable vos psys, dites-nous ce qui s'est passé !

La jeune femme éclata en sanglots avec la ferveur d'un personnage de *Eastenders*[1], et Kelvin l'entoura d'un bras. Elle lâcha son ballon, que je vis rebondir tristement par terre jusqu'à se loger près du cendrier rétro. D'autres personnes arrivaient, précédées par des employés de Go ! Go ! aussi abasourdis et mal préparés à la situation que le jeune aux taches de rousseur.

Les joues du même rouge que sa veste de survêtement, Mel agitait le doigt sous le nez du cadre qui nous accueillait. Alors que tout le monde hurlait ou pleurait, je me sentais curieusement détaché, comme en train d'attendre sur scène le moment de lancer ma réplique. Aussi atroce que cela puisse paraître, je me rappelle avoir songé : *Souviens-toi de ce que tu éprouves, Paul, ça t'aidera pour ton jeu.* Je n'en suis pas fier. Je suis franc, c'est tout.

Tandis que je continuais de fixer le ballon, j'entendis soudain les voix de Jessica et de Polly, aussi claires qu'un carillon. « Mais, tonton Paul, comment ça vole, les avions ? » Stephen m'avait invité à déjeuner, le dernier dimanche avant leur départ, et les jumelles m'avaient harcelé de questions à propos du vol à venir, voyant en moi, pour une raison que j'ignore, une autorité absolue en matière de transports aériens. Ce serait

1. Soap opera britannique inédit en France.

leur premier voyage en avion, une perspective qui les excitait plus que les vacances elles-mêmes.

Je tentai de me rappeler la toute dernière chose que m'avait dite mon frère, quelque chose comme : « On se reverra quand tu seras plus vieux, coco. » Comment n'avais-je pas senti qu'il s'était produit quelque chose d'horrible, même si nous sommes de faux jumeaux ? Je tirai mon téléphone de ma poche, me rappelant que Stephen m'avait envoyé un SMS la veille : « T'as le bonjour des filles. Y a que des meufs, ici. On arrive à 15 h 30. Sois pas en retard. :-) » Je fis défiler mes messages, le sauvegarder me paraissait soudain vital. Mais il n'y était plus ; j'avais dû l'effacer par accident.

Des semaines plus tard, je regrettais encore d'avoir perdu ce SMS.

D'une manière ou d'une autre, je me retrouvai dans le hall des Arrivées : je ne me rappelle ni comment j'y étais revenu ni si quiconque avait voulu m'empêcher de quitter ce salon sinistre. Je me mis à errer. De multiples regards se posaient sur moi, je le sentais, mais les gens n'étaient à mes yeux que des figurants insignifiants. Il y avait une lourdeur dans l'air, comme avant un orage. *Et merde, il me faut un verre*, fut la première idée qui me traversa l'esprit, ce qui, étant donné que j'avais cessé de boire dix ans plus tôt, ne me ressemblait pas du tout. Je me dirigeai tel un somnambule vers le pub censément irlandais au fond du hall. Une bande de jeunes mal élevés rassemblés autour du comptoir regardaient la télé. L'un d'eux, un crétin rougeaud à l'accent affecté parlait trop fort, évoquant le 11 Septembre et affirmant à la cantonade que, s'il n'était pas à Zurich à 17 h 50, des têtes allaient tomber. Il s'arrêta au milieu d'une phrase à mon approche et les autres me firent de la place, s'écartant de moi comme si j'étais contagieux. Bien sûr, j'appris ensuite que le chagrin et l'horreur sont bel et bien contagieux.

Le son de la télé était poussé à fond et une présentatrice – une de ces atrocités américaines bourrées de botox, avec le sourire de Tom Cruise et maquillées comme des voitures volées – bavassait au premier plan. Derrière elle, une incrustation montrait un marécage au-dessus duquel volait un hélicoptère. Je lus le titre en bas de l'écran : Un vol Maiden Airlines s'écrase dans les Everglades.

Ils se sont trompés. Stephen et les filles étaient sur un vol Go ! Go !, pas à bord de cet appareil-là.

Puis l'évidence me frappa : un autre avion s'était écrasé.

À 14 h 35 (heure d'Afrique centrale), un avion Antonov transportant passagers et marchandises, affrété par la compagnie nigériane Dalu Air, s'écrasa au cœur de Khayelitsha – le township le plus peuplé de la ville du Cap. Liam de Villiers était parmi les premiers infirmiers sur les lieux. Employé par les Secours Médicaux du Cap au moment de l'accident, il exerce désormais en tant que psychologue spécialisé dans les traumatismes. Les deux parties de cette interview réalisée par Skype et par e-mail ont été réunies en un seul récit.

On s'occupait d'un incident sur Baden Powell Drive quand c'est arrivé. Un taxi ayant percuté une Mercedes s'était retourné, mais rien de très grave : il n'avait pas de clients au moment de la collision et le chauffeur n'avait récolté que quelques blessures légères. On allait cependant être obligés de l'emmener aux urgences pour des points de suture. C'était une journée calme comme il n'y en a pas assez, le vent de sud-est violent qui soufflait depuis des semaines s'était apaisé, et seuls de minuscules nuages circulaient au-dessus de la Montagne de la Table. Une journée parfaite, aurait-on pu dire, à part qu'on était un peu trop près de la station d'épuration de Macassar : au bout de vingt minutes à en sentir les effluves, je me réjouissais de n'avoir pas trouvé le temps de manger les plats KFC que je m'étais achetés pour le déjeuner.

J'avais ce jour-là comme équipier Cornelius, un de nos nouveaux ambulanciers. Un mec sympa qui avait le sens de l'humour. Pendant que je m'occupais du blessé, il discutait avec deux flics de la circulation arrivés sur les lieux. Le chauffeur de taxi hurlait dans son téléphone portable, mentant à son patron, pendant que je soignais son bras blessé. Il n'a pas grimacé une seule fois, comme s'il ne lui était rien arrivé. J'allais demander à Cornelius s'il avait informé les urgences de False Bay qu'on leur amenait un patient, quand un rugissement a déchiré le ciel et nous a tous fait sursauter. La main du chauffeur est devenue molle ; son téléphone est tombé par terre. Et, ensuite, on a vu. Je sais que tout le monde dit ça, mais on avait l'impression de regarder un film ; on n'arrivait pas à croire que c'était en train d'arriver pour de vrai. L'avion volait tellement bas qu'on voyait la peinture écaillée de son logo – vous savez : la grande volute verte autour d'un D majuscule. Son train d'atterrissage était sorti et ses ailes s'inclinaient d'un côté puis de l'autre, comme les bras d'un funambule cherchant son équilibre. Je me rappelle avoir pensé : *L'aéroport est de l'autre côté ; qu'est-ce qu'il fout, ce con de pilote ?*

Cornelius me criait quelque chose, le bras tendu. Je n'ai pas compris ce qu'il disait, mais j'ai saisi l'idée générale. Mitchell's Plain, le township où vivait sa famille, semblait plus ou moins dans la trajectoire de l'avion qui, de toute évidence, allait s'écraser. Il ne brûlait pas, rien de ce genre, mais il avait visiblement de très gros problèmes.

Il a disparu de notre vue, on a entendu un grand boum, et je jure que le sol a tremblé. Plus tard, Darren, notre superviseur au central, nous a dit qu'on était sûrement trop loin pour sentir l'onde de choc, mais c'est le souvenir que j'en ai. Quelques secondes plus tard, un nuage noir s'est épanoui dans le ciel. Tellement énorme que ça m'a rappelé les images d'Hiroshima. Et je me suis dit : *Merde, personne n'a pu survivre à ça.*

On n'a pas pris le temps de réfléchir. Cornelius a bondi dans la voiture et appelé la base par radio. Il a expliqué qu'on avait un accident très grave sur les bras et demandé à ce que le centre des plans d'urgence soit prévenu. J'ai informé le chauffeur de taxi qu'il lui faudrait attendre une autre ambulance pour être emmené à l'hôpital.

— Dites-leur que c'est une Phase Trois, lui ai-je crié, dites-leur que c'est une Phase Trois !

Les flics étaient déjà partis. Ils fonçaient vers la sortie Khayelitsha Harare. J'ai bondi à l'arrière de la voiture. L'adrénaline occultait ma fatigue, bien que j'aie travaillé douze heures d'affilée. J'ai laissé Cornelius conduire dans le sillage de la voiture de police, j'ai ôté la housse des placards et j'ai commencé à fouiller à l'intérieur, à la recherche de crèmes contre les brûlures, de bouteilles pour perfusions, tout ce qui pourrait nous être utile, et j'ai disposé ça sur la civière, à l'arrière. On était formés pour ça, bien sûr – les accidents d'avion, je veux dire. Il y a un site désigné pour amerrir en cas d'urgence à Fish Hoek, au bord de False Bay, et je me suis demandé si c'était là que se dirigeait le pilote après avoir compris qu'il n'atteindrait pas l'aéroport. Je ne vais pas vous mentir : la formation, c'est une chose, mais je n'aurais jamais cru qu'on se trouverait un jour dans une situation pareille.

Vous n'imaginez pas combien ce trajet en voiture est gravé dans ma mémoire. Les crachotements et parasites de la radio derrière les voix qui se concertaient, les mains de Cornelius aux articulations blanchies sur le volant, les relents de poulet et de frites que je n'avais pas mangés. Et puis, ça va la foutre mal de dire ça, mais il y a des quartiers de Khayelitsha dans lesquels on n'envisageait pas d'aller, on avait déjà eu des infirmiers pris en otage – tous les ambulanciers vous le diront –, mais, là, c'était différent. Il ne m'est même pas venu à l'idée de m'inquiéter parce qu'on entrait dans Little Brazzaville. Darren, par radio, expliquait à Cornelius pourquoi nous devions attendre que le périmètre soit sécurisé. Dans des situations pareilles, on n'a pas besoin de héros : il faut éviter de se blesser et de grossir les rangs des victimes dont devront s'occuper les secouristes.

Comme on approchait du site, j'ai entendu des hurlements se mêler aux sirènes qui retentissaient dans toutes les directions. La fumée roulait vers nous, couvrait le pare-brise d'un résidu gras, si bien que Cornelius a dû ralentir et mettre en marche les essuie-glaces. L'odeur âcre du kérosène en feu emplissait l'ambulance, une puanteur qui m'est restée collée à la peau pendant des jours. Mon équipier a pilé quand une foule a surgi en face de nous. Ces gens portaient des télés, des enfants en pleurs, des meubles – et même des chiens. Ce n'étaient pas des pillards, mais des personnes conscientes de la vitesse à laquelle le feu peut se propager dans ce quartier. La plupart des maisons sont collées les unes aux autres, des baraques en bois et en fer rouillé dont beaucoup ne valent guère mieux qu'un tas de branchages. Et je ne parle même pas de la quantité de paraffine qu'il devait y avoir dans le coin.

On avançait désormais au pas, et j'ai entendu des mains gifler les flancs de l'ambulance. J'ai carrément baissé la tête lorsqu'une nouvelle explosion a retenti. *Merde, ce coup-ci, ça y est*, j'ai pensé. Plusieurs hélicoptères volaient au-dessus de nous. J'ai crié à Cornelius de s'arrêter – on ne pouvait à l'évidence pas continuer très longtemps sans se mettre en danger. Je suis sorti par le hayon, tentant de me cuirasser pour affronter ce que nous allions découvrir.

C'était le chaos. Si je ne l'avais pas vu tomber de mes yeux, je n'aurais pas deviné qu'il s'agissait d'un avion – j'aurais cru qu'une putain de grosse bombe avait pété. Et la chaleur qui se dégageait… J'ai vu les films plus tard, les films pris par l'hélicoptère, cette tranchée noire dans la terre, les bicoques aplaties, l'école bâtie par les Américains écrabouillée comme une vulgaire baraque en allumettes ; l'église coupée en deux comme une fragile cabane de jardin.

— Et nous ? Et nous ? Aidez-nous ! criaient des gens. Par ici ! Par ici !

Des centaines de personnes, semblait-il, se précipitaient vers nous en criant à l'aide, mais, par chance, les flics qu'on avait rencontrés sur les lieux de l'accident de taxi ont repoussé la plupart d'entre elles, et on a pu mesurer ce qu'on affrontait. Cornelius a entrepris de séparer les blessés en différents groupes, en fonction de la gravité de leur état. Le premier enfant que j'ai examiné ne s'en tirerait pas, je l'ai tout de suite compris. Sa mère, bouleversée, m'a dit qu'ils dormaient tous les deux quand elle avait entendu un grondement assourdissant, avant que des décombres ne s'abattent dans leur chambre. On sait à présent que l'avion s'est cassé au moment de l'impact et qu'il a dispersé des fragments brûlants comme de l'agent orange.

Un médecin de l'hôpital de Khayelitsha était déjà arrivé sur le site et faisait un boulot fantastique. Ce mec-là avait un sacré sang-froid. Avant même l'arrivée de l'équipe des plans d'urgence, il avait délimité des zones pour les tentes de tri, la morgue et le stationnement des ambulances. Il y a une méthode à respecter pour tout ça, il ne faut pas faire n'importe quoi. On a organisé le cercle extérieur en un temps record. Les pompiers et les services de secours de l'aéroport sont arrivés quelques minutes après nous pour sécuriser la zone : il était vital qu'ils veillent à ce qu'on n'ait pas de nouvelle explosion sur les bras. Aucun de nous n'ignorait que les avions sont bourrés d'oxygène, sans parler du kérosène.

On s'est principalement occupés des victimes périphériques. Des brûlures, des lacérations causées par des fragments de métal volants, un paquet d'amputations, des problèmes oculaires à foison – en particulier chez les enfants. Cornelius et moi, on a passé la surmultipliée. Les flics retenaient les gens, mais on ne pouvait pas leur en vouloir de se presser autour de nous. De crier le nom de leurs proches manquant à l'appel, de chercher les enfants laissés à telle école ou telle crèche, ou bien de s'inquiéter de l'état de santé de leurs proches blessés. Une bonne poignée filmaient la scène avec leur téléphone portable. Je ne le leur reproche pas : ça permet de prendre de la distance, non ? Et la presse était partout, les journalistes grouillaient autour de nous. J'ai dû empêcher Cornelius de balancer un coup de poing à un mec, avec un appareil photo en bandoulière, qui n'arrêtait pas de se mettre devant lui.

Plus la fumée se dissipait, plus on découvrait l'étendue de la catastrophe. Du métal torturé, des vêtements en lambeaux, des meubles et des appareils électroménagers brisés, des chaussures esseulées, des téléphones portables piétinés… Et des cadavres, bien sûr. La plupart étaient brûlés mais il y en avait d'autres… en morceaux, voyez… Des hurlements continuaient de retentir tout autour de nous alors qu'on découvrait de plus en plus de corps. La tente utilisée comme morgue n'allait pas suffire.

On a travaillé toute la journée et une bonne partie de la nuit. Au crépuscule, on a apporté des projecteurs pour éclairer le site et, d'une certaine manière, ç'a été pire. Malgré leurs appareils respiratoires, certains des plus jeunes volontaires des plans d'urgence n'ont pas supporté le spectacle ; on les voyait s'écarter en courant pour vomir.

Les housses mortuaires continuaient de s'empiler.

Pas un seul jour ne s'écoule sans que j'y pense. Je suis encore incapable de manger du poulet grillé.

Vous êtes au courant pour Cornelius, hein ? Sa femme dit qu'elle ne pourra jamais lui pardonner mais, moi, je peux. Je comprends. Je sais ce que c'est d'être angoissé en permanence, de ne pas réussir à dormir et de se mettre à pleurer sans raison. C'est pour ça que je me suis fait suivre par un psy. Écoutez, il n'est pas possible de décrire la scène à quelqu'un qui n'était pas là, mais je vais quand même essayer de vous en donner une idée. Je fais ce boulot depuis plus de vingt ans, et j'ai vu des trucs carrément lourds. Une fois, je suis arrivé juste après un supplice du pneu, avec le cadavre encore fumant, son visage crispé en une expression qu'on n'a pas envie de voir dans ses pires cauchemars. J'étais de service le jour où la grève des employés municipaux a mal tourné et que les flics ont ouvert le feu – trente morts, pas tous par balles, et je ne vous raconte pas les dégâts que peut faire une machette. Je me suis trouvé sur des sites de carambolages où des cadavres d'enfants, des bébés encore sanglés sur leurs sièges, avaient été propulsés à travers trois files de circulation. J'ai vu ce qui se passe quand un poids lourd a les freins qui lâchent et roule sur une Ford Ka. Et, quand je travaillais dans la brousse, au Botswana, je suis tombé sur les restes d'un garde forestier qu'un hippopotame avait partagé en deux d'un coup de gueule. Rien de tout ça n'arrive à la cheville de ce qu'on a vu ce jour-là. On a tous compris ce qu'a traversé Cornelius – toute l'équipe l'a compris.

Il a fait ça dans sa voiture, sur la côte Ouest, là où il allait pêcher. Asphyxie, un tuyau relié à l'échappement. Silencieux et propre.

Il me manque.

Après, on s'est fait critiquer un max parce qu'on a pris des photos de la scène et qu'on les a mises sur Facebook. Mais je ne vais pas m'excuser pour ça. C'est une des manières dont on gère ça – il faut en parler – on ne peut pas le comprendre si on ne fait pas ce boulot. Il est question qu'on les retire, à présent, vu que des connards n'arrêtent pas de s'en servir pour leur propagande. Ayant grandi dans un pays comme le nôtre, avec son histoire, je ne suis pas un grand fan de la censure, mais je vois pourquoi on fourre tout ça sous le tapis. Ça ne fait que jeter de l'huile sur le feu.

Maintenant, je vais vous dire une bonne chose : j'étais là-bas, au point d'impact, et il est impossible que quiconque ait survécu dans cet avion. Impossible. Je n'en démordrai pas, quoi qu'en disent ces enculés de maniaques du complot (passez-moi l'expression).

Et je n'en démords toujours pas.

Yomijuri Miyajima, géologue et bénévole spécialisé dans la prévention du suicide, employé dans la célèbre forêt Aokigahara, au Japon – un site populaire chez les déprimés désirant mettre fin à leurs jours –, était de service la nuit où un Boeing 747-400D, affrété par la compagnie locale Sun Air, s'écrasa au pied du mont Fuji.
(Traduction : Eric Kushan.)

Je m'attendais à trouver un cadavre cette nuit-là. Pas des centaines.

En général, les bénévoles ne patrouillent pas la nuit mais, au crépuscule, notre station reçut un appel d'un père très inquiet ayant intercepté des e-mails préoccupants et découvert un exemplaire du manuel du suicide de Wataru Tsurumi sous le matelas de son fils adolescent. Avec le tristement célèbre roman de Matsumoto, il s'agit d'une des lectures favorites de ceux qui choisissent d'achever leur vie dans la forêt ; depuis des années que je travaille ici, j'en ai trouvé plus d'exemplaires que je n'en pourrais compter.

Quelques caméras sont installées à l'entrée la plus fréquentée pour repérer les activités suspectes, mais je n'avais reçu aucune confirmation que le garçon y avait été vu. Je disposais par ailleurs d'une description de sa voiture et n'en voyais pas trace au bord de la route ni dans aucun parking proche de la forêt. Cela ne voulait rien dire. Souvent, les gens se rendent en des lieux reculés ou dissimulés, à l'orée du bois, pour mettre fin à leurs jours. Certains s'asphyxient aux gaz d'échappement, d'autres en inhalant la fumée toxique de barbecues portables, mais la méthode la plus courante est de loin la pendaison. Une grande partie des suicidaires apportent tentes et provisions, comme s'ils avaient besoin de méditer leur geste une ou deux nuits avant de passer à l'acte. Chaque année, la police locale et de nombreux bénévoles quadrillent la forêt à la recherche des corps de ceux qui ont choisi d'y mourir. La dernière fois, fin novembre, nous avons découvert trente dépouilles. La plupart n'ont pas été identifiées. Si je croise dans la forêt quelqu'un qui me donne l'impression de songer au suicide, je l'adjure de prendre en compte la douleur de la famille qu'il laisserait derrière lui et je lui rappelle qu'il y a toujours de l'espoir. Je désigne la roche volcanique qui forme la base du sol forestier et je lui dis que, si des arbres peuvent pousser sur une surface aussi rude et aride, il est possible de bâtir une nouvelle vie sur n'importe quel coup dur.

Il est désormais courant que les candidats au suicide se munissent d'un rouleau de ruban pour marquer leur itinéraire, afin de retrouver leur chemin s'ils changent d'avis ou, dans la plupart des cas, d'indiquer l'emplacement de leur cadavre. D'autres s'en servent pour des raisons moins avouables : ce sont de funestes amateurs de sensations fortes qui espèrent tomber sur un corps, mais n'ont pas envie de se perdre.

Je me portai donc volontaire pour m'aventurer dans la forêt à pied et, ce dernier élément en tête, je commençai par vérifier si un nouveau ruban avait été enroulé autour d'un arbre. Il faisait noir, je n'avais donc aucune certitude, mais je crus discerner les traces de pas d'une personne ayant récemment dépassé le panneau « Promenade interdite au-delà de ce point ».

Je n'avais pas peur de me perdre. Je connais la forêt ; je ne m'y suis jamais perdu. Désolé pour le lyrisme mais, après vingt-cinq ans à y travailler, elle fait partie de moi. En outre, j'avais une torche électrique puissante et mon GPS – ce n'est pas vrai que la roche volcanique brouille les signaux. Mais la forêt attire tel un aimant mythes et légendes, et les gens croient ce qu'ils ont envie de croire.

Une fois qu'on est dans le sous-bois, il se transforme en cocon. La cime des arbres forme un toit légèrement ondulant qui isole du monde extérieur. Certains jugent ce calme et ce silence angoissants. Pas moi. Les *yūrei* ne m'effraient pas. Je n'ai rien à redouter de l'esprit des morts. Peut-être savez-vous ce qu'on raconte : on pratiquait souvent l'*ubasute* dans ces lieux. Par temps de famine, on abandonnait les vieux et les infirmes pour qu'ils meurent de froid. Cette histoire est sans fondement. Ce n'est qu'un des nombreux récits qu'attire la forêt. Beaucoup de gens croient que les esprits souffrent de la solitude et qu'ils appellent à eux les vivants. Ils croient que telle est la raison pour laquelle tant de candidats au suicide viennent ici.

Si je ne vis pas tomber l'avion – comme je le disais, la canopée masque le ciel –, en revanche je l'entendis. Une série de détonations étouffées, comme un claquement de portes géantes. Je crois avoir attribué ces bruits au tonnerre, bien que ce ne fût pas la saison des orages et des typhons. J'étais trop occupé à scruter les ombres, les ornières et les ravins, à chercher des indices de la présence de l'adolescent, pour me poser des questions.

Je m'apprêtais à abandonner quand ma radio crépita. Sato-san, un de mes collègues surveillants, m'informa qu'un avion en péril avait dévié de son plan de vol et s'était écrasé quelque part dans la forêt – très probablement dans la zone de Narusawa. Bien sûr, je compris alors la cause des explosions entendues un peu plus tôt.

Sato-san me précisa que les autorités étaient en route et qu'il réunissait une équipe de recherches. Il paraissait hors d'haleine, profondément choqué, sachant aussi bien que moi combien il serait difficile aux sauveteurs d'atteindre le site. Dans certains secteurs de la forêt, il est presque impossible de circuler, de profondes crevasses dissimulées rendent la traversée très périlleuse.

Je décidai de partir vers le nord, dans la direction du bruit que j'avais entendu.

Au bout d'une heure, les bourdonnements des hélicoptères de secours qui survolaient la forêt me parvinrent. Je savais qu'il leur serait impossible d'atterrir, aussi pressai-je le pas : s'il y avait des survivants, il fallait les retrouver rapidement. Au bout de deux heures, je commençai à sentir la fumée ; les arbres avaient pris feu en plusieurs endroits mais, Dieu merci, l'incendie ne s'était pas propagé ; les branches luisaient sous des flammes qui commençaient à mourir. Une impulsion me fit balayer le haut des arbres du faisceau de ma torche. D'abord, je crus que la petite silhouette pendue aux branches était un cadavre de singe carbonisé.

Je me trompais.

Il y en avait d'autres, bien sûr. La nuit vibrait des bruits de moteur des hélicoptères de sauvetage et de la presse, dont les phares, alors qu'ils filaient vers moi, révélaient d'innombrables formes prises dans les arbres. Parmi celles que je voyais en détail, certaines semblaient à peine blessées, comme endormies. D'autres… n'avaient pas cette chance. Toutes étaient nues ou en partie dévêtues.

Je m'efforçais d'atteindre ce qu'on appelle aujourd'hui le site principal du crash, là où furent retrouvées la queue et l'aile arrachée. Les hélicoptères faisaient descendre des sauveteurs à l'aide d'un treuil, mais il leur était impossible d'atterrir sur un terrain aussi traître et irrégulier.

Approcher de la queue de l'appareil m'inspira une sensation étrange. Elle se dressait au-dessus de moi, son fier logo rouge étonnamment intact. Je courus jusqu'à deux infirmiers venus du ciel qui soignaient une femme gémissante, allongée par terre ; j'ignorais tout de ses blessures mais je n'avais jamais entendu un être humain produire un son pareil. Ce fut alors que je surpris un mouvement furtif du coin de l'œil. Quelques arbres brûlaient encore alentour et, à la lueur des flammes, j'aperçus une petite silhouette prostrée, en partie dissimulée derrière un affleurement de roche volcanique torturée. Comme je me dirigeais vers elle à grands pas, le faisceau de ma torche fit étinceler une paire d'yeux. Je lâchai mon sac à dos et me mis à courir plus vite que jamais.

Je me rendis compte, tandis que j'approchais, qu'il s'agissait d'un enfant accroupi. Un garçon.

Il frissonnait violemment et une de ses épaules était rattachée à son torse selon un angle peu naturel. J'appelai les infirmiers mais, à travers le ronflement des hélicoptères, ils ne m'entendirent pas.

Ce que je lui dis ? J'ai peine à me le rappeler exactement, mais ce devait être quelque chose comme : « Ça va ? N'aie pas peur, je suis ici pour t'aider. »

Une couche de sang et de boue le recouvrait, si épaisse qu'à première vue, je ne me rendis pas compte qu'il était nu. Plus tard les experts diraient que ses vêtements lui avaient été arrachés par la force de l'impact. Je tendis la main pour le toucher. Sa peau était froide, comme on pouvait s'y attendre : il gelait.

Je n'ai pas honte de dire que je me mis à pleurer.

Après l'avoir enveloppé de mon blouson, je le soulevai dans mes bras aussi prudemment que possible. Il posa la tête sur mon épaule et murmura : « Trois ». Du moins c'est ce que je compris. Je lui demandai de répéter mais il avait alors les yeux clos et la bouche détendue, comme profondément endormi, et je me hâtai plutôt de l'emmener au chaud, avant que l'hypothermie ne le tue.

Bien sûr, à présent, on n'arrête pas de me demander si je n'ai pas trouvé ce garçon un peu bizarre ? Non, pas du tout. Il venait de vivre une expérience atroce et je n'ai rien vu d'autre qu'un enfant en état de choc.

Et je ne suis pas d'accord avec ce que certains disent à son sujet. Qu'il est possédé par des esprits en colère, peut-être ceux des passagers morts qui envient sa survie. Qu'il abrite en son cœur leur âme furieuse.

Je n'accorde aucun crédit non plus aux autres fables qui courent sur la tragédie : on dit que le pilote était suicidaire, que la forêt l'a appelé à elle, sinon pourquoi s'écraser dans la *Jukai*[1] ? De telles histoires ajoutent souffrance et angoisse là où il n'y en a déjà que trop. Pour moi, il est clair que le commandant de bord a fait tout ce qui était en son pouvoir pour s'écraser

1. Littéralement « mer d'arbres », autre nom de la forêt Aokigahara.

dans une région peu peuplée. Il n'avait que quelques minutes pour réagir et il s'est conduit avec noblesse.

Comment un petit Japonais pourrait-il être ce qu'affirment ces Américains ? C'est un miracle, ce garçon. Je me le rappellerai toute ma vie.

Ma correspondance avec Lillian Small se prolongea jusqu'à ce que le FBI décide que, pour sa propre sécurité, elle n'aurait plus de contacts avec le monde extérieur. Quoique Lillian vécût dans le quartier de Williamsburg, à Brooklyn, et moi à Manhattan, nous ne nous sommes jamais rencontrées. Ses récits sont adaptés de nos multiples entretiens par téléphone ou par e-mail.

Reuben ayant été nerveux toute la matinée, je l'avais installé devant CNN ; cela le calme parfois. Naguère, il adorait regarder les journaux télévisés, en particulier les nouvelles politiques. Il prenait énormément de plaisir à interpeller les experts en communication et les analystes politiques comme s'ils pouvaient l'entendre. Je ne crois pas qu'il ait manqué un débat ni une interview pendant les élections partielles, et c'est à ce moment-là que je me suis aperçue qu'il avait un problème. Il n'arrivait pas à se rappeler le nom du gouverneur du Texas – vous voyez de qui je parle : l'abruti qui ne pouvait pas prononcer le mot « homosexuel » sans faire une grimace de dégoût. Je n'oublierai jamais l'expression de Reuben pendant qu'il cherchait ce nom. Il me cachait ses symptômes, vous savez. Il me les cachait depuis des mois.

Lors de ce jour terrible, un analyste quelconque exposait ses prévisions pour la primaire quand la présentatrice de l'émission l'a coupé au milieu d'une phrase.

— Pardonnez-moi, je dois vous interrompre : nous venons d'apprendre qu'un avion de la compagnie Maiden Airlines s'est écrasé dans les Everglades, en Floride…

Un accident d'avion ? Bien sûr, la première pensée qui m'est venue, ç'a été le 11 Septembre. Le terrorisme. Une bombe à bord. Je doute qu'un seul New-Yorkais ne se soit pas dit ça en apprenant la nouvelle. C'était obligé.

Puis les images sont apparues à l'écran ; une vue en plongée, prise d'un hélicoptère. Elle ne montrait pas grand-chose, juste un marais et une masse huileuse en son centre, à l'endroit où l'avion s'était écrasé avec une telle force qu'il avait été englouti. Alors que je veille toujours à ce qu'il fasse chaud dans l'appartement, j'avais les doigts gelés, comme si je tenais des glaçons. Tentant de chasser ce malaise, j'ai changé de chaîne pour mettre un *talk-show*. Reuben s'était assoupi, ce qui, je l'espérais, me laisserait le temps de refaire le lit et de descendre les draps sales à la buanderie.

J'en remontais tout juste quand le téléphone a sonné. Je me suis dépêchée de répondre pour éviter que la sonnerie ne réveille Reuben.

C'était Mona, la meilleure amie de Lori. Je me suis demandé pourquoi elle me téléphonait. Nous ne sommes pas intimes, elle sait que je ne l'ai jamais appréciée, que je l'ai toujours tenue pour une fille facile, avec une mauvaise influence. C'est à cause d'elle que Lori a eu des ennuis à l'université, même si ça s'est bien terminé au bout du compte. Mais, contrairement à ma fille, à plus de 40 ans, Mona ne s'est pas assagie. Divorcée deux fois avant la trentaine. Sans même dire bonjour ni s'inquiéter de la santé de Reuben, elle m'a demandé :

— Sur quel vol rentraient Lori et Bobby ?

Le froid acide que j'avais senti un peu plus tôt s'insinuait de nouveau en moi.

— Qu'est-ce que tu racontes ? ai-je demandé. Ils ne sont pas en avion.

— Enfin, Lillian, Lori ne vous a rien dit ? Elle allait en Floride visiter une maison pour Reuben et vous.

Ma main s'est retrouvée privée de force. J'ai laissé tomber le téléphone – avec la voix plaintive de Mona qui sortait toujours du combiné. Mes genoux se sont dérobés sous moi et je me rappelle avoir prié pour que ce soit une de ces blagues malsaines que l'amie de ma fille affectionnait tant quand elle était plus jeune. Ensuite, sans dire au revoir, je lui ai raccroché au nez et j'ai appelé Lori, manquant hurler quand je suis tombée sur son répondeur. Elle m'avait dit qu'elle emmenait Bobby avec elle voir un client à Boston, et que je ne devais pas m'inquiéter si je n'avais pas de nouvelles pendant quelques jours.

Oh, comme je regrettais de ne pouvoir parler à Reuben ! Il aurait su quoi faire. Je crois que ce que j'éprouvais alors était de la terreur pure. Pas la terreur qu'on ressent quand on regarde un film d'horreur ou qu'on se fait accoster par un clochard aux yeux fous, mais une émotion si intense qu'on maîtrise à peine son corps, comme si on n'y était plus relié correctement. Bien qu'entendant Reuben bouger, j'ai quitté l'appartement pour aller chez ma voisine, désemparée. Dieu merci, Betsy était chez elle : elle m'a jeté un seul regard puis m'a attirée à l'intérieur. J'étais dans un tel état que j'ai à peine remarqué le nuage de fumée de cigarette qui imprègne toujours son appartement. En général, quand nous étions d'humeur à prendre un café avec des biscuits, c'était elle qui venait chez moi.

Elle m'a servi un cognac, qu'elle m'a forcée à avaler, puis elle m'a proposé de surveiller Reuben pendant que je tenterais de contacter la compagnie aérienne. Dieu la bénisse. Même avec ce qui s'est passé ensuite, je n'oublierai jamais sa gentillesse ce jour-là.

J'ai eu un mal fou à obtenir qui que ce soit – la ligne du service concerné était occupée, on me mettait en attente. Là, j'ai vraiment cru savoir à quoi ressemblait l'enfer : patienter pour apprendre le sort des êtres qu'on aime le plus au monde en écoutant une version muzak de *The Girl from Ipanema.* Chaque fois que j'entends cet air, désormais, je revis ce moment atroce, le goût du cognac bon marché sur mon palais, Reuben gémissant au salon, l'odeur du bouillon de poulet de la veille persistant dans la cuisine…

Je ne sais pas combien de temps j'ai conservé cette saleté de téléphone sur l'oreille. Brusquement, alors que je désespérais d'obtenir la communication, une voix s'est élevée à l'autre bout de la ligne. Une femme. Je lui ai donné les noms de Bobby et de Lori. On la sentait tendue, même si elle tentait de rester professionnelle. Le silence m'a semblé durer des jours pendant qu'elle tapait sur son clavier d'ordinateur.

Et puis elle me l'a confirmé : Lori et Bobby étaient bien à bord de cet avion.

Alors je lui ai dit qu'il devait y avoir une erreur. Que Lori et Bobby ne pouvaient pas être morts, non, pas question. Je l'aurais su. Je l'aurais senti. Je n'y croyais pas. Je ne l'accepterais pas. Quand Charmaine – la psychothérapeute que nous a assignée la Croix-Rouge, spécialisée dans les traumatismes – est venue me voir la première fois, j'étais encore dans une telle attitude de déni que je l'ai… et ça me fait honte… je l'ai envoyée au diable.

Malgré cela, alors même que mon cerveau refusait d'accepter la réalité, ma première impulsion a été de me rendre tout droit sur le site de l'accident. Pour être plus près d'eux. Au cas où. Je ne réfléchissais pas clairement, je l'admets. Comment aurais-je pu entreprendre ce voyage ? Aucun avion n'allait là-bas, et il m'aurait fallu laisser Reuben avec des étrangers pendant Dieu sait combien de temps, peut-être le mettre en maison de repos. Partout où je posais les yeux, je voyais Lori et Bobby. Nous avions des photos d'eux partout. Lori portant un Bobby nouveau-né, souriant à l'appareil. Bobby à Coney Island, un cookie géant à la main. Lori écolière, Lori et Bobby à la fête des 70 ans de Reuben, chez Jujubee, un an avant qu'il ne commence à décliner – quand il nous reconnaissait encore. Je revoyais sans cesse le moment où elle m'avait annoncé qu'elle était enceinte. Je l'avais mal pris, je n'avais pas aimé l'imaginer dans cet hôpital, en train d'acheter du sperme comme on achète une robe puis de se faire… inséminer artificiellement. Ça me semblait tellement froid.

— J'ai 39 ans, m'man… (À presque 40 ans, elle m'appelait toujours m'man.) C'est peut-être ma dernière chance et, ne nous voilons pas la face, le prince charmant ne va pas se pointer tout de suite.

Tous mes doutes se sont envolés quand je l'ai vue pour la première fois avec Bobby, bien sûr. C'était une mère formidable !

Et je ne pouvais pas m'empêcher de m'en vouloir. Lori savait que j'aurais aimé, un jour, partir pour la Floride, dans une de ces maisons propres et ensoleillées, avec du personnel médical, où Reuben trouverait tous les soins dont il aurait besoin. Voilà pourquoi ils étaient partis. Elle avait l'intention de me faire la surprise pour mon anniversaire, la pauvre chérie. C'était bien d'elle : altruiste et généreuse jusqu'à la moelle.

Betsy s'efforçait de calmer Reuben pendant que je marchais de long en large. Je ne tenais pas en place. Je gigotais, je n'arrêtais pas de décrocher le téléphone, de vérifier qu'il fonctionnait, puis de le laisser retomber sur sa base comme s'il était chauffé à blanc, au cas où, à cette fraction de seconde précise, Lori serait en train de m'appeler pour me dire qu'au dernier moment, elle n'avait pu monter à bord de l'avion. Que Bobby et elle avaient décidé de prendre le suivant. Ou le précédent. Voilà à quoi je m'accrochais.

La nouvelle des autres accidents commençait à circuler, et je n'arrêtais pas d'allumer et d'éteindre cette saleté de télévision, incapable de savoir si je voulais ou non voir ça. Oh, ces images ! C'est bizarre, quand j'y repense, mais, quand j'ai vu celles du petit Japonais qu'on sortait de la forêt pour le faire monter à bord d'un hélicoptère, j'ai été jalouse. Jalouse ! Parce qu'à ce moment-là, nous n'étions pas au courant pour Bobby. Tout ce que nous savions, c'était qu'on n'avait retrouvé aucun survivant en Floride.

J'ai songé que notre famille avait déjà connu plus que son lot de malchance. Pourquoi Dieu me persécutait-il ainsi ? Qu'avais-je fait pour mériter cela ? Et, au-delà de la culpabilité, de la douleur, de la terreur absolue, écrasante, je me sentais seule. Parce que, quoi qu'il arrive, que ma fille et mon petit-fils aient été ou non à bord de l'avion, je ne pourrais jamais en parler à Reuben. Il ne pourrait pas me réconforter, ni prendre aucune des dispositions nécessaires, ni me masser le dos quand j'aurais des insomnies. C'était terminé. Il avait disparu lui aussi.

Betsy n'est partie que quand Charmaine est arrivée. Elle a dit qu'elle retournait dans sa cuisine, nous faire à manger – même si je me sentais incapable de rien avaler.

Les heures suivantes sont floues. J'ai dû mettre Reuben au lit, essayer de lui faire manger un peu de soupe. Je me rappelle avoir essuyé le plan de travail de la cuisine, l'avoir frotté jusqu'à en avoir les mains écorchées, douloureuses, alors que Charmaine et Betsy essayaient toutes les deux de m'arrêter.

Et puis le coup de téléphone est arrivé. C'est Charmaine qui a répondu, tandis que Betsy et moi restions figées dans la cuisine. J'essaie de me rappeler les mots exacts mais, chaque fois, tout se mélange dans ma tête. Charmaine est afro-américaine, elle a la plus belle peau du monde – ils vieillissent bien, n'est-ce pas ? Pourtant, quand elle est entrée dans la cuisine, elle paraissait dix ans de plus que son âge.

— Lillian, m'a-t-elle dit, je crois que vous devriez vous asseoir.

Je ne me suis permis de ressentir aucun espoir. J'avais vu les images de l'accident. Comment quiconque aurait-il pu survivre à ça ? Je l'ai regardée droit dans les yeux et j'ai répondu :

— Allez-y, dites-moi.

— C'est Bobby. On l'a retrouvé. Il est vivant.

À ce moment-là, Reuben s'est mis à hurler dans la chambre, et j'ai dû demander à Charmaine de répéter.

En Ace Kelso, agent du NTSB (le *National Transport and Safety Board,* qui assure la sécurité des transports) à Washington, beaucoup de lecteurs reconnaîtront la vedette de la série *Ace Enquête* – quatre saisons sur le Discovery Channel.
Le texte qui suit est la transcription partielle d'une de nos nombreuses conversations par Skype.

Ce qu'il faut comprendre, Elspeth, c'est qu'avec une affaire d'une telle ampleur, on savait qu'il faudrait un bon moment pour déterminer avec certitude ce qu'on avait sur les bras. Réfléchissez une seconde. Quatre accidents distincts, mettant en jeu trois marques d'avions différentes sur quatre continents différents – c'était sans précédent. On savait aussi qu'on allait devoir travailler en collaboration étroite avec l'AAIB (*Air Accidents Investigation Branch*), au Royaume-Uni, la CAA (*Civil Aviation Authority*) en Afrique du Sud et le JTSB (*Japan Transport Safety Board*, le conseil de la sécurité des transports japonais), sans parler des divers groupes intéressés par les accidents – je parle des constructeurs aéronautiques, du FBI, de la FAA (*Federal Aviation Administration*) et d'autres que je ne citerai pas pour le moment. Nos agents faisaient de leur mieux, mais je n'avais jamais connu une pression pareille. Pression des familles, pression de la compagnie aérienne, pression des journalistes, pression de tous les côtés. Je ne dirais pas que je me préparais à un cafouillage monstrueux, mais il fallait s'attendre à des erreurs et à de fausses informations. Les gens sont humains. Et, plus les semaines passaient, plus on avait de la chance quand on réussissait à dormir trois heures par nuit.

Avant d'en arriver à ce qui vous intéresse, je vais vous donner un bref aperçu d'ensemble, remettre tout ça dans le contexte. Voici comment ça s'est passé. En tant qu'expert officiel mandaté pour l'accident de Maiden Airlines, j'ai commencé à rassembler mon équipe dès que j'ai reçu le coup de fil. Un expert régional se trouvait déjà sur place pour le constat initial, mais les seules images dont on disposait à ce moment-là étaient celles des infos. Le commandant des plans d'urgence locaux m'avait résumé par téléphone l'état du site, donc je savais qu'on avait une sale affaire sur les bras. Rappelez-vous que l'avion est tombé dans un endroit très reculé. À huit kilomètres du premier chemin, à une vingtaine de la première route. Du ciel, à moins de savoir ce qu'on cherchait, on n'en voyait aucune trace – on a survolé les lieux avant d'atterrir, je m'en suis donc rendu compte *de visu*. Des débris épars, un trou noir humide de la taille d'un pavillon de banlieue, et du *cladium*, cette plante dont les feuilles coupent comme des rasoirs.

Voici ce dont je disposais après mon premier briefing : un McDonnell-Douglas MD-80 s'était écrasé quelques minutes après le décollage. Selon la tour de contrôle, les pilotes avaient rapporté une panne de moteur, mais, à ce stade, je n'étais pas prêt à abandonner la piste criminelle, surtout qu'on commençait à recevoir les rapports sur les autres accidents. On avait deux témoins, des pêcheurs qui avaient vu l'avion voler de manière erratique, et trop bas, avant de tomber dans les Everglades ; selon eux, des flammes jaillissaient des moteurs, mais c'était à prévoir. Les témoins affirment presque toujours avoir vu une explosion ou du feu, même s'il n'y a aucune chance pour qu'il y en ait vraiment eu. J'ai aussitôt ordonné à mes techniciens de systèmes, structures et maintenance de se pointer au Hangar 6. La FAA nous avait débloqué le G-IV pour voler jusqu'à Miami – j'avais besoin d'une équipe complète ; le Learjet n'aurait pas suffi. Les états de service de Maiden Airlines en matière de maintenance nous avaient déjà causé des soucis mais on savait l'avion fiable.

Il nous restait une heure de vol quand j'ai reçu le coup de téléphone m'annonçant qu'on avait trouvé un survivant. Vous vous rappelez qu'on avait vu les images, Elspeth – à moins de se trouver sur place, comment deviner qu'un avion était tombé à cet endroit ? Il était entièrement englouti. Au début, je dois donc admettre que je n'ai pas cru l'info.

Le garçon avait été transporté d'urgence à l'hôpital des enfants de Miami, et on nous le disait conscient. Nul n'arrivait à croire que a) il ait survécu à l'accident et b) il ne se soit pas fait bouffer par les alligators. Le coin était tellement infesté de ces saloperies qu'on a été obligés d'appeler des gardes armés pour les tenir à distance pendant qu'on repêchait les débris.

Après avoir atterri, on s'est dirigés droit vers le site. La DMORT (*Disaster Mortuary Operational Response Team*), l'équipe d'intervention chargée des morts durant les catastrophes aériennes, était sur place mais, apparemment, il y avait peu de chances qu'elle retrouve un cadavre intact. Vu le peu d'éléments dont on disposait, on voulait avant tout retrouver les boîtes noires, l'enregistreur phonique et l'enregistreur de paramètres : il nous fallait des plongeurs spécialisés. Le site était particulièrement déplaisant : une chaleur infernale, des nuages de mouches, une puanteur… Dans ce genre de conditions, porter un scaphandre intégral contre les dangers biologiques n'a rien de marrant. D'emblée, j'ai compris qu'il faudrait plusieurs semaines pour tirer les choses au clair – mais, ces semaines-là, on n'en disposait pas, pas à présent qu'on savait que d'autres avions étaient tombés le même jour.

Il fallait que je parle au gamin. D'après la liste des passagers, le seul enfant de la bonne tranche d'âge monté à bord était un certain Bobby Small, qui retournait à New York en compagnie d'une femme qu'on supposait être sa mère. J'ai choisi d'aller le voir seul, laissant mon équipe effectuer les relevés préliminaires et assurer la liaison avec les autochtones et les autres groupes en route pour le site de l'accident.

Les journalistes qui grouillaient autour de l'hôpital m'ont harcelé pour que je leur fasse une déclaration.

— Ace ! Ace ! appelaient-ils. Est-ce que c'était une bombe ?

— Et les autres accidents, il y a un rapport ?

— C'est vrai qu'il y a un survivant ?

Je leur ai fait la réponse habituelle : un communiqué de presse serait diffusé quand nous en saurions plus, l'enquête était en cours, etc. En tant que responsable, je ne me serais pas permis d'ouvrir ma grande bouche avant qu'on ne dispose d'informations concrètes.

J'avais prévenu de mon arrivée mais je doutais qu'on me laisse lui parler. Pendant que j'attendais le feu vert des médecins, une infirmière est sortie en trombe de la chambre du rescapé et m'a heurté. Elle avait l'air au bord des larmes. J'ai cherché son regard et dit quelque chose comme : « Il va bien, hein ? »

Elle s'est contentée de hocher la tête et de filer au poste des infirmières. Je la retrouverais une semaine plus tard pour lui demander la raison de son agitation. Elle ne saurait pas me l'expliquer : elle avait ressenti dans cette chambre une présence anormale ; y rester la mettait mal à l'aise. Visiblement honteuse d'admettre cela, elle ajouterait avoir sans doute été plus affectée qu'elle ne le croyait par la mort simultanée de tous ces gens ; Bobby était le vivant souvenir de tous ceux qui étaient décédés ce jour-là.

La psychologue pour enfants est arrivée quelques minutes plus tard. Une fille sympa, dans les 35 ans, mais qui faisait plus jeune. J'ai oublié son nom… Polanski ? Ah oui, Pankowski, c'est ça. Merci. Elle venait d'être nommée et elle n'avait aucune envie de voir une espèce de détective excité harceler le garçon.

— Madame, je lui ai dit, ce qu'on a sur les bras, c'est une affaire internationale. Et ce garçon est un des seuls témoins qui puissent nous aider.

Je ne veux pas vous paraître insensible, Elspeth, mais, à ce moment-là, les infos sur les autres accidents étaient minces et, pour ce que j'en savais, le petit pouvait constituer un élément clé de l'affaire. Rappelez-vous : il s'est écoulé un bon moment avant qu'on ne nous apprenne qu'il y avait un survivant sur le vol japonais, et encore plusieurs heures avant qu'on ne connaisse l'existence de la petite Anglaise. Quoi qu'il en soit, cette dame m'a appris que le garçon était éveillé mais qu'il n'avait pas encore dit un mot et qu'il ignorait que sa mère était morte. Elle m'a demandé de prendre toutes les précautions possibles et a refusé de me laisser filmer l'entretien. Je me suis soumis, quoique l'enregistrement des témoignages fasse partie de la procédure standard. Je dois dire qu'aujourd'hui, je ne sais pas trop si je suis content ou non de ne pas avoir été autorisé à filmer. J'ai affirmé à la psychologue que j'étais formé à l'interrogation de témoins et qu'un de nos spécialistes passerait derrière moi pour approfondir la question. J'avais juste besoin de savoir si le garçon se rappelait un détail susceptible de nous mettre sur la bonne voie.

On lui avait donné une chambre privée aux murs peints de couleurs vives, bourrée de jouets. Il y avait un *Bob l'Éponge* mural, une girafe en peluche que j'ai trouvée un peu inquiétante. Le garçon était allongé sur le dos, une perfusion dans le bras. Les feuilles de *cladium* lui avaient laissé des coupures visibles (on souffrirait tous de ce désagrément-là dans les jours suivants, je peux vous le dire), mais il était indemne sinon. Je ne m'en remets toujours pas. Comme tout le monde l'a dit au début, ça ressemblait vraiment à un miracle. Le personnel médical était en train de le préparer pour un scanner, donc je savais ne disposer que de quelques minutes.

Les médecins penchés au-dessus de son lit n'étaient pas ravis de me voir, et Pankowski ne me quittait pas d'une semelle. L'enfant avait l'air très fragile, surtout avec toutes ces coupures sur les bras et le visage, et je me suis effectivement senti mal de l'interroger si tôt après ce qu'il avait subi.

— Salut, Bobby, j'ai dit. Je m'appelle Ace. J'enquête.

Il n'a pas bougé un muscle. Comme son téléphone portable sonnait, Pankowski a reculé d'un pas.

— Ça me fait vraiment plaisir que tu sois sain et sauf. Si ça ne t'ennuie pas, je voudrais te poser quelques questions.

Ses yeux se sont ouverts et ont regardé droit dans

les miens. Ils étaient vides. Je n'aurais su dire si seulement il m'entendait.

— Hé, j'ai dit. Je suis content de voir que tu es réveillé.

Bobby avait tout à fait l'air de regarder à travers moi. Ensuite… écoutez, Elspeth, ça va vous paraître délirant, mais ses yeux se sont troublés, comme s'il allait se mettre à pleurer, sauf que… merde… j'ai du mal à le dire… ils ne s'emplissaient pas de larmes mais de sang.

J'ai dû pousser un cri parce que, aussitôt, Pankowski s'est retrouvée près de moi et toute l'équipe médicale a de nouveau bourdonné autour du garçon comme des frelons à un pique-nique.

— Qu'est-ce qu'il a aux yeux ? j'ai demandé.

Pankowski m'a fixé comme s'il m'était poussé une deuxième tête.

Je me suis retourné vers Bobby, je l'ai regardé droit dans les yeux, et ils étaient clairs – du bleu des bleuets ; sans une trace de sang. Pas une goutte.

Extrait du chapitre deux de *Le Tuteur de Jess : Ma vie avec l'un des Trois* de Paul Craddock (avec la collaboration de Mandi Solomon).

On me demande souvent : « Paul, pourquoi avez-vous assumé la garde de Jess ? Après tout, vous êtes un acteur connu, un artiste, un célibataire à l'emploi du temps irrégulier. Êtes-vous vraiment fait pour être parent ? ». La réponse simple est : juste après la naissance des jumelles, Shelly et Stephen m'ont pris à part et m'ont demandé d'être leur tuteur légal si quelque chose leur arrivait. Ils y avaient beaucoup réfléchi – surtout elle. Leurs amis intimes, eux-mêmes parents, ne pourraient apporter aux jumelles l'attention dont elles auraient besoin, et s'adresser à la famille de Shelly était hors de question (pour des raisons que j'expliquerai plus tard). Par ailleurs, même quand elles étaient bébés, leur mère disait qu'elles m'aimaient bien. « C'est tout ce dont Polly et Jess ont besoin, Paul, m'a-t-elle dit. D'amour. Et tu en as à revendre. » Stephen et Shelly savaient tout de moi, bien sûr. J'avais un peu déraillé, entre 20 et 30 ans, après une grave déception professionnelle. J'étais en train de tourner le pilote de *Médecins & Patients,* dont on disait que ce serait la prochaine série télé en milieu hospitalier à faire un malheur en Angleterre, quand j'avais appris l'annulation du projet. Je tenais le rôle principal, celui du docteur Malakai Bennett, un brillant chirurgien affecté du syndrome d'Asperger, accro à la morphine et plus ou moins paranoïaque, aussi cette annulation m'avait-elle fait très mal. Je m'étais documenté pendant des mois pour ce rôle, je m'y étais vraiment plongé, et une partie du problème venait sans doute de cette trop grande intériorisation du personnage. Comme tant d'artistes avant moi, je m'étais alors tourné vers l'alcool et autres substances pour atténuer la douleur. Ces facteurs, mélangés à l'angoisse d'un futur incertain, m'avaient valu une dépression aiguë et ce qu'on peut sans doute appeler une série d'hallucinations paranoïaques légères.

Mais j'avais réglé leur compte à ces démons-là des années avant que les filles soient seulement une lueur dans l'œil de Stephen, donc je puis affirmer sans mentir qu'ils voyaient bien en moi le meilleur choix. Shelly a insisté pour que tout soit légal, alors on a filé chez un notaire et le tour a été joué. Bien sûr, quand on vous demande une chose pareille, vous ne pensez jamais que ça arrivera vraiment.

Mais je m'égare.

Après avoir quitté cette salle horrible dans laquelle nous avait menés le personnel incompétent de Go ! Go !, je passai une demi-heure au pub de l'aéroport, devant la télévision, avec la bande de texte en bas de l'écran, sur SKY, qui répétait encore et encore la terrible nouvelle. Puis arrivèrent les premières images de la zone où, estimait-on, s'était écrasé l'avion de Stephen : l'océan gris, agité, et un morceau de débris jaillissant de temps à autre entre deux vagues. Les bateaux de secours qui quadrillaient les eaux à la recherche de survivants ressemblaient à des jouets dans ce paysage maritime lugubre et infini. Je me rappelle avoir pensé : *Encore heureux que Stephen et Shelly aient appris aux filles à nager l'été dernier.* Ridicule, je sais. Même Duncan Goodhew aurait eu de la peine à nager au milieu d'une tempête pareille. Sous le coup d'émotions extrêmes, toutefois, on se raccroche à n'importe quoi.

Ce fut Mel qui vint me trouver. Bien qu'elle fume deux paquets de Rothman par jour et qu'elle s'habille à bon marché chez Primark, elle et son compagnon Geoff ont le cœur aussi grand que le Canada. Comme je le disais dans le chapitre précédent, l'habit ne fait pas le moine.

— Allez, venez, me dit Mel. Il ne faut pas perdre tout espoir.

Les types au bar ne m'approchaient pas mais ne me quittaient pas non plus des yeux depuis mon entrée. J'étais dans un sale état, en nage, tremblant. Il est même probable que j'aie pleuré, à un moment, car j'avais les joues humides.

— Vous voulez sa photo ? leur lança Mel, avant de me prendre la main et de me raccompagner à la salle de réunion.

Une armée de psychologues et de thérapeutes spécialisés dans les traumatismes était arrivée. Le personnel de la compagnie aérienne s'employait à distribuer du thé qui avait goût d'eau de vaisselle sucrée, et à mettre en place des cloisons mobiles pour délimiter des espaces de consultation. Mel, protectrice, me fit asseoir entre son compagnon et elle : avec leurs survêtements, on aurait dit deux serre-livres. Geoff me tapota le genou et me dit quelque chose comme « on est tous dans le même bain, mon vieux », et il m'offrit une cigarette. Je n'avais pas fumé depuis des années mais je la pris avec reconnaissance.

Personne ne nous demanda de ne pas fumer.

Kelvin, l'homme aux dreadlocks, et Kylie, la jolie rousse au ballon (désormais un lambeau de caoutchouc qui traînait par terre), nous rejoignirent. Avoir été les premiers à apprendre la nouvelle nous donnait à tous les cinq une intimité particulière, et nous restâmes groupés, à fumer clope sur clope en essayant de ne pas imploser. Une femme agitée – une espèce de psychologue, bien qu'elle eût l'air trop nerveuse pour ce rôle – nous demanda les noms de nos connaissances enregistrées sur le vol en question. Comme tous les autres, elle avait la réplique « nous vous informerons dès que nous en saurons plus » toute prête. Même sur le moment, je comprenais qu'ils ne voulaient surtout pas nous donner de faux espoirs, mais on espère toujours. On ne peut pas s'en empêcher. On se met à prier que celui qu'on attend ait raté l'avion, qu'on se soit trompé en notant le numéro du vol ou la date d'arrivée, que tout cela ne soit qu'un rêve, un scénario de cauchemar dément. Je ne cessais de repenser au moment où j'avais appris l'accident, alors que de jeunes employés ôtaient, sous mes yeux, d'une vitrine un sapin de Noël hors saison (ce qui porte malheur, quoique je ne sois pas superstitieux), et je surpris en moi le désir d'y retourner, de retrouver le temps d'avant que ce vide écœurant ne s'installe dans mon cœur.

Une autre crise de panique planta ses doigts glacés dans ma poitrine. Mel et Geoff essayèrent de me faire parler pendant que nous attendions qu'on nous attribue un psychologue mais je n'arrivais pas à sortir un mot, ce qui ne me ressemblait guère. Geoff me montra l'écran de son smartphone : la photo d'une fille de 20 ans, souriante, trop grosse mais non dépourvue de charme. Il m'apprit qu'il s'agissait de Lorraine, sa fille, qu'ils étaient venus accueillir ici.

— Une fille intelligente, elle a fait quelques bêtises mais elle est revenue dans le droit chemin, me dit-il avec tristesse.

Lorraine participait à une somptueuse escapade entre copines à Ténérife. Elle n'avait décidé de partir qu'à la dernière minute, quand quelqu'un d'autre s'était désisté. Si ce n'était pas le destin, ça.

J'avais peine à respirer ; des sueurs froides me coulaient le long des flancs. Si je ne quittais pas cette pièce sur-le-champ, mon cœur allait exploser, je le savais.

Mel le comprit.

— Donnez-moi votre numéro, dit-elle en me pressant le genou d'une main alourdie par des bijoux en or. Dès qu'on saura quelque chose, on vous le dira.

Nous échangeâmes nos numéros (au début, je ne parvins pas à me rappeler le mien) puis je partis en courant. Un psychologue voulut me retenir mais Mel lui cria :

— Laissez-le partir s'il en a envie.

Comment je réussis à payer mon parking puis à regagner Hoxton par la M23 sans me mettre sous un camion reste un mystère. Encore un blanc complet. Plus tard, je m'aperçus que j'avais garé l'Audi de Stephen les roues avant sur le trottoir, comme un véhicule volé abandonné.

Je ne repris mes esprits qu'en titubant dans le couloir de l'immeuble et en renversant la table où le facteur dépose le courrier. Un des étudiants polonais qui occupent le rez-de-chaussée passa la tête par sa porte et me demanda si tout allait bien. Il dut voir que ce n'était pas le cas car, après lui avoir demandé s'il avait de l'alcool, il disparut quelques secondes puis me tendit, sans un mot, une bouteille de vodka bon marché.

Je courus à mon appartement en sachant fort bien

que je me préparais à retomber dans l'alcoolisme. Et je m'en fichais complètement.

Il ne me vint même pas à l'esprit de prendre un verre : je bus directement à la bouteille. Je ne sentis pas le goût de la vodka. Je tremblais, j'avais des tics nerveux, mes mains me picotaient. Sortant mon BlackBerry, je parcourus la liste de mes contacts mais ne sus pas appeler.

Parce que la première personne que j'appelais toujours, quand j'avais un problème, c'était Stephen.

Je me mis à faire les cent pas.

Je bus encore de l'alcool.

Je m'étranglai.

Puis je m'assis sur le canapé et allumai l'écran plat.

Les programmes normaux avaient été interrompus au profit d'un reportage en direct sur les accidents. J'étais anesthésié – et plus qu'à moitié ivre – mais j'ai cru comprendre que tout trafic aérien était interrompu. Une interminable succession d'experts se voyaient introduits dans les studios de SKY pour y être interviewés par un Kenneth Porter au visage grave. Encore aujourd'hui, je ne peux plus entendre la voix de Kenneth Porter sans en être physiquement malade.

SKY se concentrait sur le vol Go ! Go !, celui qui avait le plus d'intérêt pour son public. Un couple en croisière sur un paquebot avait enregistré des images tressautantes de l'avion qui volait dangereusement bas au-dessus de l'eau, et la chaîne les diffusait en continu. L'impact n'avait pas été filmé, Dieu merci, mais on entendait en fond sonore une femme hurler sur un ton aigu :

— Ô mon Dieu, Larry ! Larry ! Regarde ça !

Il existait un numéro de téléphone à composer pour savoir si on avait des membres de sa famille à bord de l'avion, et j'eus vaguement envie d'appeler, avant de me dire : *À quoi bon ?* Quand Kenneth Porter n'était pas en train d'interroger des agents de sécurité aérienne ou de présenter avec gravité une nouvelle diffusion du film des plaisanciers, SKY revenait aux autres accidents. En apprenant l'existence de Bobby, le garçon trouvé dans les Everglades, en Floride, et des trois survivants de la catastrophe japonaise, je me rappelle avoir pensé : *c'est possible, c'est vraiment possible, ils peuvent être vivants.*

Le niveau de la bouteille baissait rapidement.

Je vis un extrait vidéo montrant un petit Japonais nu qu'on faisait monter dans un hélicoptère ; les images d'un Africain traumatisé qui hurlait quelque chose à propos de sa famille tandis que bouillonnait derrière lui une fumée noire toxique. Je vis l'expert en catastrophes aériennes – celui qui ressemble à Captain America – répéter aux gens de ne pas s'affoler. Je vis un cadre d'une compagnie aérienne, à l'évidence sous le choc, annoncer que tous les vols étaient annulés jusqu'à nouvel ordre.

Ensuite, je dus perdre connaissance. À mon réveil, Kenneth Porter avait cédé la place à une jolie présentatrice brune vêtue d'un affreux chemisier jaune. (Je n'oublierai jamais ce chemisier.) J'avais des élancements douloureux dans la tête et la nausée menaçait de me terrasser ; quand la jeune femme annonça qu'un passager de la Go ! Go ! avait été retrouvé en vie, je crus d'abord que mon esprit me jouait des tours.

Puis la réalité me frappa. Un enfant. On avait retrouvé un enfant accroché à un morceau d'épave, à trois kilomètres du point où on estimait qu'avait sombré l'avion de Stephen. Les premières images prises par hélicoptère ne montraient pas grand-chose : un groupe d'hommes agitant les mains sur un bateau de pêche ; une petite silhouette en gilet de sauvetage jaune vif.

Alors que j'essayais de ne pas trop me monter la tête, il y eut un gros plan de la fillette hissée dans l'hélico, et je sus au fond de moi que c'était une des jumelles. On reconnaît les siens.

Aussitôt, sans réfléchir, j'appelai Mel.

— Comptez sur moi, dit-elle.

Je n'avais pas pris le temps de me demander ce qu'elle ressentait, elle.

L'équipe de liaison avec les familles arriva quelques secondes plus tard, me sembla-t-il, comme si elle avait attendu derrière ma porte. Le psychologue, Peter (je ne compris jamais son nom de famille), un petit homme aux cheveux gris, avec des lunettes et un bouc, me fit asseoir et m'expliqua tout. Il m'avertit cependant de ne pas me faire trop d'illusions.

— On n'est pas encore sûrs que c'est elle, Paul.

Pouvais-je contacter des amis ou de la famille « pour un soutien supplémentaire » ? Je songeai à appeler Gerry mais finis par y renoncer. Ma famille, c'étaient Stephen, Shelly et les filles. J'avais des amis, mais pas du genre de ceux sur lesquels on peut s'appuyer en cas de crise, même s'ils se sont ensuite battus pour grappiller leur quart d'heure de célébrité. Je sais que j'ai l'air amer de dire cela, mais on découvre qui sont ses vrais amis quand la vie telle qu'on la connaît implose.

Je voulais prendre aussitôt l'avion pour rejoindre la fillette, mais Peter m'assura qu'elle serait rapatriée en Angleterre par un véhicule médical dès que son état serait stabilisé. J'oubliais que tous les avions européens étaient cloués au sol. Pour le moment, la petite rescapée était examinée dans un hôpital portugais.

Quand il me jugea assez calme pour entendre les détails, le psychologue m'apprit avec ménagement qu'un incendie s'était déclenché à bord avant que le pilote ne doive amerrir en catastrophe, et que Jess (ou Polly – on ne savait pas encore de quelle jumelle il s'agissait) avait été blessée. C'était toutefois l'hypothermie qui causait le plus d'inquiétude. On me préleva un échantillon d'ADN pour s'assurer que la rescapée était bien une de mes nièces. Il n'y a rien d'aussi surréaliste que de se faire frotter l'intérieur de la joue avec un coton-tige géant pendant qu'on attend de connaître le sort des êtres qu'on aime le plus au monde.

Plusieurs semaines plus tard, durant l'une de nos premières réunions des 277 Ensemble, Mel m'avoua que, à la survie de Jess, Geoff et elle avaient gardé espoir pendant des semaines, même quand on avait commencé à trouver les cadavres. Elle n'avait cessé d'imaginer Lorraine échouée sur une île, attendant d'être secourue. Une fois le trafic aérien à la normale, Go ! Go ! affréta un avion spécial pour emmener les familles jusqu'à la côte portugaise – le point le plus proche du site de l'accident. Je restai à la maison, j'avais assez à faire avec Jess, mais la plupart des 277 Ensemble partirent. Cela me fait encore mal d'imaginer Mel et Geoff en train de contempler cet océan, avec le maigre espoir que leur fille était encore en vie.

Il dut y avoir une fuite chez Go ! Go ! car mon téléphone ne cessa de sonner dès que la survie d'une des jumelles fut confirmée. Qu'ils soient de *The Sun* ou de *The Independent,* les pisse-copie posaient tous les mêmes questions : « Comment vous sentez-vous ? » ; « Croyez-vous qu'il s'agisse d'un miracle ? ». En toute franchise, répondre à leurs questions incessantes me distrayait de mon chagrin, lequel se manifestait par vagues, déclenché par les détails les plus innocents – une publicité pour une voiture montrant une mère et son enfant à l'aspect trop soigné pour être vrai ; ou celle pour le papier toilette avec les chiots et les bébés multicolores. Quand je ne répondais pas au téléphone, j'étais scotché à la télévision comme tout le monde. La piste terroriste ayant très vite été éliminée, toutes les chaînes accueillaient une profusion d'experts qui spéculaient sur les causes possibles des accidents. Et, tels Mel et Geoff, je n'arrivais sans doute pas à me départir de l'espoir que, quelque part dans la nature, Stephen était encore en vie.

Deux jours plus tard, Jess fut transférée dans un hôpital privé à Londres, où elle recevrait des soins spécialisés. Ses brûlures n'étaient pas graves, mais le spectre de l'infection planait encore et, si l'IRM ne montrait aucune trace de lésion neurologique, elle n'avait toujours pas ouvert les yeux.

Le personnel de l'hôpital s'avéra génial, vraiment humain. On me conduisit dans une pièce privée où je pus attendre que le médecin m'autorise à voir Jess. Toujours enlisé dans une sensation d'irréalité, je m'assis sur un canapé Laura Ashley et feuilletai un numéro de *Heat*. Tout le monde dit qu'après avoir perdu un être cher, on ne comprend jamais comment le monde peut continuer de tourner, et c'était tout à fait ce que je ressentais en regardant des photos de célébrités sans maquillage. Je finis par m'assoupir.

Je fus éveillé par de l'agitation dans le couloir. Une voix d'homme qui criait : « Comment ça, on peut pas la voir ? » et une voix de femme, suraiguë : « Mais on est de la famille ! » Je sentis mon cœur manquer un battement. Je savais de qui il s'agissait, bien sûr : la mère de Shelly – Marilyn Adams – et ses deux fils, Jason (« Appelez-moi Jase ») et Keith. Stephen les avait surnommés depuis longtemps « La Famille Addams » pour des raisons évidentes. Shelly avait fait de son mieux pour couper les ponts en quittant le domicile familial, mais elle s'était sentie obligée de les inviter à son mariage, dernière occasion où j'avais eu le plaisir de leur compagnie. Mon frère était aussi tolérant que possible, mais il lui arrivait de dire en riant qu'aucun Adams ne pouvait s'empêcher de séjourner au moins trois ans à la prison de Wormwood Scrubs. Je sais que je vais passer pour un snob fini mais, franchement, c'étaient de vrais blaireaux, des clichés ambulants : les petites arnaques aux subventions, les cigarettes de contrebande vendues en douce, le moteur gonflé dans l'allée du logement social... Jase et Keith – alias Fétide et Gomez – appelaient même leurs enfants (une armée, avec une kyrielle de mères différentes) comme ceux des chanteurs ou des footballeurs du moment. Je crois qu'il y avait notamment une petite Brooklyn.

Les entendre hurler dans le couloir me ramena tout droit au mariage de Stephen et Shelly dont, grâce à la famille Addams, chacun se souviendrait pour les mauvaises raisons. Stephen m'avait demandé d'être son témoin, et j'avais emmené Prakesh, mon ami de l'époque. La mère de Shelly était arrivée dans une robe cauchemardesque en polyester rose, qui la faisait ressembler à Peppa Pig ; Fétide et Gomez, eux, avaient échangé leurs habituels blousons imitation cuir et leurs tennis contre des costumes de location mal ajustés. Shelly avait travaillé dur pour organiser ce mariage. Stephen et elle n'avaient pas d'argent à gaspiller, à l'époque, c'était avant qu'ils ne réussissent dans leurs carrières respectives. Pourtant, elle avait économisé, raclé les fonds de tiroir, et réussi à louer une petite maison de campagne pour la réception. Au début, les deux moitiés de l'assistance étaient restées sur leur quant-à-soi. La famille de Shelly d'un côté, les amis des mariés, dont Prakesh et moi, de l'autre. Deux mondes différents.

Stephen m'avouerait ensuite qu'il avait regretté de n'avoir pas fermé le bar. Après les discours (celui de Marilyn avait été un désastre moribond), mon ami et moi nous étions levés pour danser. Je me rappelle même la chanson : *Careless Whisper.*

— Oy, oy, avait braillé un des frères par-dessus la musique. Vise un peu les pédés.

— Putain de tarlouzes, avait renchéri l'autre.

Prakesh n'était pas du genre à encaisser les insultes. Il n'y avait même pas eu d'altercation verbale. Un instant nous étions en train de danser, l'instant d'après, il boxait le premier Adams qui lui tombait sous la main. On avait appelé la police mais personne n'avait été arrêté. Bien sûr, cette histoire avait gâché la fête et bousillé notre couple ; Prakesh et moi nous étions séparés peu après.

Je me réjouissais presque que papa et maman, morts dans un accident de voiture alors que Stephen et moi avions à peine plus de 20 ans, ne soient plus là pour voir ça. Ils nous avaient laissé assez d'argent pour que nous puissions nous débrouiller plusieurs années. C'était bien la bonté de papa, ça.

Malgré tout, quand la Famille Addams fut introduite dans la salle d'attente par une infirmière intimidée, un des frères – Jase, je crois – eut le bon goût de paraître gêné en me voyant, je lui accorde cela.

— On oublie les rancœurs, mec, me dit-il. Dans un moment pareil, il faut se tenir les coudes, hein ?

— Ma Shelly, pleurnichait Marilyn.

Elle ne cessait de répéter qu'elle n'avait été mise au courant que lorsqu'un journal à sensation avait publié la liste des passagers.

— Je ne savais même pas qu'ils partaient en vacances. Personne ne part en vacances en janvier.

Jason et Keith s'occupaient en manipulant leur téléphone, Marilyn bredouillait, et je tentai d'imaginer à quel point Shelly aurait été horrifiée de les savoir là. J'étais toutefois décidé, pour l'amour de Jess, à éviter une scène.

— Je vais fumer une clope, maman, annonça Jase.

Son frère le suivit, me laissant seul avec la matriarche en personne.

— Eh bien, que pensez-vous de tout ça, Paul ? commença-t-elle. C'est terrible. Ma Shelly disparue...

Je marmonnai des condoléances. Toutefois, j'avais perdu mon frère, mon jumeau, mon meilleur ami, et je n'étais donc pas vraiment en état de compatir.

— Quelle que soit la jumelle qu'ils ont retrouvée, il faut qu'elle vienne vivre avec les garçons et moi, continua Marilyn. Elle partagera la chambre de Jordan et de Paris. (Soupir massif.) À moins qu'on n'emménage dans leur maison, bien sûr.

Le moment était mal choisi pour l'informer de la décision prise par Shelly, mais je me surpris à balbutier :

— Qu'est-ce qui vous fait croire qu'on va vous la confier ?

— Où irait-elle sinon ?

— Et moi ?

Son double menton frémit d'indignation.

— Vous ? Mais vous êtes... Vous êtes acteur.

— Elle est prête, dit l'infirmière, sur le seuil, interrompant notre délicieux tête-à-tête. Vous pouvez la voir. Mais seulement cinq minutes.

Même Marilyn eut assez de bon sens pour comprendre que ce n'était pas le moment d'avoir une conversation aussi délicate.

On nous donna des blouses vertes (je ne sais pas où ils en trouvèrent une assez grande pour contenir la masse de Marilyn) et des masques, puis nous suivîmes l'infirmière dans une chambre qui évoquait une suite hôtelière, avec canapés fleuris et téléviseurs à la pointe du progrès, l'illusion n'étant qu'à peine brisée par les moniteurs cardiaques, les perfusions et autres matériels intimidants qui entouraient Jess. La fillette avait les yeux fermés et semblait à peine respirer. Des pansements couvraient presque tout son visage.

— Est-ce que c'est Jess ou Polly ? demanda Marilyn, à personne en particulier.

Je sus aussitôt la réponse.

— C'est Jess, dis-je.

— Comment vous pouvez savoir ça, bord… bon sang ? On ne voit pas sa tête, fit la mère Addams, plaintive.

C'étaient ses cheveux. Il manquait plusieurs mèches à la frange de Jess. Juste avant leur départ en vacances, Shelly l'avait surprise à la taillader pour imiter la dernière coupe de Missy K. En outre, Jess avait une minuscule cicatrice au-dessus du sourcil gauche, souvenir du jour où elle était tombée contre la cheminée alors qu'elle apprenait à marcher.

Elle avait l'air si minuscule, si vulnérable, allongée là. J'ai juré à cet instant de tout faire pour la protéger.

Angela Dumiso, originaire du Cap-Oriental, habitait le township de Khayelitsha avec sa sœur et sa fille âgée de 2 ans quand s'est écrasé le vol Dalu Air 467. Elle accepta de s'entretenir avec moi en avril 2012.

J'étais en train de repasser dans la buanderie quand j'ai entendu la nouvelle. Je travaillais dur pour finir à temps et pouvoir prendre mon taxi à 4 heures, donc j'étais déjà stressée – le patron est très scrupuleux et il aime que tout soit repassé, même ses chaussettes. La madame est arrivée dans la cuisine et j'ai vu à sa tête qu'il y avait un problème. Cette tête-là, elle ne la faisait en général que lorsqu'un de ses chats apportait à la maison un rongeur et qu'elle avait besoin de moi pour nettoyer.

— Angela, elle m'a dit, je viens d'entendre aux *Nouvelles du Cap* qu'il est arrivé quelque chose à Khayelitsha. Ce n'est pas là que vous habitez ?

J'ai répondu que si et demandé ce qui se passait – encore un incendie dans une cabane ou bien une grève, sans doute. Elle m'a répondu que, si elle avait bien compris, un avion s'était écrasé. On s'est dépêchées de passer au salon et d'allumer la télé. Les infos ne parlaient que de ça et, au début, j'ai eu du mal à comprendre ce que je voyais. Les films montraient des gens qui couraient en hurlant, avec des nuages de fumée noire qui bouillonnaient autour d'eux. Puis j'ai entendu les mots qui m'ont gelé le cœur. La journaliste, une jeune Blanche aux yeux effrayés, a dit qu'une église, près du Secteur Cinq, avait été complètement détruite par le crash de l'avion.

La crèche de ma fille, Susan, se trouvait dans une église de ce quartier-là.

Bien sûr, ma première pensée a été de contacter Busi, ma sœur, mais j'avais dépensé tout mon forfait. La madame m'a prêté son portable, mais je suis tombée directement sur le répondeur. J'ai commencé à me sentir un peu nauséeuse, voire étourdie. Busi répondait toujours au téléphone. Toujours.

— Madame, j'ai dit, il faut que je parte. Il faut que je rentre chez moi.

Je priais pour que Busi soit allée chercher Susan à la crèche un peu plus tôt. C'était son jour de repos, à l'usine, et il lui arrivait de faire ça pour passer l'après-midi avec elle. Quand j'étais partie à 5 heures du matin, ce jour-là, pour prendre mon taxi vers la banlieue nord, ma sœur dormait encore à poings fermés, Susan près d'elle. J'ai tenté de garder cette image en tête : Busi et Susan saines et sauves, ensemble. C'était sur elle que je me concentrais. Je n'ai commencé à prier qu'après.

La madame (elle s'appelle Clara van der Spuy, mais le patron aimait que je lui donne du « madame », ce qui mettait Busi en colère) m'a proposé de me conduire. En allant chercher mon sac, je l'ai entendue se disputer avec le patron au téléphone.

— Johannes ne veut pas que je vous emmène, elle m'a dit. Mais il peut aller se faire voir. Je ne pourrais plus me regarder en face si je vous laissais prendre un taxi.

Elle n'a pas arrêté de parler de tout le trajet, sauf

quand je devais la couper pour lui donner des indications. J'étais à présent physiquement malade de tension ; la tarte que j'avais mangée au déjeuner se changeait en pierre dans mon estomac. Comme on arrivait sur l'autoroute N2, j'ai vu de la fumée noire s'élever au loin. Au bout de quelques kilomètres, j'ai commencé à la sentir.

— Je suis sûre que tout va bien, Angela, ne cessait de dire la madame. C'est grand, Khayelitsha, n'est-ce pas ?

Elle a allumé la radio. Le commentateur parlait d'autres accidents d'avion survenus ailleurs dans le monde.

— Saletés de terroristes, a lâché la madame.

À l'approche de la sortie Baden Powell, la circulation s'est densifiée. Nous étions entourées de taxis qui klaxonnaient, emplis des visages effrayés de gens qui, comme moi, voulaient désespérément rentrer chez eux. Des ambulances et des voitures de pompiers nous dépassaient en hurlant. La madame se sentait nerveuse : elle était très loin de sa zone de confort. Comme la police avait mis en place des barrages pour empêcher les véhicules d'entrer dans la zone de l'accident, j'ai compris que j'allais devoir me mêler à la foule et continuer à pied jusqu'à ma section.

— Rentrez chez vous, madame, j'ai dit.

J'ai vu le soulagement sur son visage mais je ne lui en ai pas voulu. C'était l'enfer. L'air était chargé de cendre et, déjà, la fumée me piquait les yeux.

Après avoir sauté de voiture, j'ai couru vers la foule qui se battait pour franchir la barricade dressée en travers de la route. Ceux qui m'entouraient criaient, hurlaient, et j'ai joint ma voix aux leurs.

— *Intombiyam !* Ma fille est là-bas !

La police a été contrainte de nous laisser passer

quand une ambulance qui arrivait de l'autre côté a eu besoin de sortir.

J'ai couru. Je n'ai jamais couru aussi vite de toute ma vie mais je ne sentais pas la fatigue – la peur me poussait. Je voyais des gens émerger de la fumée, certains couverts de sang, et, à ma grande honte, je ne m'arrêtais pas pour les aider. Je ne pensais qu'à avancer, même si j'avais parfois du mal à voir où je mettais les pieds. Ce qui était presque une bénédiction car il y avait… il y avait des balises posées par terre et des sacs en plastique bleu recouvrant des formes – des morceaux de cadavres, je le savais. Des incendies faisaient rage un peu partout tandis que des pompiers masqués s'employaient à isoler d'autres zones. À partir d'un moment, il était physiquement impossible de continuer. Pourtant je me trouvais encore trop loin de ma rue, je devais m'approcher encore. La fumée me brûlait les poumons et me faisait pleurer. De temps en temps, on entendait une détonation, un truc qui explosait. J'ai vite eu la peau couverte de saleté. Ce que je voyais me paraissait tout à fait anormal, au point que je me suis demandé si je ne m'étais pas aventurée dans un quartier inconnu. Je cherchais des yeux le toit de l'église et ne le trouvais pas. L'odeur – comme un *spit-braai*, un barbecue, mêlé à de l'essence enflammée – m'a fait vomir. Je suis tombée à genoux. Je savais que je ne pouvais pas m'approcher plus si je voulais continuer de respirer.

C'est un des infirmiers qui est tombé sur moi. Il paraissait épuisé, et son uniforme bleu était trempé de sang. Tout ce que j'ai pu lui dire, c'est :

— Ma fille. Il faut que je retrouve ma fille.

Je ne sais pas pourquoi il a choisi de m'aider. Tant d'autres avaient besoin d'aide. Il m'a conduite jusqu'à son ambulance et je me suis assise à l'avant pendant qu'il passait un appel radio. Quelques minutes plus tard, un Kombi de la Croix-Rouge est arrivé, et le chauffeur m'a fait signe de monter. Comme moi, les autres passagers étaient sales et couverts de cendre ; à l'expression de la plupart, on les devinait gravement traumatisés. Une femme, à l'arrière, regardait par la vitre, un enfant endormi entre les bras. Près de moi, un vieillard tremblait en silence ; il y avait des traces de larmes sur ses joues sales.

— *Molweni,* lui ai-je chuchoté, *kuzolunga.*

Je lui disais que tout irait bien mais je n'y croyais pas moi-même. Tout ce que je pouvais faire, c'était prier, nouer dans ma tête un pacte avec Dieu pour que Susan et Busi soient épargnées.

Nous avons dépassé une tente emplie de morts. J'ai essayé de ne pas la regarder. Dedans, des gens manipulaient des cadavres – encore des silhouettes recouvertes de plastique bleu –, et j'ai prié encore plus fort pour que ces sacs-là ne renferment pas les corps de ma fille ou de ma sœur.

On nous a conduits jusqu'au foyer communautaire de Mew Way. J'étais censée signer à l'entrée mais j'ai bousculé les employés pour courir vers les portes.

Même de dehors, j'entendais pleurer. À l'intérieur, c'était le chaos. Le centre débordait de rescapés couverts de suie et de bandages, rassemblés par petits groupes. Certains pleuraient ; d'autres, en état de choc, regardaient droit devant eux sans rien voir, comme les passagers du Kombi. Je me suis frayé un chemin dans la foule. Comment trouver Busi et Susan au milieu de toute cette masse ? J'ai aperçu Nosliswa, une voisine, qui s'occupait parfois de Susan. Le visage couvert d'une épaisse couche de sang et de poussière noire, elle se balançait d'avant en arrière et, quand je l'ai interrogée, elle n'a pas paru entendre. Tout éclat avait déserté ses yeux. Plus tard, j'apprendrais que deux de ses petits-enfants se trouvaient dans la crèche rasée par l'avion.

Puis j'ai entendu une voix appeler :

— Angie ?

Je me suis retournée lentement. Busi était là, Susan entre les bras.

— *Niphilile !* Vous êtes vivantes ! j'ai hurlé encore et encore.

On s'est étreintes un long moment. Susan se tortillait parce que je la serrais trop fort. Je n'avais pas perdu tout espoir, mais le soulagement de les voir saines et sauves… Je n'éprouverai jamais rien d'aussi fort de toute ma vie. Quand on a cessé de pleurer, Busi m'a raconté ce qui s'était passé. Ayant retiré Susan de la crèche avant l'heure, elle avait décidé, au lieu de rentrer tout droit à la maison, de marcher jusqu'à la *spaza*, pour acheter du sucre. Elle m'a dit que le bruit de l'impact avait été incroyable – au début, on aurait cru une bombe. Elle m'a dit avoir empoigné Susan et couru aussi vite que possible loin du vacarme des explosions. Si elle était rentrée à la maison, elles auraient été tuées.

Car notre maison avait disparu. Tout ce que nous possédions avait été incinéré.

On est restées au foyer en attendant qu'on nous attribue un abri. Certaines personnes ont mis en place des cloisons, pendu des draps et des couvertures au plafond pour délimiter des chambres de fortune. Bien des gens n'avaient plus de foyer, mais j'étais surtout triste pour les enfants. Ceux qui avaient perdu parents ou grands-parents. Il y en avait tellement, dont beaucoup d'*amagweja*, des réfugiés, qui avaient déjà souffert des attaques xénophobes quatre ans plus tôt. Qui avaient déjà vu bien trop d'horreurs.

Un garçon me reste en mémoire. Cette première nuit,

je n'ai pas fermé l'œil. L'adrénaline n'avait pas quitté mon corps ; je subissais sans doute aussi le contrecoup de tout ce que j'avais vu. Je me suis levée pour m'étirer et j'ai senti sur moi le poids d'un regard. Sur une couverture, non loin de Busi, Susan et moi, un petit garçon était assis. Je l'avais à peine remarqué, car j'étais trop occupée à veiller sur Susan et à faire la queue pour obtenir à manger et à boire. Même dans l'obscurité, on voyait la douleur et la solitude briller au fond de ses yeux. Il était seul sur sa couverture ; aucun signe de parent ou de grand-parent. Pourquoi les travailleurs sociaux ne l'avaient-ils pas emmené dans la section des enfants non accompagnés ?

Quand je lui ai demandé où était sa mère, il n'a pas réagi. Je me suis assise près de lui et je l'ai pris dans mes bras. Il s'est laissé aller contre moi, il ne pleurait pas, ne sanglotait pas, mais son corps était comme un poids mort. Lorsqu'il m'a paru endormi, je l'ai posé et suis retournée sur ma couverture.

Le lendemain, on nous a annoncé que nous allions être logés dans un hôtel offrant ses chambres à ceux qui avaient perdu leur foyer. J'ai cherché le garçon des yeux. Je me disais que, peut-être, il pourrait venir avec nous, mais je ne l'ai vu nulle part. On est restées à l'hôtel deux semaines et, quand ma sœur a trouvé un emploi dans une grande boulangerie près de Masiphumélé, je suis allée travailler avec elle. Encore une fois, j'ai eu de la chance : c'est bien préférable à un emploi de domestique. La boulangerie est équipée d'une crèche, si bien que je peux emmener Susan avec moi tous les matins.

Plus tard, quand les Américains sont venus en Afrique du Sud pour chercher le fameux quatrième enfant, un enquêteur – un Xhosa, pas un chasseur de primes étranger – nous a retrouvées, Busi et moi, et nous a demandé si on avait vu un garçon sortant de l'ordinaire au foyer où on nous avait logés. La description correspondait à celui que j'avais vu la première nuit, mais je n'ai rien dit. Je sais pas trop pourquoi. Je crois qu'au fond de moi, je savais préférable pour lui de n'être pas retrouvé. L'enquêteur voyait que je lui cachais quelque chose, c'était évident, mais j'ai tout de même écouté la voix intérieure qui me disait de ne pas parler.

Et puis… ce n'était peut-être pas celui qu'ils cherchaient. Il y en avait plein, des *intandane*, des orphelins, et celui-là ne m'avait pas dit son nom.

Le soldat de première classe Samuel « Sammy » Hockemeier, du 3e Régiment expéditionnaire de marines, cantonné au Camp Courtney, sur l'île d'Okinawa, accepta de s'entretenir avec moi par Skype à son retour aux États-Unis en juin 2012.

J'ai rencontré Jake quand on a été tous les deux déployés à Okinawa en 2011. Je suis de Fairfax, en Virginie, et, lui, il avait grandi à Annandale, donc on est tout de suite devenus potes. On s'est rendu compte qu'au lycée, j'avais même joué une ou deux fois au football contre son frère. Avant qu'on ne s'enfonce dans cette forêt, c'était un mec normal, rien de particulier à signaler, plus posé que la majorité des gens, avec un sens de l'humour à côté duquel on passait facilement si on ne faisait pas gaffe. Il était assez petit, un mètre soixante-dix, peut-être soixante-douze – les photos qui ont inondé Internet le font paraître plus costaud qu'il ne l'était. Plus costaud et plus méchant. On s'est mis aux jeux vidéo sur PC pendant qu'on était là-bas, ils ont beaucoup de succès à la base, et on est devenus un peu accros. C'est ce que je peux dire de pire de lui – jusqu'au moment où il a pété les plombs, bien sûr.

On avait signé pour le Corps d'Aide humanitaire du IIIe REM et, début janvier, on a appris que notre bataillon allait être transféré au Camp Fuji pour un entraînement – une reconstitution de catastrophe. Jake et moi en avons été assez heureux. Deux marines anti-terroristes qu'on avait affrontés pendant une séance de jeu en revenaient justement. Et ils nous avaient dit que Katemba, une des villes les plus proches, était très sympa – il y avait même un restau où l'on pouvait manger et boire à volonté pour 3 000 yens. On espérait aussi avoir la chance de visiter Tokyo pour découvrir la culture japonaise. On n'en voyait pas grand-chose sur l'île d'Okinawa, vu qu'elle se trouvait à plusieurs centaines de kilomètres du Japon proprement dit. Au Camp Courtney, on a une vue magnifique, face à l'océan, mais on finit par être écœuré de la contempler à longueur de journée et beaucoup d'indigènes n'ont pas une bonne opinion des marines. En grande partie à cause de l'incident Girard – un des nôtres qui a abattu par erreur une femme du coin en train de ramasser de la ferraille sur le champ de tir – et du fameux viol collectif des années 1990. Je ne dis pas qu'ils étaient ouvertement hostiles mais beaucoup n'avaient pas envie de nous voir chez eux, c'était net.

Le Camp Fuji en lui-même est correct. Petit, mais avec une zone d'entraînement sympa. Je dois dire qu'il faisait un froid de canard quand on est arrivés. Du brouillard à couper au couteau, un paquet de flotte ; on avait du pot qu'il ne neige pas. Le commandant nous a annoncé qu'on passerait les premiers jours à préparer l'équipement pour le déploiement dans la zone de manœuvres de Fuji Nord, mais on s'était à peine posés dans les baraquements quand la nouvelle du Jeudi Noir a commencé à filtrer. Le premier crash dont on a été averti, c'est celui de Floride. Un ou deux gars étaient de là-bas et leur famille ou leur copine leur envoyaient les dernières nouvelles par e-mail. Quand on a appris pour l'avion anglais et celui d'Afrique, je ne vous raconte pas les rumeurs qui ont circulé. Beaucoup d'entre nous croyaient à une attaque terroriste, de nouvelles représailles des Arabes, peut-être, et on était persuadés d'être redéployés à Okinawa aussi sec. C'est un peu curieux, vu où on était, mais le dernier accident dont on a entendu parler, c'est celui de la Sun Air – et on n'arrivait pas à croire que ça se soit produit aussi près de la base. Comme tout le monde, Jake et moi, on est restés collés à Internet, ce soir-là. C'est comme ça qu'on a su pour les survivants, l'hôtesse de l'air et le gamin. La connexion a merdé un moment, mais on a fini par télécharger sur YouTube une vidéo montrant le gamin hélitreuillé. On a eu un choc en apprenant qu'un des rescapés était mort avant d'arriver à l'hosto, et – ça paraît dingue, avec le recul –, mais je me rappelle Jake en train de dire : « Merde, j'espère que c'était pas le gosse. » Vous allez trouver ça atroce mais savoir qu'il y avait à bord une Américaine qui n'avait pas survécu rendait l'accident plus réel.

Le vendredi matin, le commandant a dit qu'on avait besoin de volontaires de la division d'Aide humanitaire pour aider à isoler la zone et à dégager près du site une piste d'atterrissage pour les hélicoptères de recherche et de secours. Pendant le briefing, il nous a informés que des centaines de proches des passagers s'y pressaient, désemparés, et gênaient les opérations. La presse aussi foutait le bordel : certains journalistes s'étaient perdus ou blessés en forêt et avaient dû être secourus. J'étais surpris que les Japs acceptent qu'on s'en mêle. Le Japon et l'Amérique ont des accords, c'est vrai, mais les gars d'ici aiment bien faire les choses à leur manière ; je pense que c'est une question de fierté. Le commandant nous a expliqué qu'ils ont beaucoup été critiqués pour avoir déconné après la catastrophe ferroviaire de la fin des années 1990. Ils n'ont pas réagi assez vite, ils ont attendu que les rouages bureaucratiques se dérouillent, ils n'ont agi que sur l'ordre d'un supérieur, et ainsi de suite… Ça a coûté des vies. Je me suis porté volontaire aussitôt, et Jake aussi. On nous a dit qu'on travaillerait en tandem avec une poignée de gars du Camp JGSDF, la force terrestre d'autodéfense japonaise voisine. Yoji, le soldat de la JGSDF détaché auprès de nous comme traducteur, nous a parlé de la forêt pendant le trajet. Il disait qu'elle avait vraiment mauvaise réputation en raison du nombre de gens qui s'y étaient donné la mort. Qu'à cause de la profusion de suicides, les flics avaient été obligés de poser des caméras sur les arbres, et qu'elle était pleine de cadavres non identifiés, certains depuis des années. Il disait que les autochtones n'en approchaient pas, parce qu'ils la croyaient hantée par les esprits des morts en colère, une connerie comme ça, des âmes qui n'arrivent pas à trouver le repos ou je ne sais quoi. Je ne m'y connais pas tellement en spiritualité japonaise, je sais juste qu'ils croient que les âmes des animaux sont dans à peu près tout, des gens aux chaises, tout ce qu'on veut, mais ça, ça paraissait bien trop fantaisiste pour être autre chose que des conneries. On a presque tous commencé à balancer des vannes, à déconner, mais Jake n'a pas dit un mot.

Je dois dire que les gars des RAR, les recherches et sauvetages, et ceux de la JGSDF avaient fait de leur mieux pour sécuriser le site, compte tenu de ce qu'ils affrontaient, mais ils étaient en grave sous-effectif. Jamais ils n'auraient pu maîtriser tous les gens massés devant les tentes-morgues. Après avoir été briefés,

Jake, moi et une partie de notre escouade, plus une poignée de gars de la JGSDF, on est partis tout droit pour le site du crash, le reste de la division s'employant à sécuriser les morgues temporaires, transporter des provisions et installer des latrines provisoires.

Le commandant nous a dit que les RAR et le JTSB avaient établi un plan des endroits où étaient tombés la plupart des corps au moment de l'impact et qu'ils s'occupaient à présent de les transporter sous les tentes. Je sais que c'est surtout Jake qui vous intéresse, mais je vais vous donner une idée du tableau. Quand j'étais à l'école, on a étudié une vieille chanson, *Strange fruit,* qui parle des lynchages dans le Sud profond et dit que les corps pendus aux potences ressemblaient à d'étranges fruits. C'est ce qu'on a vu. C'est ce que soutenaient certains des arbres bizarres quand on est arrivés à proximité de la carlingue. Sauf que la plupart des cadavres n'étaient pas entiers. Un ou deux gars ont dégueulé. Jake et moi, on a tenu le coup.

Les civils qui titubaient autour du site, et appelaient leurs parents, leurs enfants ou leurs amis, étaient d'une certaine manière encore plus déprimants. La plupart avaient apporté des offrandes – des victuailles ou des fleurs. Yoji, chargé de les rassembler et de les écarter du site, m'a dit ensuite avoir rencontré un homme et une femme tellement persuadés que leur fils était encore en vie qu'ils lui avaient apporté des vêtements de rechange.

Comme je le disais, les équipes du JTSB et des SAR étaient plutôt efficaces. Jake et moi, on nous a envoyés les aider à dégager la piste pour hélico au milieu des arbres ; même si c'était sacrément dur comme boulot, ça s'effectuait à l'écart de l'épave et ça nous empêchait de penser à ce qu'on avait vu. Les gars du NTSB ne sont pas arrivés avant le lendemain et, à ce moment-là, on était déjà nettement plus organisés.

Le commandant a dit qu'on resterait sur le site cette nuit-là, et on nous a attribué des lits de camp sous une des tentes de la JGSDF. Ça ne nous a pas enthousiasmés. Il n'y en avait pas un seul parmi nous qui n'angoisse pas à l'idée de passer la nuit dans cette forêt. Et pas seulement à cause de ce qu'on y avait vu ce jour-là. On en arrivait même à chuchoter. Élever la voix paraissait déplacé. Quelques-uns des copains ont essayé de balancer des vannes mais elles sont toutes tombées à plat.

Vers les 3 heures du matin, j'ai été réveillé par un cri. On aurait dit que ça venait de l'extérieur de la tente. Une poignée d'entre nous ont bondi sur leurs pieds et sont sortis. Merde, mon cœur pompait de l'adrénaline à fond la caisse. On n'y voyait pas grand-chose, à cause du brouillard.

Un des gars – je crois que c'était Johnny, un Black d'Atlanta, super sympa – a sorti sa torche électrique et balayé les environs. La lumière vacillait parce que sa main tremblait. Elle s'est posée sur une silhouette, à quelques mètres de là. Une silhouette qui nous tournait le dos, agenouillée. Quand elle s'est retournée pour nous regarder, j'ai vu que c'était Jake.

Je lui ai demandé à quel jeu de con il jouait. Il a secoué la tête, l'air sidéré.

— Je les ai vus, il a dit. Je les ai vus. Les hommes sans pieds.

Je l'ai fait rentrer dans la tente et il s'est endormi aussitôt. Le lendemain matin, il a refusé de parler de ce qui s'était passé.

Je ne l'ai pas répété à Jake mais, quand j'ai raconté ça à Yoji, il a affirmé :

— Les fantômes japonais n'ont pas de pieds.

Et il m'a appris que l'heure maléfique, pour les

Japonais, l'*ushi-mitsu,* je n'oublierai jamais ce mot-là, c'était 3 heures du matin. J'admets que j'ai eu des sueurs froides quand j'ai entendu le message de Pamela May Donald. Les trucs qu'elle disait… ben, c'était vraiment trop similaire à ce qu'avait dit Jake cette nuit-là. Sur le moment, j'ai supposé qu'il avait été très marqué par les histoires de Yoji.

Les autres lui ont cassé les couilles avec ça pendant des semaines, bien sûr. Ça s'est même prolongé quand on est rentrés au Camp Courtney. Vous voyez le genre ? « T'as vu beaucoup de morts, aujourd'hui, Jake ? » Il encaissait. Je crois que c'est là qu'il a commencé à échanger des e-mails avec ce pasteur texan. Avant ça, il n'avait jamais été religieux. Je ne l'avais pas entendu parler une seule fois de Dieu ou de Jésus. J'imagine qu'il avait trouvé le site du pasteur en faisant des recherches sur Google à propos de la forêt et des accidents.

Jake n'a pas suivi l'unité quand on nous a envoyés donner un coup de main aux sauveteurs après les inondations aux Philippines. Il est carrément tombé malade. Mal au ventre, possible appendicite. Bien sûr, maintenant, on sait qu'il simulait. Ce qu'on ne sait toujours pas, c'est comment il a quitté l'île. On suppose qu'il a loué les services d'un bateau de pêche ou d'un baleinier qui l'a pris à son bord, quelque chose comme ça ; peut-être un des équipages taïwanais qui font passer en contrebande des anguilles et des méthamphétamines.

Je donnerais très cher pour remonter le temps, madame. Pour empêcher Jake d'aller dans cette forêt. Je sais que je n'aurais rien pu y changer mais, c'est terrible, encore maintenant, je me sens responsable de ce qu'il a fait à ce petit Japonais.

Chiyoko Kamamoto, 18 ans, cousine de Hiro Yanagida, l'unique rescapé du vol Sun Air 678, et Ryu Takami se rencontrèrent sur le forum d'un célèbre jeu de rôles *online*. La majorité des joueurs sont des *otaku* (un mot d'argot équivalent à *geek),* des adolescents ou jeunes adultes au comportement obsessionnel. Chiyoko, une des seules filles à participer, était extrêmement populaire parmi eux.

Malgré d'innombrables spéculations, qu'elle ait choisi Ryu, un raté et *hikikomori* (reclus), comme partenaire de *chat* reste un mystère. Jusqu'à ce que les événements les dépassent, ils discutaient tous les jours, parfois pendant des heures. Les messages trouvés sur l'ordinateur et le smartphone de Chiyoko après sa disparition furent diffusés sur Internet.

L'original était principalement écrit en « langage SMS » mais, dans un souci de confort de lecture et de cohérence, et à l'exception des *emoji* [émoticônes] utilisées par Ryu, une syntaxe normale a été rétablie. La traduction est d'Eric Kushan.

(Chiyoko appelle sa mère, avec laquelle elle entretenait des rapports glaciaux, la « Créature Mère » ou « CM ». L'« Oncle Androïde » ou « OA » désigne Kenji Yanagida, l'oncle de Chiyoko, l'un des plus éminents roboticiens du Japon.)

Message envoyé @ 15 : 30, 14/01/2012

CHIYOKO : Ryu, t'es là ?

RYU : (｡･ω･) T'étais où ?

CHIYOKO : M'en parle pas. La Créature Mère avait encore « besoin » de moi. T'as entendu ? L'hôtesse de l'air ? Elle est morte à l'hôpital il y a une heure. Ça veut dire que Hiro est le seul survivant.

RYU : On ne parle que de ça sur 2-channel. C'est triste. Comment il va, Hiro ?

CHIYOKO : Ça va, je crois. Une clavicule déboîtée, des griffures. Pour ce que j'en sais, c'est tout.

RYU : Il a du pot.

CHIYOKO : C'est ce que n'arrête pas de dire la Créature Mère. « Un miracle. » Elle a installé un autel temporaire à tante Hiromi. Je ne sais pas où elle a récupéré sa photo. La CM n'a jamais aimé Hiromi, mais on ne s'en douterait pas aujourd'hui. « Quel dommage, elle était si jolie, si sereine, c'était une si bonne mère. » Rien que des mensonges. Elle disait toujours que ma tante était une pimbêche.

RYU : Tu as appris ce qu'ils faisaient à Tokyo ? Ta tante et Hiro, je veux dire.

CHIYOKO : Ouais. La CM dit qu'ils rendaient visite à une vieille copine d'école de tante Hiromi. Je vois bien qu'elle s'est vexée que ma tante soit pas passée la voir pendant qu'elle était ici, mais elle ne le dira pas. Ce ne serait pas *respectueux*.

RYU : Est-ce que des journalistes ont essayé de te contacter ? Les images qui les montrent en train d'escalader les murs de l'hôpital pour prendre des photos des survivants étaient délirantes. Tu sais qu'il y en a un qui est tombé du toit ? Y a le clip sur Nico Nico[1]. Quel abruti !

CHIYOKO : Pas encore. Mais ils ont trouvé l'adresse du bureau de papa. Même un truc comme ça, la mort de sa propre sœur, ne suffit pas à ce qu'il prenne une journée de congé. Il a refusé de leur parler. C'est l'Oncle Androïde qui les intéresse vraiment, bien sûr.

RYU : Je n'arrive toujours pas à croire que tu es de la famille de Kenji Yanagida ! Ni que tu ne me l'aies pas dit quand on s'est rencontrés, je m'en serais vanté devant tout le monde.

CHIYOKO : De quoi ç'aurait eu l'air ? Salut, je m'appelle Chiyoko et tu sais quoi ? Je suis la nièce de l'Androïde. J'aurais eu l'air de vouloir t'impressionner.

RYU : Toi, vouloir m'impressionner ? Ce serait plutôt l'inverse.

CHIYOKO : Tu ne vas pas recommencer à t'apitoyer sur ton sort, hein ?

RYU : T'en fais pas, tu m'as guéri de cette mauvaise habitude. Alors... comment il est en vrai ? Je veux des détails.

CHIYOKO : Je te l'ai dit : je ne le connais pas vraiment. La dernière fois que je l'ai vu, c'est quand tante Hiromi, Hiro et lui sont venus pour la nouvelle année, il y a deux ans, juste après notre retour aux États-Unis, mais ils n'ont pas dormi à la maison et je lui ai à peine

1. Sorte de YouTube japonais.

dit trois mots. Hiromi était vraiment jolie mais assez distante. J'ai bien aimé Hiro, par contre, très mignon. La CM dit que l'Oncle Androïde risque de venir s'installer chez nous pendant que son fils est à l'hôpital. Je ne crois pas que ça lui fasse plaisir. Je l'ai entendue dire à papa que l'Oncle Androïde est aussi froid que son robot.

RYU : Vraiment ? Pourtant il a l'air vachement drôle et sympa dans le docu.

CHIYOKO : Lequel ? Il doit y en avoir mille.

RYU : Je ne me rappelle plus. Tu veux que je vérifie ?

CHIYOKO : Pas la peine. Mais ce qu'on est devant une caméra peut être différent de ce qu'on est vraiment. Je crois que c'est génétique.

RYU : Quoi ? Être devant une caméra ?

CHIYOKO : Non : être froid. Comme moi. Je ne suis pas normale. Je suis froide. J'ai un éclat de glace dans le cœur.

RYU : Chiyoko, la princesse de glace.

CHIYOKO : Chiyoko, la *yuki-onna*[1]. Donc, nous avons établi que j'étais génétiquement affligée d'un syndrome de princesse de glace ne pouvant être guéri que par… quoi ?

RYU : La célébrité ? L'argent ?

CHIYOKO : C'est ce qui me plaît chez toi, Ryu : tu as toujours la bonne réponse. J'ai cru que tu allais dire l'amour et j'en aurais été malade.

RUY : o(_ _)o C'est quoi, le problème avec l'amour ?

---

1. Yuki-Onna : (Femme des neiges) Dans le folklore japonais, la *yuki-onna* est l'esprit d'une femme morte dans une tempête de neige.

CHIYOKO : Ça n'existe que dans les mauvais films américains.

RYU : Tu n'es pas complètement froide. Je le sais.

CHIYOKO : Alors pourquoi est-ce que je ne suis pas plus compatissante ? Je vais te le prouver, tiens. Combien de personnes sont mortes dans le crash du vol Sun Air ?

RYU : 525. Non, 526.

CHIYOKO : Voilà : 526, dont ma propre tante. Et tout ce que je ressens, c'est du soulagement.

RYU : ??(·_·*)

CHIYOKO : OK, je t'explique. Depuis l'accident, depuis qu'elle est au courant pour tante Hiromi et Hiro, la CM ne m'a pas harcelée une seule fois pour que je retourne en prépa. Est-ce que c'est mal de penser ça ? De me réjouir que, grâce à la tragédie de quelqu'un d'autre, j'ai un peu de paix dans ma vie privée ?

RYU : Hé, tu as une vie privée, c'est déjà ça. Regarde-moi.

CHIYOKO : Ah ! Je savais que c'était trop beau pour durer. Pas grave, tu peux être mon *hikikomori*[1] personnel. J'aime bien t'imaginer cloîtré dans ta petite chambre, avec les rideaux qui empêchent la lumière de filtrer, en train de fumer cigarette sur cigarette et de m'envoyer des messages quand tu en as marre de jouer à Ragnarok.

---

1. Hikikomori : Personne socialement isolée au point de ne quitter que rarement (voire jamais) sa chambre. On estime qu'il existe au Japon presque un million d'adolescents ou de jeunes adultes ayant choisi de se couper ainsi de la société.

RYU : Je ne suis pas un *hikikomori*. Et je ne joue pas à Ragnarok.

CHIYOKO : On ne s'est pas promis d'être toujours tout à fait francs l'un envers l'autre ? Je t'ai dit ce que je suis.

RYU : C'est le mot que je n'aime pas.

CHIYOKO : Tu vas bouder maintenant ?

RYU : _|7O

CHIYOKO : ORZ ?????[1] Ah, là là ! Ça fait combien de temps que tu la gardes en réserve, celle-là ? Est-ce que quelqu'un s'en sert encore ? T'es sûr que t'as 22 ans et pas 38, en fait ? T'en as pas marre d'employer toutes ces merdes en ascii[2] ?

RYU : <(_ _)> Changeons de sujet. Hé… Quand est-ce que tu me raconteras ta vie aux States ?

CHIYOKO : Encore ? Pourquoi est-ce que ça t'intéresse à ce point ?

RYU : Ça m'intéresse, c'est tout. Ça te manque ?

CHIYOKO : Non. Ça n'a pas d'importance, où on habite. Le monde est un vrai bordel. Un autre sujet, s'il te plaît.

RYU : D'accord… Les forums se déchaînent encore sur les raisons pour lesquelles l'avion s'est écrasé dans la *Jukai*. Il y a toute une théorie disant que le commandant de bord l'aurait fait exprès. Pour se suicider.

---

1. orz : *Emoji* (émoticône) japonaise populaire qui dénote la frustration ou le désespoir. Les lettres évoquent une silhouette se cognant la tête par terre (O est la tête, R le torse et Z les jambes).
2. Ascii : Terme désignant l'art textuel (comme utilisé par Ryu ci-dessus). Il a été popularité sur des forums tels que 2-channel.

CHIYOKO : Je sais. C'est pas nouveau, c'est marqué partout. Qu'est-ce que tu en penses ?

RYU : Bof. Ça pourrait être en partie vrai. Il s'est bel et bien passé des choses dans cette forêt, et elle se trouve à des kilomètres de la route d'Osaka. Pourquoi venir s'écraser là ?

CHIYOKO : Il n'avait peut-être pas envie d'atterrir dans une zone peuplée. Il essayait peut-être de sauver des vies. J'ai de la peine pour sa femme.

RYU : Tu as de la peine, toi ? Je te prenais pour la princesse de glace.

CHIYOKO : Je peux quand même avoir de la peine pour elle. Quoi qu'il en soit, l'espèce de drone qui sert de porte-parole à la Sun Air a dit que le commandant était un de leurs meilleurs pilotes, un des plus fiables, et qu'il n'aurait jamais fait une chose pareille. Il paraît aussi qu'il n'avait pas de problèmes d'argent, donc pas besoin de toucher une assurance, et son dossier médical prouve qu'il était en bonne santé.

RYU : Peut-être qu'ils mentent. Et, de toute façon, il a pu être possédé. Peut-être qu'on l'a forcé à faire ça.

CHIYOKO : Ah ! Abattu par des fantômes affamés.

RYU : Mais tu dois bien admettre que… Pourquoi autant d'avions le même jour ? Il y a forcément une raison.

CHIYOKO : Comme quoi ? Ne me souffle pas : c'est le signe que la fin du monde approche ?

RYU : Pourquoi pas ? On est en 2012.

CHIYOKO : Tu passes beaucoup trop de temps sur les sites conspirationnistes, Ryu. Et on serait au courant, à l'heure qu'il est, si c'était un acte terroriste.

RYU : Est-ce que la vraie Chiyoko pourrait revenir, maintenant, s'il vous plaît ? C'est toi qui dis toujours que le gouvernement et la presse nous mentent, qu'ils se servent de nous comme de pions.

CHIYOKO : C'est pas pour ça que je suis obligée de croire à une hypothèse de complot à la manque. La vie n'est pas comme ça. Elle est terne. Les politiciens nous mentent ? Bien sûr qu'ils nous mentent. Comment on deviendrait de bons petits soldats qui restent dans le rang, sinon ?

RYU : Tu crois vraiment qu'on nous le dirait si c'étaient des terroristes ?

CHIYOKO : Je viens de dire qu'on nous mentait. Mais il y a des secrets trop gros pour que même eux les cachent. Aux États-Unis, peut-être, mais pas ici : l'histoire officielle devrait franchir huit niveaux de bureaucratie pour être approuvée. Qu'est-ce que les gens peuvent être nuls ! Ils n'ont rien de mieux à faire que de parler de théories du complot toute la journée ? Et de salir la mémoire d'un mort qui essayait sûrement de sauver autant de monde que possible ?

RYU : Hé, je commence vraiment à m'inquiéter. Se peut-il que la princesse de glace se dégèle ? Est-ce la preuve qu'elle est compatissante, finalement ?

CHIYOKO : Je ne suis pas compatissante, je... D'accord, je le suis à moitié. Mais ça me fout quand même en rogne. Les débiles des sites de complot sont aussi nuls que les idiotes qui caquettent toute la journée sur Mixi[1]. Tu imagines s'ils dépensaient toute cette énergie à discuter des choses vraiment importantes ?

RYU : Comme quoi ?

1. Réseau social japonais.

CHIYOKO : Changer le système. Éliminer le népotisme ; empêcher les gens de se transformer en esclaves. Les empêcher de mourir, de se faire brutaliser… tous ces trucs-là.

RYU : Chiyoko, la princesse de glace révolutionnaire.

CHIYOKO : Je plaisante pas. Va au bahut, va en prépa, bûche, fais la fierté de tes parents, rentre à l'université de Keio, va bosser tous les jours dix-huit heures d'affilée, ne dévie pas du droit chemin, ne te plains pas, ne sois pas non conformiste. Trop de « ne pas ».

RYU : Tu sais que je suis d'accord, Chiyoko. T'as qu'à me regarder… Mais qu'est-ce qu'on peut faire ?

CHIYOKO : Rien. On ne peut rien faire. Juste accepter, ou bien tout laisser tomber, ou mourir. Pauvre Hiro. C'est un avenir radieux qui l'attend.

RYU : (_ _) ………o

Pauline Rogers, chroniqueuse britannique controversée, fut la première à appeler « les Trois » les enfants ayant survécu aux accidents du Jeudi Noir.
L'article suivant sortit dans le *Daily Mail* du 15 janvier 2012.

Trois jours se sont écoulés depuis le Jeudi Noir, et je suis là, installée dans mon bureau personnel tout neuf, à regarder l'écran de mon ordinateur avec une incrédulité absolue.

Non pas, comme on pourrait le croire, parce que je reste assommée par l'horrible coïncidence ayant conduit quatre avions de ligne à s'écraser le même jour. Je le suis, bien sûr, comment ne pas l'être ? Mais ce qui me stupéfie, c'est d'éplucher la liste impressionnante de sites conspirationnistes et de constater que chacun présente une théorie différente – toutes plus bizarres les unes que les autres – sur les causes de la tragédie. Cinq minutes de recherches sur Google révèlent plusieurs sites qui défendent la théorie selon laquelle Toshinori Seto, ce brave et altruiste commandant de bord qui a choisi de diriger le vol Sun Air 678 vers une zone peu peuplée, évitant ainsi de nombreuses morts supplémentaires, était possédé par des esprits suicidaires. Un autre affirme que les quatre avions ont été pris pour cibles par des extraterrestres malveillants. Les experts ont dit clairement qu'on pouvait éliminer la piste terroriste – surtout dans le cas de la catastrophe du vol Dalu Air, en Afrique, car les rapports de la tour de contrôle prouvent qu'il s'agit d'une erreur de pilotage ; pourtant, chaque minute qui passe voit la création de nouveaux sites islamophobes. Et les illuminés – « C'est un signe de Dieu ! » – les rattrapent à grands pas.

Il est normal qu'un événement d'une telle ampleur concentre l'attention mondiale, mais pourquoi s'empresse-t-on de supposer le pire ou perd-on son temps à échafauder des théories aussi bizarres que fumeuses ? Oh, certes, les probabilités d'une telle catastrophe étaient infinitésimales mais tout de même ! Nous ennuyons-nous à ce point ? Ne sommes-nous, au fond, que des trolls de l'Internet ?

Parmi les rumeurs et théories qui circulent, les plus nocives, et de loin, sont celles qui concernent les trois enfants survivants, Bobby Small, Hiro Yanagida et Jessica Craddock que, par souci de concision, j'appellerai « les Trois ». J'en veux aux médias qui s'emploient à satisfaire, heure par heure, la soif d'informations du public quant à ces pauvres petits. Au Japon, les journalistes font le mur pour prendre des photos d'un infortuné qui, ne l'oublions pas, a perdu sa mère dans l'accident. D'autres se sont rués sur le site de l'accident, gênant les opérations de sauvetage. En Angleterre et aux États-Unis, Jessica Craddock et Bobby Small occupent davantage les unes que la dernière gaffe de la famille royale.

Je suis mieux placée que beaucoup pour savoir combien sont éprouvantes cette attention et ces spéculations incessantes. Quand je me suis séparée de mon deuxième mari et que j'ai choisi d'évoquer dans ces colonnes les détails intimes de notre rupture, je me suis retrouvée au beau milieu d'une tempête médiatique. Pendant deux semaines, j'ai eu du mal à sortir de chez moi sans qu'un paparazzi ne jaillisse et n'essaie de me photographier sans maquillage. Je comprends tout à fait ce que subissent les Trois, et c'est aussi le cas de Zainab Farra, 18 ans, qui fut l'unique rescapée d'une autre terrible catastrophe aérienne, il y a dix ans : l'accident au décollage du vol Royal Air 715, à l'aéroport d'Addis Abeba. Comme les Trois, Zainab était une enfant. Comme eux, elle s'est ensuite retrouvée sur une piste de cirque médiatique, ce qu'elle raconte dans sa récente autobiographie, *Du vent sous mes ailes*. Elle a par ailleurs lancé un appel public pour qu'on laisse les Trois en paix, afin qu'ils puissent s'accommoder de leur survie miraculeuse.

— Ce ne sont pas des phénomènes de foire, a-t-elle dit. Ce sont des enfants. Je vous en prie : ce qu'il leur faut, c'est de l'air et du temps pour guérir, pour assimiler tout ce qu'ils ont vécu.

Amen. Nous devrions remercier la providence qu'ils aient été sauvés, au lieu de perdre notre temps à bâtir autour d'eux des théories du complot alambiquées ou d'étaler leurs noms sur des unes bavardes. Les Trois, je vous salue. J'espère du fond du cœur que vous vous remettrez des événements terribles qui vous ont pris vos parents et que vous trouverez la paix.

Souhaitons que tous les gratte-papier du monde veuillent bien vous le permettre.

Neville Olson, photographe indépendant de type « paparazzi » à Los Angeles, fut trouvé mort dans son appartement le 23 janvier 2012. Les circonstances étonnantes de son décès firent les gros titres des journaux, mais

c'est la toute première fois que s'exprime publiquement son voisin, Stevie Flanagan, qui a découvert le corps.

Il faut être un peu particulier pour faire le boulot de Neville. Une fois, je lui ai demandé s'il ne trouvait pas dégueulasse de se planquer dans les buissons en attendant de pouvoir prendre une photo sous la jupe de la starlette du moment, et il m'a répondu qu'il se pliait aux désirs du public, rien de plus. Il était spécialisé dans les scandales, par exemple ses photos de Corinna Sanchez en train d'acheter de la coke à Compton – comment il a su qu'elle serait dans le quartier, il ne l'a jamais dit. En tout cas pas à moi. Il était très secret quant à ses sources.

Il va sans dire que Neville était un peu bizarre. Un solitaire. Son boulot correspondait à sa personnalité, j'imagine. Je l'ai connu quand il a emménagé dans l'appartement en dessous du mien. L'immeuble qu'on habitait, à l'époque, c'était un complexe de logements à plusieurs niveaux d'El Segundo. Un paquet des locataires bossaient à l'aéroport de L.A., donc il y avait des allées et venues à toute heure. Moi, je travaillais pour One Time, la boîte de location de voitures, alors l'adresse me convenait. Pratique. La plupart des occupants ne restaient pas très longtemps, si bien que Neville et moi avons fini par être les deux plus anciens.

Je ne vais pas dire qu'on était intimes, rien de tel mais, quand on se croisait, on taillait une bavette. Je n'ai jamais vu personne lui rendre visite et je ne l'ai jamais vu avec une femme, pas une seule fois – ni avec un homme. Il faisait un peu asexué. Deux mois après avoir emménagé, il m'a demandé si je voulais passer « dire bonjour à ses colocataires ». J'ai cru qu'il sous-louait une chambre pour payer une partie de son loyer, donc j'ai dit oui. J'étais curieux de voir qui pouvait bien cohabiter avec lui.

La première fois que je suis entré dans son appartement, j'ai failli dégueuler. Sérieux, ça refoulait sec. Je sais pas comment décrire ça. On aurait dit un mélange de viande et de poisson pourris. Il faisait chaud et sombre là-dedans, en plus – rideaux tirés, aucune lumière allumée. C'était carrément bizarre. Et puis j'ai vu quelque chose bouger dans un coin de la pièce, une grande ombre, et ç'avait l'air de venir droit sur moi. D'abord, je n'ai pas réalisé ce que je voyais, et puis j'ai percuté : c'était un putain d'énorme lézard. J'ai poussé un cri et Neville a explosé de rire. Il attendait ma réaction. Il m'a dit de me calmer.

— T'inquiète. Je te présente George, il m'a dit.

Moi, je n'avais qu'une envie, c'était de me tirer de là, mais j'essayais de ne pas avoir l'air pétochard, voyez ? J'ai demandé à Neville ce qu'il branlait avec un truc pareil chez lui, et il a haussé les épaules. Il a dit qu'il avait trois de ces saloperies – des varans d'Afrique ou je ne sais quoi – et que, la plupart du temps, il les laissait se balader en liberté plutôt que de les garder en cage ou dans un vivarium. Selon lui, ces bêtes-là étaient très intelligentes.

— C'est aussi malin qu'un cochon ou un chien.

Quand je lui ai demandé s'ils étaient dangereux, il m'a montré une cicatrice irrégulière sur son poignet.

— J'ai eu un grand lambeau de peau arraché. (On voyait qu'il en était fier.) Mais, en général, ils sont sympas si on les traite bien.

Je lui ai demandé ce que ça mangeait.

— Des bébés rats, il m'a répondu. Vivants. Je les achète en gros.

Vous vous voyez faire ce boulot, vous ? Marchande de bébés rats ? Il est parti sur les gens qui étaient contre le fait de nourrir les varans avec des rongeurs et, pendant tout ce temps, moi, je regardais le lézard. En priant pour qu'il ne s'approche pas trop de moi. Ce n'était pas tout : dans sa chambre, Neville avait une collection de serpents et des araignées. Des vivariums partout. Il m'a répété sur tous les tons que les tarentules faisaient les meilleurs animaux de compagnie possible. Plus tard, on a dit de lui que c'était un collectionneur d'animaux.

Deux jours après le Jeudi Noir, il a frappé à ma porte pour m'annoncer qu'il partait en voyage. Son travail l'occupait en grande partie à L.A., mais, de temps en temps, il était contraint d'aller plus loin. C'était la première fois qu'il me demandait de m'occuper de ses « copains ».

— Je vais les bourrer ras la gueule avant de partir, il m'a dit.

Il pourrait rester absent trois jours sans problème. Il m'a juste demandé de vérifier que les animaux avaient de l'eau si jamais ça se prolongeait, et il m'a juré que les varans seraient enfermés. En général, il ne parlait pas de ses missions, mais, cette fois-là, il m'a dit où il allait car il risquait de se retrouver dans une merde noire.

À l'entendre, il avait fait jouer un retour d'ascenseur pour obtenir une place à bord d'un des hélicoptères privés devant gagner l'hôpital de Bobby Small, à Miami. Il comptait essayer de prendre une photo du gamin – lequel serait bientôt rapatrié à New York : il fallait donc faire vite.

Je lui ai demandé comment diable il comptait ne serait-ce qu'approcher du gosse – d'après les infos, l'hôpital avait pris de sacrées mesures de sécurité –, mais il a eu un petit sourire. Ce genre de truc, c'était sa spécialité, paraît-il.

Il n'est resté absent que trois jours, donc je n'ai pas eu besoin d'aller chez lui, finalement. Je l'ai vu sortir d'un taxi au moment où je rentrais du boulot. Il avait une sale gueule. L'air vraiment secoué, comme malade ou je ne sais quoi. Je lui ai demandé si ça allait, s'il avait réussi à prendre sa photo du gamin. Il ne m'a pas répondu. Comme il me paraissait vraiment mal en point, je l'ai invité à venir boire un verre chez moi. Il est arrivé sur-le-champ, sans même passer à son appartement prendre des nouvelles de ses reptiles. On voyait qu'il avait envie de parler mais que les mots ne sortaient pas. Je lui ai versé un whisky qu'il a avalé d'un trait, puis je lui ai filé une bière parce que j'étais en panne d'alcools forts. Il l'a descendue et il m'en a demandé une autre. Il l'a descendue aussi.

L'alcool aidant, il m'a raconté peu à peu ce qu'il avait fait. Je pensais qu'il allait me dire qu'il s'était déguisé en brancardier ou quelque chose comme ça pour entrer dans l'hôpital, ou bien qu'il s'était glissé en douce dans la morgue, façon série B. Sauf que c'était pire. Futé mais pire. Il était descendu dans un hôtel à deux pas de l'hôpital, sous une identité d'emprunt avec de faux papiers et un accent trafiqué – un homme d'affaires anglais, à Miami pour une conférence. Il m'a assuré avoir utilisé le même truc quand Klint Maestro, le chanteur des Space Cowboys, avait fait son overdose. C'était comme ça qu'il avait eu les photos de Klint, complètement pété, dans sa blouse d'hôpital. Rien de plus simple. Il prenait un peu trop d'insuline et se déclenchait une hypoglycémie. Je ne savais même pas qu'il était diabétique, dépendant de l'insuline, mais pourquoi l'aurais-je su ? Il faisait un malaise dans un bar et s'arrangeait pour dire au barman ou à n'importe qui d'autre qu'il fallait le transporter à l'hôpital le plus proche. Ensuite, il perdait connaissance.

Aux urgences, on le mettait sous perfusion. Ensuite, pour être admis à l'hôpital, il simulait une crise d'épilepsie. Il risquait la mort mais il n'en était pas à son coup d'essai, et il gardait toujours un ou deux sachets de sucre en poudre dans ses chaussettes pour se tirer d'affaire. C'était son *modus operandi*, si on peut dire.

Ce jour-là, il m'a confié avoir eu beaucoup de mal à se déplacer dans l'état où il était – on lui avait donné du valium après sa crise et il restait épuisé de son hypoglycémie.

Je lui ai demandé s'il avait réussi à voir le gamin et il m'a répondu que non, qu'il avait fait chou blanc. Il n'avait même pas pu approcher du service où se trouvait Bobby : la sécurité était trop efficace.

Quand on a trouvé son appareil photo, plus tard, on a su qu'il était bel et bien entré dans la chambre du gosse. Il y avait un cliché de Bobby assis sur son lit, souriant, le regard fixé sur l'objectif, comme pour une photo de famille. Vous avez dû la voir : elle a fuité des services du médecin légiste. Ça m'a un peu mis mal à l'aise.

Le jour de son retour, Neville a refusé une troisième bière, et il m'a dit :

— Ça sert à rien, Stevie. Ça sert à rien tout ça.

— Quoi, tout ça ? j'ai demandé.

Il n'a pas eu l'air de m'entendre. Moi, je n'avais pas la moindre idée de ce qu'il voulait dire. Et puis il est parti.

Un peu plus tard, M. Patinkin, un locataire qui habitait de l'autre côté de l'appartement du photographe, m'a demandé le numéro du concierge, parce qu'il y avait un problème de canalisations. L'odeur, selon lui, venait de chez Neville.

Je crois que j'ai compris à ce moment-là que quelque chose ne tournait pas rond. Je suis descendu et j'ai frappé à la porte. J'entendais vaguement la télé, rien d'autre. J'avais encore la clé, mais je regrette vraiment de n'avoir pas appelé les flics tout de suite. Patinkin est venu avec moi. Ensuite, il a dû consulter un psy ; moi, j'en fais encore des cauchemars. La pièce était obscure mais j'ai vu Neville dès que j'ai franchi la porte d'entrée : assis contre le mur, affaissé, les jambes tendues. Sa silhouette paraissait un peu bizarre. C'est parce qu'il en manquait des morceaux.

On a dit qu'il avait succombé à une overdose d'insuline, mais l'autopsie a montré qu'il n'était peut-être pas tout à fait mort quand ils ont commencé à… voyez ?

Ç'a été une info fracassante. « Un homme dévoré vivant par ses lézards et ses araignées. » On a raconté que les tarentules avaient tissé des toiles autour du cadavre et qu'elles nichaient dans sa cage thoracique. Conneries. Pour ce que j'en ai vu, elles étaient encore toutes dans leurs « arachnoriums », si ça s'appelle comme ça. C'est les varans qui l'ont bouffé.

Marrant qu'il ait fait les gros titres. Comment dire ? Ironique. On a même vu des gars comme lui rôder autour de l'immeuble dans l'espoir de prendre une photo. Sa mort a réussi à chasser des unes les Trois enfants miracles pendant une journée. Ensuite, l'histoire est ressortie quand l'autre espèce de prêcheur s'est mis à proclamer que c'était un des signes avant-coureurs de l'Apocalypse – les animaux se tournant contre les humains.

La seule chose qui me console, c'est de penser que, peut-être, Neville aurait voulu partir comme ça. Il les adorait, ses putain de lézards.

Deuxième partie

Le Complot : Janvier – Février

Ex-fidèle de l'Église du Rédempteur dirigée par le pasteur Len Vorhees, Reba Louise Neilson se présente comme « la meilleure amie de Pamela May Donald ». Elle habite encore le comté de Sannah, au sud du Texas, où elle gère le centre chrétien local de Préparation à l'Apocalypse. Affirmant n'avoir jamais appartenu à la secte paméliste du pasteur Vorhees, elle a accepté de s'entretenir avec moi pour « dire à tout le monde que les braves gens d'ici n'ont jamais voulu aucun mal à ces enfants ». Ayant discuté avec Reba à plusieurs occasions au téléphone, en juin et juillet 2012, j'ai retranscrit nos conversations sous la forme de plusieurs récits.

C'est Stephenie qui m'a annoncé la nouvelle. Elle pleurait au téléphone, elle arrivait à peine à parler.

— C'est Pam, Reba, a-t-elle dit quand j'ai enfin réussi à la calmer. Elle était dans l'avion qui s'est écrasé.

Je lui ai répondu qu'elle rêvait : Pam était au Japon, où elle rendait visite à sa fille, pas en Floride.

— Pas cet avion-là, Reba. L'autre, le japonais. C'est en train de passer aux infos.

Là, j'ai senti mon cœur me tomber dans les talons. J'avais entendu parler de l'accident du Japon, bien sûr, et aussi de l'avion qui s'était écrasé dans une ville au nom imprononçable, en Afrique, sans compter celui qui s'était abîmé dans la mer, en Europe, avec tous les touristes anglais à son bord, mais je n'avais pas imaginé une seconde que Pam pouvait être à bord. C'était absolument atroce. Pendant un moment, on aurait dit que tous les avions du monde se mettaient à tomber du ciel. Les commentateurs de la Fox annonçaient une catastrophe, puis ils avaient un haut-le-corps et enchaînaient : « On vient d'apprendre qu'un autre avion s'est écrasé... » Lorne, mon mari, a dit que c'était une histoire dont la chute se répétait sans cesse.

J'ai demandé à Stephenie si elle avait prévenu le pasteur Len. Elle a dit qu'elle avait essayé de le joindre au ranch, mais Kendra s'était, comme toujours, montrée vague quant à l'heure de retour de son époux, lequel ne répondait pas à son téléphone portable. J'ai raccroché puis couru au salon pour voir les informations de mes propres yeux. Derrière Melinda Stewart (c'est ma présentatrice préférée sur la Fox, le genre de femme avec laquelle on s'imagine bien prendre un café, vous voyez ?), il y avait deux grandes photographies, l'une de Pam et l'autre de ce petit garçon juif qui a survécu à l'accident de Floride. Je ne veux pas penser à ce que Pam aurait dit de sa photo, sans doute celle de son passeport, qui avait l'air d'avoir été prise en prison. C'est triste à dire, mais elle était toute décoiffée. Au bas de l'écran, ne cessaient de défiler les mots : « 526 morts dans la catastrophe de la Sun Air au Japon. La seule Américaine à bord, originaire du Texas, s'appelait Pamela May Donald. »

Je suis restée assise là, Elspeth, à fixer cette photo, à lire ces mots, jusqu'à ce que j'assimile enfin que Pam nous avait vraiment quittés. Ce sympathique expert, Ace quelque chose, qui joue dans la série télé que Lorne aime tant, a pris l'antenne en Floride et déclaré qu'il était trop tôt pour les certitudes, mais que la catastrophe n'était sans doute pas due au terrorisme ni à quoi que ce soit de ce genre. Melinda lui a demandé si, selon lui, elle avait pu être causée par des facteurs météorologiques, voire par un « acte de Dieu ». Ça, Elspeth, j'aime autant vous dire que ça ne m'a pas plu. Suggérer que Notre-Seigneur n'a rien de mieux à faire que de provoquer la chute de nos avions ! C'est plutôt l'Antéchrist qui pourrait mener à bien une entreprise pareille. Pendant un long moment, j'ai été incapable de bouger, puis la télé a montré une photo aérienne d'une maison qui m'a paru familière. D'un coup, j'ai réalisé que c'était celle de Pam – elle paraissait plus petite vue d'en haut. C'est à ce moment-là que je me suis rappelé Jim, son mari.

Je ne l'ai jamais beaucoup fréquenté. À entendre Pam parler de lui, avec une espèce de révérence craintive, on aurait imaginé un géant de deux mètres, mais, en fait, il n'est pas beaucoup plus grand que moi. Ça m'ennuie de dire ça mais je l'ai toujours soupçonné d'avoir la main leste. On ne voyait jamais de bleus sur sa femme, rien de tel, mais c'était vraiment bizarre qu'elle s'écrase devant lui comme ça, tout le temps. Moi, si mon Lorne élevait seulement la voix en me parlant… Bon, l'homme est le chef de famille, bien sûr, mais c'est une question de respect mutuel, vous voyez ? Quoi qu'il en soit, nul ne mérite de vivre ce que vivait cet homme, et je savais qu'il fallait l'aider.

Lorne, dans la remise, faisait l'inventaire des fruits en conserve et réorganisait nos provisions séchées. Il dit toujours qu'on n'est jamais trop prudent, avec les éruptions solaires, la globalisation et les super tempêtes dont tout le monde parle. Nous, pas question qu'on se laisse prendre par surprise. Qui sait quand Jésus nous appellera à lui ? Je l'ai informé de ce qui se passait, de la présence de Pam à bord de l'avion japonais. Comme Jim et lui travaillaient tous les deux à l'usine B&P, j'ai dit que, selon moi, c'était à lui d'aller voir si son collègue n'avait besoin de rien. Il y est allé sans enthousiasme – employés dans des services différents, ils se connaissaient peu –, mais il y est allé tout de même. J'ai pensé que, moi, je ferais mieux de rester à la maison afin de m'assurer que tout le monde soit bien informé.

J'ai d'abord appelé le pasteur Len sur son portable ; j'ai eu le répondeur mais j'ai laissé un message. Il m'a rappelée peu après et j'ai compris au tremblement de sa voix qu'il venait d'apprendre la nouvelle. Pam et moi étions les membres les plus anciens de ce qu'il appelait son « cercle intérieur ». Avant que Len et Kendra ne s'installent dans le comté de Sannah – il y a une quinzaine d'années –, j'appartenais à l'Église des Nouvelles Révélations à Denham. Ça me faisait une demi-heure de voiture le dimanche – et aussi le mercredi pour étudier la Bible – parce qu'il n'était pas question que j'aille prier avec les Épiscopaliens, étant donné leur largesse d'esprit sur la question homosexuelle. Alors vous imaginez combien j'ai été soulagée que le pasteur Len réinvestisse le vieux temple luthérien désaffecté depuis des temps immémoriaux. À l'époque, je n'avais jamais entendu son émission de radio. Ce sont ses affiches qui m'ont intriguée, au début. Il savait attirer l'attention sur l'œuvre du Seigneur ! Chaque semaine, il hissait une banderole avec un message différent : parmi mes préférés, il y a « Vous aimez jouer ? Le diable gagnera votre âme » et « Dieu ne croit pas aux athées, donc les athées n'existent pas ». La seule que je n'ai pas aimée, c'est celle qui montrait une bible munie d'une antenne de téléphone portable avec le texte « App. pour sauver votre âme ». Je la trouvais un peu mièvre. La congrégation du pasteur Len était réduite, au début, et c'est là que j'ai vraiment connu Pam, quoique je l'aie croisée auparavant durant les réunions scolaires parents-professeurs – sa Joanie était plus âgée que mes deux enfants. Nous n'étions pas toujours du même avis, mais nul ne peut dire que ce n'était pas une bonne chrétienne.

Le pasteur m'a annoncé qu'il allait organiser le lendemain soir un cercle de prière pour l'âme de Pam et, puisque Kendra avait une de ses migraines, il m'a demandé d'informer par téléphone notre groupe d'étude de la Bible. À ce moment-là, Lorne est revenu, tout essoufflé, en s'exclamant que la maison de Jim était cernée par des camionnettes de la télévision et des journalistes, et que personne ne répondait quand on frappait à la porte. Bien sûr, j'ai répété tout cela au pasteur Len, lequel a décrété que notre devoir de chrétiens était de venir en aide à Jim en cette période de détresse, même s'il ne faisait pas partie de notre Église. Pam répugnait toujours à aborder ce sujet. Mon Lorne, lui, m'accompagnait tous les dimanches, bien qu'il ne participe pas au groupe d'étude de la Bible ni au cercle de prières thérapeutiques. Ce devait être terrible, pour Pam, de savoir que son mari resterait sur Terre affronter la colère de l'Antéchrist puis brûlerait en Enfer pour l'éternité.

Je me suis alors demandé si leur fille, Joanie, allait revenir. Elle n'était pas rentrée à la maison depuis deux ans, depuis une dispute avec Jim quand elle était encore étudiante, à cause d'un de ses petits amis dont il ne voulait pas entendre parler. Un Mexicain ou un demi-Mexicain, je crois. La famille s'était retrouvée divisée et je sais que Pam en avait été blessée. Elle semblait toujours mélancolique quand je parlais de mes petits-enfants. Mes deux filles se sont mariées juste après le lycée et se sont installées à quelques minutes de chez moi. C'est pour ça que Pam est allée au Japon : Joanie lui manquait terriblement.

Il se faisait tard, ce jour-là, si bien que le pasteur Len a décidé que nous irions voir Jim le lendemain en début de matinée. Il est passé me chercher à 8 heures, très élégant ! Je n'oublierai jamais ça, Elspeth : un costume et une cravate en soie rouge. Il était très soigné avant de se laisser posséder par le démon. Je sais que ça va paraître méchant, mais j'aimerais pouvoir en dire autant de Kendra. Le pasteur et elle – maigre comme un clou, fade, mal fagotée – n'étaient pas assortis du tout. J'ai été surprise qu'elle nous accompagne, ce matin-là. D'ordinaire, elle trouvait une excuse. Je ne dirai pas qu'elle était hautaine… c'est juste qu'elle gardait ses distances, un vague sourire aux lèvres, elle avait des problèmes de nerfs. C'est vrai qu'elle a fini dans un de ces trucs, de ces… asiles ? On ne les appelle plus comme ça, hein ? Des institutions, voilà le mot que je cherchais ! Quelle chance, tout de même, qu'ils n'aient jamais eu d'enfants ! À tout le moins, aucun petit n'a dû contempler la douleur d'une mère vaincue par la faiblesse de son esprit. À mon avis, c'est l'histoire concernant Len et sa bonne amie qui l'a fait dérailler – mais qu'une chose soit bien claire, Elspeth : quoi que je puisse penser de ce qu'il a fait par la suite, je n'accorde aucun crédit à cette rumeur-là.

Après une prière rapide, nous avons filé chez Pam et Jim. Le long de la rue des Sept Âmes, où s'élève leur maison, étaient stationnées les camionnettes et les voitures de la presse. Des reporters et des cameramen discutaient en fumant autour du portail.

— Ô Seigneur ! me suis-je exclamée. Comment allons-nous entrer ?

Le pasteur Len a déclaré que nous étions envoyés

par Jésus et que nul ne nous empêcherait de faire notre devoir de chrétiens. Quand nous nous sommes garés près du portail, un nuage de journalistes s'est rué vers nous en posant des questions comme : « Êtes-vous des amis de Pam ? » ou « Qu'est-ce que ça vous fait, ce qui s'est passé ? ». Ils nous prenaient en photo, nous filmaient, et j'ai alors compris ce qu'endurent à longueur de journée ces pauvres célébrités.

— Qu'est-ce que ça peut bien nous faire, à votre avis ? ai-je demandé à une jeune femme trop maquillée, la plus agressive de la bande.

Ces gens-là avaient besoin d'être remis à leur place, mais le pasteur Len m'a lancé un coup d'œil comme pour dire « laissez-moi parler ». Il leur a annoncé qu'en cette période de détresse, nous étions en mission pour aider le mari de Pam ; dès qu'on saurait comment allait Jim, on ressortirait les en informer. Cette déclaration a paru les apaiser et ils ont regagné leurs véhicules.

Les rideaux étaient tirés. Nous avons tambouriné à la porte, mais nul n'a répondu. Après avoir contourné la maison, le pasteur nous a appris que c'était la même chanson côté jardin. Je me suis alors rappelé que Pam gardait une clé de secours sous la plante en pot, près de la porte de derrière, au cas où elle s'enfermerait dehors, et c'est ainsi que nous sommes entrés.

Oh, l'odeur ! Une vraie gifle. Ça sentait tellement mauvais que Kendra est devenue toute blanche. Soudain, Snookie a jappé et s'est précipitée vers nous dans le couloir. Pam aurait fait une attaque si elle avait vu sa cuisine dans cet état-là. Elle n'était partie que depuis deux jours, mais on aurait dit qu'une bombe y était tombée. Des bris de verre sur le plan de travail et un mégot de cigarette écrasé dans une des plus jolies tasses en porcelaine de sa mère. Et Jim n'avait pas dû promener Snookie une seule fois :

des mines antipersonnel de chien, comme dirait mon Lorne, traînaient partout sur le lino. Il faut que je sois franche, Elspeth, parce que je crois qu'on doit toujours dire la vérité : aucun de nous n'aimait beaucoup cette chienne. Pam avait beau la baigner cent fois par jour, elle répandait une odeur écœurante. Et elle avait toujours un voile sur les yeux. Mais sa maîtresse l'adorait, et la voir nous renifler les chaussures, nous scruter en espérant retrouver Pam… ça m'a presque brisé le cœur.

— Jim ! a appelé le pasteur Len. Vous êtes là ?

La télévision était allumée dans le salon. Après la cuisine, c'est donc la première pièce que nous avons visitée.

J'ai failli hurler en découvrant le maître des lieux vautré dans son fauteuil La-Z-boy, un fusil de chasse sur les genoux. Il faisait noir avec les rideaux fermés et, un instant, j'ai cru que Jim était… Puis j'ai vu qu'il avait la bouche ouverte et il a lâché un ronflement. Des bouteilles de whisky et des canettes de bière jonchaient le sol ; la puanteur de l'alcool imprégnait la pièce. Quoique le comté de Sannah soit tempérant, on peut y acheter des boissons alcoolisées si on sait où chercher. Et Jim le savait. Ça ne me fait pas plaisir de dire ça, Elspeth, mais je me demande comment il aurait réagi s'il n'avait pas perdu connaissance. Nous aurait-il tiré dessus ? Le pasteur a ouvert les rideaux, entrebâillé une fenêtre, et, à la lumière du jour, j'ai constaté que le pantalon de Jim était mouillé à l'entrejambe.

Comme je l'avais prévu, Len a pris la direction des opérations. Après lui avoir délicatement retiré le fusil, il a secoué Jim par l'épaule. L'ivrogne a sursauté et nous a fixés, les yeux plus rouges qu'un baquet de sang de cochon.

— Jim, a dit le pasteur, nous venons d'apprendre

ce qui est arrivé à Pam. Nous sommes ici pour vous aider. S'il y a quoi que ce soit que nous puissions faire, vous n'avez qu'à demander.

Jim a reniflé.

— Ouais, vous pouvez aller vous faire…

Quand le dernier mot est tombé, j'ai bien failli mourir. Kendra a lâché une espèce de rire – le choc, sûrement.

Len ne s'est pas du tout laissé démonter.

— Je sais que vous êtes bouleversé, Jim. Mais nous sommes ici pour vous aider à traverser cette épreuve.

À ce moment-là, Jim a éclaté en sanglots. Tout son corps tremblait, se soulevait, retombait. Quoi qu'on dise du pasteur Len aujourd'hui, Elspeth, j'aurais voulu que vous le voyiez s'occuper de ce malheureux. Avec une vraie douceur, il l'a conduit dans la salle de bains pour qu'il se nettoie.

Kendra et moi sommes restées plantées là un moment, puis je lui ai donné un coup de coude et on s'est mises au travail. On a nettoyé la cuisine, ramassé le caca de la chienne et bien récuré le fauteuil. Durant tout ce temps, Snookie n'a pas arrêté de nous suivre en roulant de grands yeux.

Le pasteur a ramené Jim au salon : le pauvre homme sentait bien meilleur mais n'avait pas séché ses larmes ; il ne semblait pouvoir s'arrêter de sangloter.

— Si vous le permettez, nous aimerions prier pour Pam avec vous.

Je m'attendais à de nouvelles insultes et, je le jure, j'ai vu que Len s'y attendait aussi. Mais nous avions devant nous un homme brisé, Elspeth. Déchiré. Plus tard, le pasteur a dit que Jésus nous montrait ainsi qu'il nous fallait le laisser entrer en nous. Pour cela, il est toutefois nécessaire d'être prêt. J'ai vu mille fois le phénomène. Quand on priait pour Lonnie, le cousin de Stephenie qui avait la maladie des neurones moteurs, par exemple. Ça n'a pas marché parce qu'il n'avait pas laissé entrer le Seigneur dans son cœur. Même Jésus ne peut rien faire d'un récipient vide.

Nous nous sommes donc agenouillés là, près du canapé, parmi les boîtes de bière vide, et nous avons prié.

— Laissez entrer le Seigneur dans votre cœur, Jim, a dit Len. Il est là pour vous. Il veut être votre sauveur. Vous le sentez ?

C'était superbe à voir. Il y avait cet homme, écrasé de chagrin au point de se répandre en pleurs, et il y avait Jésus, prêt à l'accueillir, à recoller les morceaux !

Nous sommes restés une bonne heure. Le pasteur ne cessait de répéter :

— Vous faites à présent partie de notre troupeau, Jim, nous sommes là pour vous, tout comme Jésus est là pour vous.

Moi, je sentais les larmes couler sur mes joues.

Ensuite, Len a aidé Jim à se rasseoir dans son La-Z-boy et j'ai vu à son expression que le moment était venu d'en arriver aux détails pratiques.

— Maintenant, a-t-il dit, il faut songer aux obsèques.

Jim a marmonné que Joanie s'en occupait.

— Vous n'allez pas partir là-bas et ramener Pam ?

Jim a secoué la tête ; une expression fuyante a envahi son regard.

— Elle m'a quitté. Je lui ai dit de ne pas partir mais elle n'a pas voulu m'écouter.

On a frappé à la porte et nous avons tous sursauté. Ces fichus journalistes étaient venus jusqu'à la maison.

On les entendait crier :

— Jim ! Jim ! Que pensez-vous du message ?

— De quel message parlent-ils, Reba ? m'a demandé le pasteur en se tournant vers moi.

Bien entendu, je n'en avais pas la moindre idée. Il a redressé sa cravate.

— Je me charge de ces vautours, a-t-il assuré, et Jim a levé les yeux vers lui, son air fuyant avait laissé place à de la gratitude. Reba et Kendra vont vous préparer à manger.

J'étais soulagée d'avoir quelque chose à faire. Cette pauvre Pam avait préparé un tas de repas pour Jim, tous bien rangés au congélateur, donc je n'ai eu qu'à en sortir un et à le réchauffer au micro-ondes. Kendra ne m'a pas beaucoup aidée : elle a pris la chienne dans ses bras et s'est mise à lui murmurer à l'oreille. C'est donc moi qui ai dû nettoyer le reste des saletés au salon et convaincre Jim de manger la tourte que je venais de lui poser sur un plateau.

Quand le pasteur Len est rentré, il arborait une expression abasourdie. Avant que je ne puisse lui demander ce qui le préoccupait, il a empoigné la télécommande et allumé la télé sur la chaîne FOX. Melinda Stewart était en train d'annoncer qu'un groupe de journalistes japonais partis dans la forêt pour rejoindre l'avion accidenté, celui de Pam, avaient récupéré des téléphones appartenant aux passagers. Certains – Dieu ait leur âme – avaient enregistré des messages quand ils avaient compris qu'ils allaient mourir, et la presse les avait publiés. On avait diffusé ça avant même que certaines familles n'aient la confirmation que leurs proches étaient morts, vous imaginez ? L'un de ces messages était de Pam – moi, je ne savais même pas qu'elle avait un portable – et il défilait au bas de l'écran. Le pasteur s'est écrié :

— Elle cherchait à me dire quelque chose, Reba. Regardez ! Mon nom, juste là !

Je crois que nous avions un peu oublié Jim, parce que nous avons sursauté en l'entendant hurler :

— Pam !

Il a crié le nom de son épouse encore, et encore.

Kendra n'a pas aidé à le calmer. Restée sur le seuil, Snookie entre les bras, elle roucoulait toujours à l'oreille de la chienne comme à celle d'un bébé.

On trouvera ci-après les messages (*isho*) enregistrés par les passagers du vol Sun Air 678 dans leurs derniers instants.
(Traduction d'Eric Kushan, qui signale que certaines nuances linguistiques ont pu se perdre.)

Hirono. Ça va très mal ici. L'équipage est calme. Personne ne panique. Je sais que je vais mourir et je veux te dire que… Oh, il y a des trucs qui tombent, des trucs qui tombent partout et je dois…

N'ouvre pas le placard de mon bureau. S'il te plaît, Hirono, je t'en supplie. Il y a d'autres choses que tu peux faire. Je puis seulement espérer que…

Koushan Oda. Citoyen japonais. 37 ans

Il y a de la fumée qui ne ressemble pas à de la fumée. La vieille dame à côté de moi pleure en silence, elle prie, et je voudrais être assis près de toi. Il y a des enfants sur ce vol. Hum… euh… Occupe-toi de mes parents. Il devrait y avoir assez d'argent. Appelle Motobuchi-san, il saura quoi faire pour l'assurance. Le commandant de bord se démène, je dois avoir confiance en lui, je sens à sa voix que c'est un type bien. Adieu, adieu, adieu, adieu, adieu…

Sho Mimura. Citoyen japonais. 49 ans.

Il faut que je réfléchisse, que je réfléchisse, que je réfléchisse. Comment c'est arrivé… Bon, une lumière vive s'est allumée dans la cabine. Il y a eu un grand boum. Non : plusieurs. La lumière était-elle là avant ? Je ne sais pas. La femme près du hublot, la grosse *gaijin* [étrangère] hurle si fort que j'en ai mal aux oreilles, et il faut que je rassemble mes affaires au cas où… J'enregistre ceci pour que tu saches ce qui va arriver. Je ne cède pas à la panique, même si je sens que c'est anormal. Durant très longtemps, j'ai voulu mourir et, à présent que c'est sur le point de m'arriver, je me rends compte que j'avais tort de le souhaiter, que mon temps n'était pas encore venu. J'ai peur et je ne sais pas qui écoutera cela. Si vous pouvez faire passer ce message à mon père, dites-lui que…

Keita Eto. Citoyen japonais. 42 ans.

Shinji ? Réponds, je t'en prie ! *Shinji* !

Il y a eu une lumière, brillante et puis… et puis.

L'avion tombe, il va s'écraser, il tombe et le commandant dit qu'on doit rester calmes. Je ne sais pas pourquoi ça arrive !

Tout ce que je demande… occupe-toi bien des enfants, Shinji. Dis-leur que je les aimais et…

Noriko Kanai. Citoyenne japonaise. 28 ans.

Je sais que le Seigneur Jésus-Christ va me prendre dans ses bras et que tel est son dessein pour moi. Mais comme j'aurais aimé te revoir encore une fois. Je t'aime, Su-jin, et je ne te l'ai jamais dit. J'espère que tu entendras ceci ; j'espère vraiment que ça finira par te parvenir. J'aurais voulu qu'on soit ensemble un jour, mais tu es si loin à présent. Ça arrive…

Seojin Lee. Citoyen de Corée du Sud. 37 ans.

Ils sont là. Je suis… Ne laisse pas Snookie manger du chocolat, c'est un poison pour les chiens, elle va t'implorer, le garçon. Le garçon regardez le garçon regardez les morts ô Seigneur ils sont tellement nombreux… Ils viennent pour moi à présent. Nous allons tous partir bientôt. Tous. Adieu Joanie j'adore ce sac adieu Joanie, pasteur Len avertissez-les que le garçon ne doit pas…

Pamela May Donald. Citoyenne américaine. 51 ans.

Lola Cando (il s'agit d'un pseudonyme) se présente comme administratrice de site web et ex-travailleuse du sexe. Son récit est assemblé à partir de nos nombreuses conversations par Skype.

Lenny est venu me voir une ou deux fois par mois pendant environ trois ans. Il venait du comté de Sannah, ça lui faisait au moins une heure de voiture, mais ça ne le dérangeait pas. Il disait qu'il aimait conduire, que ça lui donnait le temps de réfléchir. Il était tout ce qu'il y a de plus normal. Ensuite, on a essayé de me faire dire que c'était un pervers, mais c'est faux. Et il ne se droguait pas non plus, rien de particulier. La position du missionnaire, un doigt de bourbon et un peu de causette, il ne demandait rien d'autre.

Je suis entrée dans la profession par ma copine Denisha. C'est une spécialiste : elle fournit un service à des clients qui ont du mal à trouver des femmes. Le fait qu'on soit obligé de garder la chambre, ou bien son fauteuil roulant, ne signifie pas qu'on n'a plus de désirs sexuels, hein ? Moi, c'est différent, je ne fais pas trop dans le travail spécialisé. La plupart de mes réguliers sont des gars classiques, seuls ou bien avec des femmes qui ont renoncé au sexe. Je m'informe à fond sur eux, et, si ça ne fait pas clic ou bien s'ils veulent des trucs bizarres, je réponds que mon carnet de rendez-vous est plein, désolée. Je ne me drogue pas. Je n'ai pas commencé à faire ça pour financer une dépendance. Les filles comme Denisha et moi, celles qui vivent de ça sans voir le côté sordide, on n'entend pas tellement parler de nous dans les médias. Pourtant, comme dit toujours Denisha, ça vaut mieux que de refaire les rayons au supermarché.

J'avais un appartement pour mes... comment dire ? mes réunions d'affaires, mais Lenny n'aimait pas y aller. Il était très prudent pour ce genre de trucs, quasi parano. Il préférait qu'on se retrouve dans un des motels qui font des tarifs à l'heure intéressants sans poser de questions, et il insistait pour que j'y sois toujours avant lui. Eh bien, ce jour-là, il est arrivé en retard. D'une bonne demi-heure, ce qui ne lui ressemblait pas. En attendant, j'ai préparé nos verres, j'ai pris de la glace à la machine et j'ai regardé une rediffusion de *Party-Time,* l'épisode où Mikey sort enfin avec Shawna-Lee. Juste au moment où je commençais à désespérer, il a déboulé dans la chambre, hors d'haleine et en nage.

— Hé, salut, étranger, ai-je lancé – c'était toujours ainsi que je l'accueillais.

— Laisse tomber, Lo, m'a-t-il dit. J'ai besoin d'un verre, nom de Dieu.

Ça m'a secouée : je n'avais encore jamais entendu Lenny prononcer en vain le nom du Seigneur. Il disait qu'il ne buvait qu'avec moi, et je le croyais. Je lui ai demandé s'il voulait... eh bien, faire comme d'habitude, mais ça ne l'intéressait pas.

— Juste le verre.

On le sentait vraiment très agité, au point d'avoir

les mains qui tremblaient. Je lui ai servi un double whisky et lui ai proposé de lui masser les épaules.

— Non, non, m'a-t-il répondu. Il faut que je reste tranquille un moment. Que je réfléchisse.

Mais il n'est pas resté tranquille : il a marché de long en large comme s'il était décidé à user la moquette. Je ne me suis pas risquée à lui demander ce qui le préoccupait. Je savais qu'il me le dirait quand il serait prêt. Il m'a tendu son verre et je lui ai resservi deux doigts d'alcool.

— Pam essayait de me dire quelque chose, Lo.

Évidemment, à ce moment-là, je ne savais absolument pas de quoi il parlait.

— Len, il faut que tu commences au début.

Il s'est mis à parler de Pamela May Donald, l'Américaine qui avait été tuée dans l'accident d'avion japonais, et il m'a appris qu'elle faisait partie de sa congrégation.

— Je suis vraiment désolé que tu aies du chagrin, Len, ai-je dit. Mais je suis sûre que Pam ne voudrait pas que tu te mettes dans un état pareil.

J'aurais aussi bien pu me taire. Il a fouillé dans son sac – il se trimballait toujours avec un cartable, comme un écolier –, il en a sorti une bible et il l'a abattue sur la table.

— Tu veux que je te donne la fessée avec ça, ou quoi ? ai-je demandé, essayant encore de garder un peu de légèreté.

Grosse erreur. Il est devenu tout rouge et il s'est mis à gonfler comme un de ces poissons, là. Il a ce qu'on appelle un visage expressif. C'est pour ça que les gens lui font confiance, je suppose : on dirait qu'il est incapable de mentir. Je me suis excusée très vite ; son expression me faisait peur.

Il m'a expliqué que Pam avait laissé un message,

un des… Comment on dit ? Les messages qu'elle et certains des Japs ont laissés sur leurs téléphones pendant que l'avion tombait.

— Ça a un sens, Lo, a-t-il dit. Et je crois que je sais lequel.

— Lequel, Lenny ?

— Pam les a vus, Lola.

— Pam a vu qui, Lenny ?

— Tous ceux qui n'ont pas pris le Seigneur dans leur cœur. Ceux qui seront laissés pour compte après le Ravissement.

J'ai été élevée dans la religion, sachez-le, dans une bonne famille baptiste. La Bible, je la connais. Les hommes peuvent me condamner pour ce que je fais, mais je sais dans mon cœur que Jésus ne me jugerait pas. Comme dit toujours ma copine Denisha (elle est épiscopalienne), certaines des meilleures amies de Jésus étaient des travailleuses du sexe. Quoi qu'il en soit, même avant le Jeudi Noir, Len faisait partie de ces gens qui croient que la Fin du Monde est proche. Vous savez, ceux qui voient des signes de l'Apocalypse dans tout : le 11 Septembre, les tremblements de terre, l'Holocauste, la globalisation, le terrorisme, tout ça. Il croyait vraiment que, d'un moment à l'autre, Jésus allait embarquer toutes les âmes sauvées au ciel et laisser le reste du monde souffrir sous le joug de l'Antéchrist. D'autres croyaient même qu'il était déjà sur Terre, l'Antéchrist. Que c'était le président de l'ONU, ou de la Chine, ou bien un des musulmans, là, un Arabe, ou un autre du même genre. Plus tard, bien sûr, ils se sont mis à voir des signes dans tout ce qui passait aux infos. Cette épidémie de fièvre aphteuse en Angleterre, et même le virus de Norwalk qui s'est déclenché sur les paquebots.

Moi, je ne sais pas trop quoi penser de cette histoire

de Ravissement. Un jour, comme ça, hop ! tous ceux qui sont sauvés disparaîtront dans le ciel en laissant derrière eux leurs fringues et leurs biens matériels. Ça m'a l'air un peu compliqué. Pourquoi est-ce que Dieu s'embêterait comme ça ? Lenny m'a donné à lire la série *Gone* – vous voyez de quoi je parle ? Ces bouquins où les chrétiens régénérés sont emportés tous à la fois et où le Premier ministre anglais s'avère être l'Antéchrist ? Je lui ai dit que je les avais lus mais ce n'était pas vrai.

Je me suis servi un verre de raide. J'en avais pour au moins une heure. Parfois, Lenny me passait son émission de radio. Je faisais semblant de m'intéresser mais je n'écoutais rien du tout. Mon truc, moi, c'est plutôt la télé, voyez ? Quand j'ai connu Lenny, j'ai cru que c'était un de ces évangélistes qui ne pensent qu'à gagner de l'argent, ceux qu'on voit à la télé pousser les gens à leur faire des dons, expliquer pourquoi il est nécessaire de payer sa dîme même quand on vit des aides sociales. Je me suis dit que c'était sûrement un escroc, et, des comme ça, j'en ai vu ma part, je peux vous le dire ! Mais, au bout d'un moment, j'ai fini par comprendre qu'il croyait vraiment à ses... je ne veux pas dire conneries. C'est vrai, j'ai ma carte de l'église baptiste, mais je n'ai jamais été très forte côté apocalyptique. Cela dit, Lenny avait quand même très envie de jouer dans la cour des grands, avec des types influents comme le docteur Lund – le grand pote du président Blake. Il désespérait de se faire une place dans le circuit de parole évangélique. Son émission de radio aurait dû le lui permettre mais ça faisait des années qu'il l'animait et il n'était pas allé très loin. Et ce n'était pas seulement pour l'argent. Du respect, c'est ça que voulait Lenny. Il en avait marre d'être un parasite, d'être entretenu par sa femme.

— Écoute ça, Lola, m'a-t-il dit, avant de me lire le message.

Je n'y ai pas trouvé grand-chose de sensé. Il m'a semblé que Pam s'inquiétait surtout de son chien.

Len a dit que c'était un miracle si les trois enfants avaient survécu, presque indemnes.

— Ce n'est pas normal. Ils auraient dû mourir, Lola.

J'ai admis que c'était étrange. Mais tout le monde trouvait ça étrange. C'était un de ces trucs dingues qu'on n'arrive jamais tout à fait à se rentrer dans la tête. Comme le 11 Septembre. À moins de s'être trouvé là et de l'avoir carrément vécu. Mais je crois qu'on s'habitue à tout, au bout du compte, vous savez. Tenez : les coupures de courant qu'on a dans mon quartier, depuis un moment. Eh bien, après avoir râlé et pesté comme des veaux, c'est dingue comme on s'y est vite habitués.

— Le garçon. Le garçon…

Il n'arrêtait pas de marmonner ça. Il a lu quelques versets de Zacharie, et puis il est passé à l'Apocalypse. Il adorait l'Apocalypse de saint Jean. Moi, ça me filait la trouille quand j'étais gamine. Et je dois bien avouer que c'est moi qui lui ai mis l'idée suivante dans la tête. Écoutez, j'admets que, parfois, je joue les idiotes. Lenny aimait bien ça. Merde ! Tous, ils aiment bien ça.

— Tu sais ce que j'ai jamais pigé, Lenny ? ai-je demandé. Les Quatre Cavaliers. Pourquoi des cavaliers, d'abord ? Et toutes ces couleurs différentes.

Là, il s'est figé comme si j'avais blasphémé.

— Qu'est-ce que tu dis, Lo ?

J'ai cru que je l'avais encore mis en colère. Je l'ai observé de près pour voir s'il se préparait à m'engueuler, mais il restait immobile comme une statue, sauf ses yeux qui allaient de gauche à droite, de droite à gauche.

— Lenny ? ai-je appelé. Lenny chéri, ça va ?

Alors il a tapé dans ses mains et éclaté de rire. C'était la toute première fois que je l'entendais rire. Il m'a pris le visage dans ses mains et il m'a embrassée sur la bouche.

— Lola, je crois que tu as trouvé !

— Trouvé quoi, Lenny ?

Mais tout ce qu'il a répondu, c'est :

— Déshabille-toi.

Ensuite, on l'a fait, et puis il est parti.

On trouvera ci-dessous une transcription de l'émission de radio du pasteur Len Vorhees, « Ma bouche, la voix de Dieu », diffusée le 20 janvier 2012.

Mes bons auditeurs, je n'ai pas besoin de vous rappeler que, plus que jamais, nous vivons dans une époque sans Dieu. Une époque où la Bible se voit écartée de nos écoles au profit de mensonges évolutionnistes non scientifiques, où bien des gens chassent Dieu de leur cœur, où les sodomites, les tueurs de bébés, les païens et les islamofascistes ont plus de droits dans notre pays que les bonnes chrétiennes et les bons chrétiens. Où Sodome et Gomorrhe jettent un voile sur tous les aspects de notre vie quotidienne, et où nos leaders mondiaux emploient toutes leurs forces à bâtir la globalisation que souhaite l'Antéchrist.

Mes bons auditeurs, j'ai d'excellentes nouvelles. La preuve que Jésus nous écoute, qu'il entend nos prières et que le jour où il nous emmènera pour nous asseoir à ses côtés est tout proche.

Écoutez ! Je vais vous raconter une histoire.

Il était une fois une femme de bien. Elle s'appelait Pamela May Donald, et c'était vraiment une femme de bien, qui craignait Dieu et qui, de toutes les fibres de son être, avait accueilli Jésus dans son cœur.

Un jour, cette femme a décidé de faire un voyage, de rendre visite à sa fille dans une région reculée – l'Asie, pour être précis. Elle ne savait pas, en préparant sa valise, en disant au revoir à son époux et à son église, qu'elle participerait bientôt au grand dessein de Dieu.

Cette femme a pris l'avion à… elle a pris l'avion au Japon, et cet avion s'est écrasé, chassé du ciel par des forces sur lesquelles nous ne pouvons que spéculer.

Et, alors qu'elle gisait, mourante, sur ce sol étranger rude et froid, alors que son sang et sa vie quittaient ses veines, Dieu lui a parlé, mes amis, il lui a confié un message. Tout comme il avait parlé au prophète Jean sur l'île de Patmos, quand il avait suscité pour lui la vision des sept sceaux de l'Apocalypse. Et Pam a enregistré ce message, mes bons auditeurs, afin que nous ayons la chance de comprendre la volonté du Seigneur.

À Jean, il a été dit que les quatre premiers sceaux viendraient sous la forme de Quatre Cavaliers. Nous savons que les Quatre Cavaliers sont envoyés pour accomplir un dessein divin. Et nous savons par Ézéchiel que ce dessein est de punir les incrédules, les athées. Les Cavaliers apportent sur la Terre la pestilence, la famine, la guerre et la mort ; ils sont les hérauts de l'Apocalypse.

Bien des gens croient que les sceaux ont déjà été ouverts, frères et sœurs, et il est difficile de leur en vouloir, compte tenu de tout ce qui se passe en ce moment même à travers le monde. Mais Pam a pu observer que Dieu, dans sa sagesse, venait seulement de les ouvrir.

Ce que Pamela May Donald me dit dans son message (car, mes bons auditeurs, elle me l'a adressé, à moi personnellement), c'est que les Quatre Cavaliers sont à présent parmi nous. Ici, sur la Terre. Alors qu'elle gisait là, mourante, elle a dit : « Le garçon, le garçon, pasteur Len, avertissez-les. »

Vous avez vu les informations. Vous avez vu les trois enfants rescapés – il y en a peut-être quatre, nous ne sommes pas sûrs qu'il n'y ait pas d'autre survivant, car le chaos règne en Afrique, nous le savons tous. Nous savons aussi, sans le moindre doute, que ces trois enfants n'auraient pas pu sortir indemnes d'un accident aussi cataclysmique. Ce sont les seuls survivants. Je le répète, mes bons auditeurs, car c'est important : les *seuls* survivants. Les experts en catastrophes aériennes ne l'expliquent pas, les médecins non plus, nul ne sait pourquoi ces enfants ont été sauvés.

Loyaux auditeurs, je crois que ces enfants sont possédés par les esprits des Quatre Cavaliers.

« Pasteur Len, m'a dit Pamela May Donald. Le garçon. Le garçon. » De quel garçon pouvait-elle parler sinon du petit Japonais qui a survécu ?

C'est lumineux. Comment son message pourrait-il être plus clair ? Le Seigneur est bon, frères et sœurs, il ne cherche pas à dissimuler. Et, dans sa grâce, il nous a donné une autre preuve que je dis la vérité. Dans l'*Apocalypse*, chapitre 6, versets 1 et 2.

Je regardai, quand l'agneau ouvrit un des sept sceaux, et j'entendis un des quatre êtres vivants qui disait comme d'une voix de tonnerre : Viens. Je regardai et, voici, parut un cheval blanc 50[1] *!*

Un cheval blanc, mes bons auditeurs. Posez-vous la question suivante : de quelle couleur était le logo de l'avion Maiden Airlines qui s'est écrasé en Floride ? C'était une colombe blanche. Blanche.

1. Les citations de la Bible sont extraites de la traduction de Louis Segond.

Quand il ouvrit le second sceau, j'entendis le second être vivant qui disait : Viens. Et il sortit un autre cheval, roux.

De quelle couleur était le logo du vol Sun Air ? Rouge. Vous l'avez tous vu, mesdames et messieurs. Vous avez tous vu ce gros soleil rouge. La couleur du communisme. La couleur de la guerre, mes bons auditeurs, la couleur du sang.

Quand il ouvrit le troisième sceau, j'entendis le troisième être vivant qui disait : Viens. Je regardai et, voici, parut un cheval noir.

Il est vrai que l'avion anglais, celui qui s'est écrasé dans la mer, avait un logo orange vif, mais je vous pose la question : de quelle couleur étaient les lettres peintes sur le fuselage ? Noires, mes bons auditeurs, elles étaient noires.

Quand il ouvrit le quatrième sceau, j'entendis la voix du quatrième être vivant qui disait : Viens. Je regardai et, voici, parut un cheval d'une couleur pâle. Celui qui le montait se nommait la Mort. Mais nous savons bien que la couleur du cheval de la Mort s'écrit *khlōros* dans le texte original, ce qui se traduit par vert. Le logo de l'avion africain qui s'est écrasé. De quel couleur était-il ? C'est cela. *Vert.*

Je sais qu'il y aura des contradicteurs pour dire : Mais, Len, il ne peut s'agir que de coïncidences. Mais Dieu ne travaille pas avec des coïncidences. Cela, nous en sommes certains.

D'autres signes viendront. Bien d'autres signes, mesdames et messieurs. Il y aura la guerre, il y aura la pestilence, il y aura le conflit et il y aura la famine.

Le Jugement a été déchaîné sur la Terre. Et, quand le Roi des Rois ouvrira le sixième sceau, ceux qui ont été choisis seront sauvés et prendront la place qui leur est due aux côtés de Jésus dans le Royaume des Cieux.

Le moment est arrivé. Les signes sont clairs. Ils ne pourraient l'être plus si Dieu les avait entourés d'un gros ruban rouge ou s'il nous les avait hurlés du ciel.

Et je vous le demande, mes chers, mes bons auditeurs : êtes-vous prêts ?

Par manque de place, je ne puis inclure dans ce livre des extraits de tous les sites conspirationnistes nés après le Jeudi Noir mais l'ufologue autoproclamé Simeon Lancaster était l'un des « théoriciens alternatifs » les plus fervents. Parmi les livres autopubliés dont il est l'auteur, citons *Les Extraterrestres sont parmi nous* et *Des lézards à la Chambre des Lords*. Lancaster, qui a refusé de me parler, nie avoir influencé en aucune façon les actes de Paul Craddock.
Ce qui suit est un court extrait d'un article publié sur son blog, aliensamongstus.co.uk, le 22 janvier 2012.

Le Jeudi Noir : Intervention extraterrestre, toutes les preuves

Quatre catastrophes aériennes. Quatre continents. Des événements qui captivent les médias internationaux comme aucun autre les a jamais captivés DANS TOUTE L'HISTOIRE DU MONDE. Il ne peut y avoir qu'une explication : les Autres, ces étrangers infiltrés parmi nous, ont décidé d'USER DE LEUR POUVOIR ET DE L'AFFICHER.

Il ne faudra pas longtemps aux 12 Majestés pour répandre un écran de fumée à tous les niveaux, c'est moi qui vous le dis. On niera que les accidents aient eu la moindre cause « surnaturelle », attendez et vous verrez. Déjà, on prétend que les pilotes sont responsables de la catastrophe africaine. Déjà, on prétend que la catastrophe japonaise est due à une panne des systèmes hydrauliques. Nous savons que ce n'est pas le cas. ILS VONT MENTIR. Ils vont mentir parce qu'ils sont DE MÈCHE avec nos seigneurs extraterrestres. Il est curieux que les Trois enfants (si ce sont bien des enfants) n'aient pas déjà été emmenés dans des labos (voir plan des emplacements possibles) pour leur protection.

Considérons les pièces à conviction.

Quatre avions

QUATRE ??? Nous savons que les probabilités qu'un individu lambda connaisse un accident d'avion sont d'une sur vingt-sept millions. Quelles sont donc celles que QUATRE avions s'écrasent le même jour et laissent seulement TROIS survivants ? Elles donnent une bonne idée de l'infiniment petit. Non. Il s'agit d'un événement délibéré. Des terroristes ? Alors pourquoi personne n'a-t-il revendiqué l'attentat ? PARCE QUE CE NE SONT PAS DES TERRORISTES QUI SONT RESPONSABLES. Ce sont les Autres.

Des lumières vives

Pourquoi au moins deux des passagers à bord du vol Sun Air rapportent-ils dans leurs messages avoir vu des lumières vives ? RIEN n'indique qu'il y ait eu à bord un feu ou une explosion. Ni une dépressurisation. IL NE PEUT Y AVOIR QU'UNE SEULE EXPLICATION. Nous savons que certains appareils V des Autres n'ont été vus qu'APRÈS une apparition de lumières vives dans le ciel. Les LUMIÈRES VIVES sont le signe avéré de leur présence.

Pourquoi des enfants ?

Un des points sur lesquels nous sommes tous d'accord, c'est que les Trois n'auraient EN AUCUN CAS dû survivre aux accidents. C'est un fait.

Mais pourquoi les Autres choisiraient-ils des enfants ? À mon sens, c'est parce que notre espèce veille sur ses jeunes. Notre réaction instinctive est de les PROTÉGER et de les soigner.

Nous savons que la méthode d'attaque préférée des Autres est l'infiltration et la FURTIVITÉ. Il serait trop évident de s'emparer du GOUVERNEMENT. Ils ont déjà essayé ce coup-là et ils se sont fait VIRER !!!!! Ils sont là pour nous surveiller. Nous ignorons ce que sera leur manœuvre suivante. Les Trois sont contrôlés par des forces extraterrestres qui influent sur leur esprit et leur corps, nous verrons bientôt se manifester cette évidence.

Ces enfants ont été IMPLANTÉS et ils nous observent pour savoir ce que nous allons faire.

C'EST LA SEULE EXPLICATION POSSIBLE !!!!

Troisième partie

Les Survivants : Janvier – Février

Lillian Small

Zelna, une des bénévoles du centre de lutte contre la maladie d'Alzheimer où j'emmenais Reuben quand il était encore valide, appelait l'état de son propre mari Carlos « Al », comme s'il s'agissait d'une entité distincte, une personne plutôt qu'une affection. En général, quand nous arrivions, Zelna me disait : « Vous savez ce qu'a fait Al aujourd'hui, Lily ? » Puis elle nous racontait une des gaffes amusantes ou troublantes qu'Al avait « fait » commettre à Carlos – comme la fois où elle l'avait surpris à envelopper ses chaussures de papier journal pour qu'elles ne prennent pas froid, ou le fait qu'il appelle ses visites au centre « aller au boulot ».

Un moment, elle a même tenu un blog sur le sujet, « Al, Carlos et Moi, ça fait trois », qui a remporté un ou deux prix.

Je me suis mise moi aussi à appeler Al l'état de Reuben. Ça me donnait sans doute l'espoir que, quelque part, tout au fond, le véritable Reuben était toujours là, patient, luttant pour ne pas céder tout à fait à Al. Je savais irrationnel de réfléchir ainsi mais cela m'empêchait de lui en vouloir parce qu'il nous enlevait ces dernières années que nous nous étions réjouis de passer ensemble. Je pouvais en vouloir à Al plutôt. Al, je pouvais le haïr.

Zelna a dû placer Carlos dans une clinique il y a deux ans et elle est partie vivre à Philadelphie avec sa fille, si bien que nous avons perdu le contact. Elle me manque. Le centre me manque aussi, côtoyer des gens qui savaient exactement ce que je vivais. Nous plaisantions souvent des folies de nos conjoints ou parents respectifs. Je me rappelle Zelna explosant de rire quand je lui avais raconté que Reuben voulait absolument porter son caleçon par-dessus son pantalon, comme s'il allait passer une audition pour un rôle de Superman cacochyme. Ça n'avait rien de drôle, bien sûr, mais le rire est parfois le meilleur remède, vous ne croyez pas ? On rit pour ne pas pleurer. Alors je ne me sens pas coupable de ça. Pas du tout.

Même quand Reuben n'a plus été capable d'aller au centre, je n'ai jamais envisagé de le placer dans une clinique. Ce n'était pas seulement la dépense. J'avais visité ces établissements. Je n'en aimais pas l'odeur. Je me suis dit que je réussirais bien à m'occuper de lui moi-même. Lori faisait ce qu'elle pouvait, et il y avait toujours Betsy et l'agence d'aide à domicile si j'avais besoin d'une pause. L'agence, je ne m'en servais pas souvent : le personnel changeait souvent et on ne savait jamais sur qui on allait tomber.

Je ne voudrais pas que vous pensiez que je me plains. On s'en sortait et j'avais la chance que Reuben ne soit jamais violent. Certains le deviennent – ils sont paranoïaques, ils croient que ceux qui s'occupent d'eux les retiennent en captivité, surtout quand ils cessent de reconnaître les visages. Et ce n'était pas un fugueur : tant que j'étais avec lui, il ne cherchait pas à sortir de l'appartement. Sa maladie progressait vite mais, même les mauvais jours, avec Al entièrement aux commandes, tant qu'il me voyait, que je lui parlais, il restait assez calme. Il connaissait des cauchemars terribles, cela dit. Mais ç'avait toujours été un rêveur.

Je m'en arrangeais.

Et j'avais mes souvenirs.

Nous avions été heureux, Reuben et moi. Qui peut en dire autant sans mentir ? C'est à ça que je me raccroche. Dans les magazines qu'achetait Lori, on lisait toujours que la relation parfaite consiste à être le meilleur ami de son partenaire (oh, comme je déteste ce mot ! Partenaire. C'est d'une froideur, vous ne trouvez pas ?), et c'est ce que nous étions. Quand notre fille est arrivée, elle s'est insérée parfaitement dans notre vie. Celle d'une famille unie, tout ce qu'il y a de plus normal. Nous cultivions nos habitudes. Nous dînions ensemble tous les soirs (en respectant le sabbat, alors même que Reuben n'était pas très porté sur la religion). C'était un bon mari, qui ne nous a jamais laissées manquer de rien. Quand Lori est partie à l'université, à New York, j'ai eu un peu le cafard – le syndrome du nid déserté, sûrement –, et Reuben m'a surprise par un voyage en voiture au Texas. Au Texas, rien que ça ! Il voulait explorer San Antonio, visiter El Alamo. Avant qu'Al ne lui retire son sens de l'humour, nous nous disions en riant que, quoi qu'il arrive, « nous aurions toujours Paris, Texas[1] ».

Notre existence avant Al avait connu des nuages. Toutes les existences en connaissent. Nous avions rencontré quelques problèmes au fil des ans. Lori qui avait un peu mal tourné à l'université, la grosseur qu'on m'avait trouvée au sein mais qu'on avait extraite juste à temps, la galère dans laquelle s'était mise la mère de

1. « We'll always have Paris » (Nous aurons toujours Paris) est une des répliques les plus célèbres du film *Casablanca.*

Reuben avec un type plus jeune rencontré en Floride. Nous nous étions accommodés de tout ça.

Partir pour Brooklyn quand Lori nous a annoncé sa grossesse était une idée de Reuben. Il me savait très inquiète de la voir élever seule son enfant. Sa carrière ne faisait que commencer, et elle avait besoin de soutien. Je n'oublierai jamais le jour où elle nous a invités à son premier défilé, lors de la *Fashion Week* de New York. Nous étions tellement fiers, tous les deux ! Une bonne partie des modèles étant des hommes vêtus de robes de femme, Reuben a haussé un sourcil, mais nous avons toujours eu les idées larges. En outre, mon mari adorait New York, c'était un vrai citadin dans l'âme. Nous avions beaucoup bougé, au tout début, quand il était professeur suppléant, donc lever le camp et déménager ne nous effrayait pas.

— Allons à contre-courant et installons-nous en ville, Lily. Pourquoi pas ?

En vérité, Reuben pouvait habiter n'importe où. Ç'a toujours été un grand lecteur. Il adorait les livres. Tous les livres. Fiction, essais, et l'Histoire bien sûr. Il passait l'essentiel de son temps libre le nez dans un bouquin et, ça, ça peut se faire n'importe où. Telle est l'autre grande tragédie provoquée par l'arrivée d'Al : un de ses premiers effets a été de retirer à Reuben la possibilité de lire, bien qu'il me l'ait caché dans les premiers temps. Je souffre en songeant à tous les mois qu'il a passés, assis dans le lit, à tourner les pages d'un livre qu'il était incapable de suivre, juste pour m'éviter de m'inquiéter. Deux mois après le diagnostic, j'ai découvert à quel point il avait voulu me dissimuler son état. Dans son tiroir à chaussettes, j'ai trouvé un tas de fiches sur lesquelles il s'était écrit des notes. « FLEURS » avait-il marqué sur l'une d'elles. Ça m'a brisé le cœur. Tous les vendredis, pendant quarante-cinq ans, il m'avait invariablement acheté un bouquet.

J'étais un peu nerveuse de m'installer dans le quartier de Lori. Non que j'hésitais à quitter Flemington. Reuben et moi n'avions jamais eu une vie sociale trépidante, et nos rares amis étaient déjà partis pour la Floride afin d'échapper aux rudes hivers du New Jersey. Nous ne pouvions pas nous offrir Park Slope ou Brooklyn Heights, même en location. Notre maison étant finie de payer, nous disposions de tout l'argent de sa vente, mais l'immobilier de Flemington avait pris un coup quand le marché s'était effondré. Lori craignait que le quartier soit trop jeune pour nous, trop artiste, comme elle disait, mais il s'y trouve encore une communauté hassidique assez importante, ce qui a rassuré Reuben quand il a commencé à être vraiment malade. Peut-être à cause de son enfance : ses parents étaient juifs orthodoxes. Lori nous a aidés à trouver un joli appartement, à deux pas du parc et à cinq minutes de marche de son loft de Berry Street. Nos plus proches voisins étaient aussi âgés que nous, ce qui facilitait les rapports, et je me suis tout de suite bien entendue avec Betsy. Nous adorions toutes les deux la couture – c'était une fana du point de croix – et nous regardions les mêmes séries télé. Reuben la trouvait un peu importune au début – et qu'elle fume lui déplaisait : il est très opposé au tabac –, mais c'est elle qui lui a suggéré de faire du bénévolat au centre d'alphabétisation pour adultes. Ça, bien sûr, ça fait partie des activités auxquelles il a dû renoncer. Il me l'a caché aussi, prétextant une envie de rester à la maison pour m'aider à m'occuper de Bobby. Oh, j'adorais m'en occuper quand il était bébé ! Durant une bonne année, il est devenu le centre de notre existence. Lori le déposait chez nous tous les matins, et, quand il faisait beau, nous l'emmenions au parc. Il lui arrivait d'être pénible, comme à tous les enfants, mais c'était un petit garçon éveillé, un rayon de soleil dans nos vies. Et ça nous occupait.

Et puis *vlan* ! Al est arrivé. Reuben n'avait que 71 ans. J'ai caché la vérité à Lori aussi longtemps que possible, mais elle n'était pas idiote, elle voyait son père se montrer de plus en plus distrait, l'entendait dire des choses bizarres. Au début, je suppose qu'elle l'a cru devenu un peu excentrique avec l'âge.

J'ai dû tout lui avouer pour les 2 ans de Bobby. J'avais fait un gâteau au chocolat, et nous essayions de pousser le petit à souffler les bougies. Il était un peu grincheux – c'est terrible, à cet âge-là. D'un seul coup, Reuben a dit : « Ne laissez pas le bébé brûler, ne le laissez pas brûler. » Puis il a fondu en larmes.

Lori était horrifiée. J'ai été obligée de la faire asseoir et de lui révéler le diagnostic qu'on nous avait assené six mois plus tôt. Elle a été bouleversée, mais elle a dit – et je ne l'oublierai jamais :

— On va se battre contre ça ensemble, m'man.

J'avais de la peine, évidemment, de lui imposer ça. Nous étions venus en ville pour l'aider à élever son fils et, à présent, tout était changé. Lori avait sa carrière, et elle avait Bobby, mais elle venait nous voir chaque fois qu'elle le pouvait. Le petit était trop jeune pour comprendre ce qui arrivait à son grand-père. Je craignais qu'il n'en soit choqué mais les manières bizarres de Reuben ne semblaient pas le déranger.

Oh, Elspeth, les jours qui ont suivi la nouvelle à son sujet ! La culpabilité que j'éprouvais de ne pas me rendre tout droit à Miami pour être auprès de lui dans cet hôpital ! C'est là que j'ai compris combien je détestais Al, qui m'avait volé Reuben alors que j'avais tous ces autres problèmes à régler. Je lui aurais hurlé dessus. Je ne cherche pas à me faire plaindre, il y a des gens bien plus malheureux que moi, mais je n'arrivais pas à me sortir de la tête que j'étais punie. D'abord Reuben, ensuite Lori. Et après ?

Mes souvenirs sont un peu flous car je ne savais plus où donner de la tête, avec le téléphone qui sonnait sans arrêt et les journalistes qui me traquaient. Finalement, j'ai dû laisser le combiné décroché et me servir du portable que m'avait offert Lori. Mais ils se sont débrouillés pour trouver son numéro aussi.

Je ne pouvais pas sortir sans me retrouver face à une caméra.

— Qu'est-ce que ça vous fait ?

— Avez-vous toujours su qu'il était en vie ?

Ils voulaient savoir ce que Bobby ressentait, s'il se remettait du choc, ce qu'il mangeait, si j'étais croyante, quand il rentrerait à la maison, si je comptais prendre l'avion pour aller le voir. Ils me proposaient de l'argent. Beaucoup d'argent. Ils me suppliaient de leur donner des photos de lui et de Lori. Je ne sais pas comment ils ont eu celle de son premier jour d'école. Sans doute par Mona. Je ne l'ai jamais accusée ouvertement mais je ne vois pas où ils auraient pu la récupérer sinon. Et ne me parlez pas des publicitaires et des cinéastes d'Hollywood qui voulaient acheter les droits d'adaptation de la vie de Bobby. Il n'avait que 6 ans ! Mais l'argent était alors le cadet de mes soucis. On nous a dit que l'assurance de la compagnie aérienne paierait, quoique la Maiden Air ait aussitôt déposé le bilan. Lori était à son aise mais pas riche. Elle avait économisé pour que Reuben et moi puissions nous installer en Floride. Évidemment, ce ne serait plus nécessaire à présent.

En vérité, nous n'attirions pas qu'une curiosité malsaine. On nous envoyait des cadeaux ou des lettres, dont certaines très émouvantes, surtout quand elles provenaient de gens ayant, eux aussi, perdu des enfants. J'ai dû arrêter de les lire : elles me fendaient vraiment le cœur, et mon cœur ne pouvait en supporter beaucoup plus.

La sœur de Reuben, qui n'avait encore jamais proposé de venir m'aider à m'occuper de lui, m'appelait trois ou quatre fois par jour pour me demander comment j'envisageais le *shiva*[1] de Lori. Pouvais-je songer à cela, avec Bobby à Miami ? Je me suis presque réjouie que la plupart des avions soient cloués au sol, et qu'elle ne puisse venir fourrer son nez dans mes affaires. Betsy, Dieu la bénisse, s'est occupée de nous nourrir pendant ces premiers jours. La maison faisait l'objet d'allées et venues incessantes – Charmaine filtrait les visiteurs, s'assurant qu'il ne s'agisse pas de journalistes déguisés. Il y avait des gens du quartier qui avaient appris l'accident. D'anciens élèves de Reuben au centre d'alphabétisation pour adultes. Des amis et collègues de Lori. Toutes sortes de gens. Des Noirs, des Latinos, des juifs, toutes sortes. Et tous nous proposaient leur aide.

Betsy a même contacté son rabbin qui a suggéré d'organiser une cérémonie en hommage à Lori, alors même qu'il nous savait non pratiquants. De véritables obsèques étaient hors de question tant qu'on ne nous rendait pas le corps... mais je ne veux pas m'appesantir là-dessus. Ce jour-là... quand on l'a mise en terre... je ne peux pas, Elspeth, je ne peux pas. Je ne suis même jamais allée voir le monument commémoratif en Floride, quoique Betsy ait offert de m'accompagner. Il arrive que je me sente coupable de ça aussi.

Bien des gens se sont demandé si je réussirais

1. Rituel juif, période de deuil de sept jours.

à m'occuper de mon petit-fils et de mon mari en même temps. On a beaucoup parlé de placer Reuben en maison de retraite pendant que Bobby s'installait chez nous. Ça me rendait dingue. J'ai tout simplement refusé d'écouter ces arguments-là. Bobby et Reuben étaient toute ma famille ; nous nous en sortirions, et cette chère Betsy assurait qu'elle serait là pour m'aider chaque fois que j'en aurais besoin. Un moment, il a été question que nous nous installions dans le loft de Lori. Il était plus vaste que notre trois pièces – autrefois, la deuxième chambre me servait pour mes travaux de couture avant que Betsy ne m'aide à l'aménager pour Bobby –, mais j'ai craint que le déménagement ne bouleverse trop Reuben. Et il y avait autre chose... résider là-bas était tout bonnement trop douloureux, quoique Charmaine m'ait accompagnée la première et dernière fois que je m'y suis rendue pour chercher les affaires de Bobby. Ce qui m'a tuée, ce sont les brochures de la maison de retraite de Floride sur le plan de travail. Je dois reconnaître une chose à Mona : elle a proposé de s'occuper des affaires de Lori, de les mettre au garde-meuble, ce dont j'aurais été incapable. Et, durant tout ce temps, j'avais un pincement au cœur en songeant à Bobby, tout seul dans son hôpital.

Une nuit – nous avions appris la survie de Bobby deux jours auparavant, je crois –, Reuben et moi étions seuls. Je me suis assise sur le lit et j'ai ressenti un tel désespoir, une telle solitude que j'ai eu envie de mourir. Je ne saurais pas décrire ça, Elspeth. C'était trop dur. Je devais être forte pour Bobby et je n'étais pas sûre d'en être capable. J'ignore si, d'une manière ou d'une autre, la force de ma douleur a donné à Reuben celle de repousser Al durant quelques secondes, mais il m'a pris la main. Il l'a serrée. Je l'ai regardé dans les yeux et, l'espace d'un instant, j'ai vu le Reuben d'autrefois, mon meilleur ami. On aurait juré qu'il me disait :

— Allez, Lily, tiens le coup.

Puis son masque dépourvu d'expression – Al – s'est remis en place, et il a disparu.

Mais ça m'a donné la force de continuer.

Charmaine savait que je me sentais coupable de n'avoir pas rejoint Bobby, et elle m'a permis de contacter la psychologue qui le suivait à Miami. Le docteur Pankowski m'a soulagée en m'assurant qu'il rentrerait bientôt à la maison. Son IRM était parfaite et il commençait à parler. S'il ne disait pas grand-chose, il semblait comprendre ce qui lui était arrivé.

Quand on nous a annoncé qu'il pouvait rentrer, j'ai eu la visite de l'adjoint au maire, un Afro-Américain très sympathique.

— Bobby est un miraculé, madame Small, m'a-t-il dit. Et ici, à New York, nous prenons soin des nôtres.

Il a proposé de poster un policier devant mon immeuble quand les assauts de la presse deviendraient trop pesants, et même de m'envoyer une limousine pour aller à JFK.

Charmaine m'a accompagnée à l'aéroport tandis que Betsy et une des infirmières qu'on nous avait envoyées restaient avec Reuben. J'étais aussi nerveuse que le jour de mon mariage !

Bobby arrivait par charter spécial, sur une piste qu'utilisaient en général les politiciens et autres personnalités importantes, si bien que, pour une fois, les journalistes ne pourraient pas nous traquer. On m'a proposé un siège dans la salle d'attente et j'ai senti que le personnel s'efforçait de ne pas me fixer. Je ne me préoccupais pas beaucoup de mon apparence, depuis quelques jours, et je me sentais un peu gênée. Charmaine n'a pas lâché ma main. Je ne sais pas ce que j'aurais fait sans elle. Elle continue de prendre de mes nouvelles.

La journée était froide, l'air mordant, mais nous avions un grand ciel bleu. Charmaine et moi nous sommes levées pour voir l'avion atterrir. Il m'a semblé que des heures s'écoulaient avant que les portes ne s'ouvrent. Et puis j'ai vu Bobby descendre les marches, serrant fermement la main d'une jeune femme. Mme Pankowski, Dieu la bénisse, avait fait le voyage avec lui. Elle paraissait trop jeune pour être docteur, mais je lui serai toujours reconnaissante de ce qu'elle a fait pour mon petit-fils. On lui avait donné des vêtements neufs, aussi était-il tout emmitouflé, et un capuchon dissimulait son visage.

J'ai fait un pas vers lui.

— Bobby, ai-je dit, c'est moi. C'est Bubbe[1].

Il a levé les yeux vers moi et chuchoté :

— Bubbe ?

Elspeth, j'ai pleuré. Je n'arrêtais pas de le toucher, de caresser ses joues, pour me convaincre qu'il était vraiment là.

Quand je l'ai pris dans mes bras, ç'a été comme si la lumière se rallumait en moi. Je suis incapable de l'expliquer mieux que ça, Elspeth. Si vous voulez, j'ai su à ce moment-là que, malgré ce qui était arrivé à ma Lori et quoi qui puisse arriver à Reuben, tout irait bien à présent que Bobby était revenu auprès de moi.

---

1. En yiddish : grand-mère.

La meilleure amie de Lori Small, Mona Gladwell, accepta de s'entretenir avec moi par Skype fin avril 2012.

Bon, Lori, c'était ma copine, ma meilleure copine, alors je ne veux pas avoir l'air de dire du mal d'elle, mais je crois important que les gens sachent la vérité sur elle et Bobby. Ne vous y trompez pas, c'était une fille super, elle a beaucoup fait pour moi, mais elle pouvait être… un peu écervelée, parfois.

Lori et moi, on s'est connues au lycée. Mes parents avaient quitté le Queens pour Flemington, dans le New Jersey, quand j'avais 15 ans, et on s'est tout de suite bien entendues, toutes les deux. En apparence, c'était une jeune fille modèle. Des bonnes notes, bien polie, jamais d'ennuis. Mais elle avait une vie secrète dont ses parents n'ont jamais rien su. Elle fumait de l'herbe, elle buvait, elle fricotait avec les garçons, bon, des trucs classiques. Reuben était prof d'histoire au lycée, à ce moment-là, alors elle prenait soin de préserver sa réputation. Il était sympa, Reuben. Aucun élève n'avait de problèmes avec lui. C'était juste M. Small, pas follement populaire, mais il savait bien raconter les histoires. Un type posé. Avec de la dignité, je dirais.

Et il était intelligent en plus. Mais s'il savait que Lori picolait et baisait dans son dos, il ne l'a jamais montré.

Quant à Lillian... Je sais qu'elle ne m'a jamais aimée, qu'elle m'a attribué la responsabilité des ennuis de Lori à la fac, mais c'est quelqu'un de bien. Cela dit, par rapport à mes parents, à peu près tout le monde est quelqu'un de bien. Lillian n'a jamais eu de profession, elle avait l'air heureuse d'être ménagère – de coudre, de cuisiner ou je ne sais quoi – et Reuben gagnait juste assez pour les faire vivre. En dehors de leurs idées politiques – ils étaient bien moins à droite qu'on n'aurait pu le croire à les voir –, ils donnaient un peu l'impression de vivre encore dans les années 1950.

Après le lycée, Lori et moi, on a postulé pour l'université de New York – ça n'a pas fait plaisir à Lillian, quoique New York ne soit qu'à une heure de Flemington. Il n'a pas fallu longtemps à Lori pour dévier du droit chemin : elle s'est mise à faire la fête et à prendre des drogues dures, surtout de la coke. Quand ses parents venaient lui rendre visite, on avait un système bien rôdé : on nettoyait la piaule qu'on partageait, elle cachait ses tatouages et s'assurait qu'il n'y ait aucune trace de quoi que ce soit en vue. Au bout d'un moment, cela dit, elle en est arrivée à un point où elle n'a plus pu le cacher. Lillian a pété un plomb et exigé qu'elle rentre à la maison, donc Lori a fini par lâcher la fac. Une fois désintoxiquée, elle est revenue en ville et elle a essayé un million de métiers différents : prof de yoga, styliste, manucure, serveuse... C'est là que j'ai rencontré mon premier mari, dans un des bars où elle travaillait. Ça n'a pas duré. Ni le boulot ni le mari.

Et puis, sans prévenir, comme ça, Lori a pris des cours de création de vêtements – elle a convaincu Lillian et Reuben de les lui payer, même si je ne sais pas où ils ont trouvé le fric. Je me suis dit que c'étaient encore des velléités mais elle s'est avérée douée pour ça – les chapeaux, surtout, qui sont devenus sa spécialité. Quand elle a commencé à avoir des commandes, elle s'est installée à Brooklyn où elle pouvait monter son studio. Elle a conçu un chapeau pour moi, à l'occasion de mon deuxième mariage, et elle a refusé que je le lui paie, alors qu'elle commençait tout juste son activité.

C'est juste après avoir fait le défilé Galliano qu'elle s'est aperçue de sa grossesse.

— Celui-ci, je le garde, elle m'a dit. Je vais avoir 40 ans et c'est peut-être ma dernière chance.

Elle n'a pas voulu me dire qui était le père, donc je l'ai soupçonnée de l'avoir fait exprès. Je ne dis pas qu'elle couchait facilement, mais elle aimait bien s'amuser. Les relations suivies ne l'intéressaient pas. Elle a concocté cette histoire d'insémination artificielle délirante pour que Lillian ne pète pas un plomb à nouveau. Je ne pensais pas qu'elle irait jusqu'au bout – ça paraissait mal. Mais elle disait que c'était plus facile. Quand le prédicateur, ensuite, a raconté partout que Bobby n'était pas né d'un homme – qu'il n'était pas naturel et tout ça –, j'aurais pu intervenir, rétablir la vérité, mais je croyais que tout ça allait finir par se tasser. Comment prendre des trucs pareils au sérieux ? Pendant sa grossesse, Lori est passée par une phase religieuse intense, elle parlait d'envoyer Bobby à l'école hébraïque quand il aurait l'âge, et à la synagogue, tout le bazar. Le syndrome de la mère juive, elle m'a dit. Ça n'a pas duré. J'ai cru qu'elle flipperait quand Lillian et Reuben ont décidé de s'installer à Brooklyn, mais, en fait, ça lui a fait plaisir.

— Ce n'est peut-être pas une mauvaise idée, Mona.

Et, oui, avant la maladie de Reuben, avoir Lillian

sous la main était bien pratique. Surtout quand Bobby était bébé. Bien sûr, ça s'est inversé quand l'état de Reuben a empiré et que c'est Lori qui a dû soutenir ses parents. Elle s'en est bien tirée, cela dit. Dans un certain sens, ça l'a fait grandir. Je l'admire beaucoup d'avoir assumé cette responsabilité-là. Malgré tout… je me demande parfois si elle n'avait pas envie que Lillian et Reuben partent en Floride afin d'en être débarrassée – mais ça me fait passer pour une vraie garce de dire ça, hein ? Je ne lui aurais pas jeté la pierre. Elle avait bien d'autres soucis.

Quant à Bobby… Ça m'ennuie de dire ça, mais je jure devant Dieu qu'il n'était plus le même après l'accident. Je sais, je sais, ça pouvait être le choc, le stress posttraumatique, ou je ne sais quoi. Mais, avant ça… quand il était petit… Écoutez, il n'y a pas trente-six moyens de le dire : c'était un bébé infernal, qui faisait un million de caprices par jour. Je l'appelais Damien, comme le gamin du film, ce qui fichait Lori en rogne. Lillian n'en voyait pas la moitié – avec elle, Bobby se conduisait comme un petit ange, sans doute parce qu'elle le laissait faire tout ce qu'il voulait. Et elle ne le voyait pas tant que ça non plus puisqu'il avait 2 ans quand Reuben est tombé malade. Lori le gâtait aussi, elle le pourrissait, elle lui donnait tout ce qu'il voulait, alors que je me fatiguais à répéter que ce n'était pas bon pour lui. Je ne dis pas que c'était une mauvaise mère. Sûrement pas. Elle l'aimait, et un enfant n'a besoin de rien d'autre, n'est-ce pas ? En vérité, je ne sais pas s'il était trop gâté ou bien juste ce que ma mère à moi appelle de la mauvaise graine.

Lori espérait qu'il se calmerait une fois qu'il irait à l'école. Une des fameuses écoles expérimentales avait récemment ouvert dans le quartier et elle a décidé de l'y inscrire. Ça n'a rien arrangé. Au bout de quelques jours, elle a été convoquée pour discuter des « difficultés d'intégration » de son fils, ou je ne sais quel nom à la con ils ont donné à son comportement.

Un jour, Lori devait rencontrer un gros client. Bobby avait 4 ans. Comme Lillian emmenait Reuben chez un nouveau médecin, elle se retrouvait en panne de baby-sitter, et elle m'a demandé de surveiller le gamin. J'habitais un appartement de Carroll Gardens, à l'époque, et mon fiancé du moment m'avait offert un chaton femelle, tout mignon, qu'on appelait Saucisse. Bref, j'ai laissé Bobby devant la télé et je suis allée me doucher. C'est pendant que je me séchais les cheveux que j'ai entendu un cri haut perché en provenance de la cuisine. Je vous jure que je ne savais pas qu'un animal pouvait hurler comme ça. Bobby tenait Saucisse par la queue et il la balançait dans tous les sens.

— Qu'est-ce que c'est rigolo, ce jeu-là !

Il ne l'a pas dit mais, à sa tête, on devinait qu'il le pensait.

Je n'ai pas honte d'avouer que je lui ai collé une gifle ; il est tombé et il s'est cogné le front contre le plan de travail. Ça s'est mis à saigner comme c'est pas permis, et j'ai dû l'emmener aux urgences pour qu'on lui fasse des points de suture. Il n'a pas pleuré. Il n'a même pas fait la grimace. Lori et moi, on est restées en froid un moment à cause de cette histoire, mais ça n'a pas duré, on avait vécu trop de trucs ensemble. Bon, par contre, elle ne m'a plus jamais engagée comme baby-sitter.

Après l'accident… c'était comme s'il avait été échangé.

Extrait du troisième chapitre de *Le Tuteur de Jess : Ma Vie avec l'un des Trois* de Paul Craddock (avec la collaboration de Mandi Solomon).

L'intérêt de la presse, une fois Jess rapatriée en Angleterre, dépassa tout ce que j'aurais pu imaginer. Les trois « enfants miracles » devinrent rapidement l'événement de la décennie, et rien ne semblait pouvoir étancher la soif d'information du public anglais quant à l'état de ma nièce. Des paparazzi et des journaleux travaillant pour les magazines à sensation avaient élu domicile sur le perron de mon immeuble, et l'hôpital soutenait pratiquement un siège. Gerry m'avertit de n'aborder aucun sujet trop personnel au téléphone, au cas où mon portable serait piraté.

Je dois dire que Jess bénéficia d'un impressionnant soutien populaire. Les cadeaux assortis de vœux de prompt rétablissement envahirent bientôt sa chambre ; on lui laissait des messages, des fleurs, des cartes et des montagnes de jouets devant l'hôpital – il y en avait tellement qu'on voyait à peine la clôture du centre médical. Les gens étaient gentils. Ils montraient à leur manière que notre sort ne leur était pas indifférent.

Pendant ce temps, mes rapports avec Marilyn et le reste de la famille Addams se détérioraient un peu plus chaque jour. J'étais bien obligé de les rencontrer dans la salle d'attente, et j'en avais plus qu'assez d'esquiver les exigences de Marilyn, qui me réclamait les clés de la maison de Stephen et Shelly. Mais la véritable guerre froide ne commença que le 22 janvier, quand j'entendis Jase haranguer un des spécialistes devant la chambre de Jess. Elle ne s'était toujours pas réveillée, à ce moment-là, mais ses médecins assuraient qu'elle ne présentait aucun signe de diminution des facultés cognitives.

— Pourquoi que vous arrivez pas à la réveiller, bordel ? demandait Jase en plantant un index taché de nicotine dans le torse du pauvre médecin.

Ce dernier lui assura qu'ils faisaient tout leur possible.

— Ah ouais ? fit Jase, méprisant. Ben, si ça devient un putain de légume, vous pourrez bien vous occuper d'elle vous-mêmes, vous autres.

Ce fut la goutte d'eau. En ce qui me concernait, les Addams avaient montré leur vrai visage. Si je ne pouvais pas les empêcher de rendre visite à Jess, je pouvais au moins faire savoir qu'en aucun cas ils ne s'occuperaient d'elle quand elle sortirait de l'hôpital. Je contactai aussitôt le notaire de Shelly et le priai d'informer les Addams des dispositions prises par Stephen et Shelly.

Le lendemain, ils s'étalaient en une du *Sun*. « La Grand-Mère de Jess chassée de sa vie. »

Soyons juste avec le photographe : il les avait capturés dans toute leur splendeur. Ma Addams fixant l'objectif avec colère, les frères et divers rejetons grimaçant autour d'elle, une vraie publicité pour la contraception. La mère de Shelly, en particulier, n'hésitait pas à faire connaître ses opinions :

« Ce n'est pas normal, nous confie Marilyn (58 ans). La vie de Paul, elle n'est pas morale. C'est un gay, alors que, nous, on est des honnêtes citoyens. Une famille. Jess serait bien mieux avec nous. »

Le *Sun,* bien sûr, n'en ratait pas une : les journalistes avaient mis la main sur une photo de moi prise l'année précédente pendant la Gay Pride ; en tutu, hilare, et aux côtés de Jackson, mon compagnon de l'époque. Elle s'étalait en couleurs juste à côté des faces de repris de justice des Addams.

L'histoire se répandit comme un feu de broussailles, et il ne fallut pas longtemps aux autres tabloïdes pour se procurer des photos de moi tout aussi compromettantes – sans aucun doute grâce à mes amis, ou ex-amis. Je ne devrais probablement pas leur en vouloir d'avoir cherché à se faire un peu d'argent. La plupart étaient eux-mêmes des artistes sans le sou.

Mais le vent tourna vraiment en ma défaveur quand Marilyn et moi fûmes invités à l'émission de Roger Clydesdale. Gerry m'avait prévenu de ne pas y aller, mais je ne pouvais pas laisser la mère de Shelly dire ce qu'elle voulait sans intervenir. J'avais rencontré Roger au cours du lancement d'une chaîne de télé, quelques années plus tôt et, lors des rares occasions où j'étais tombé sur son émission *Les Affaires du jour*, il s'était montré assez dur avec ce qu'il appelait les « escrocs aux aides sociales ». Je supposais donc naïvement qu'il serait de mon côté.

L'atmosphère du studio était électrique, dans l'attente de l'événement. On voyait que le public avait envie d'un duel. Il ne fut pas déçu. Au début, franchement, je crus prendre l'avantage. Marilyn, vautrée sur un canapé, bredouillait des réponses inarticulées aux questions basiques de Roger telles que : « Pourquoi ne cherchez-vous pas activement un emploi ? ». Puis il tourna vers moi les vilebrequins qu'étaient ses yeux.

— Vous êtes-vous déjà occupé d'enfants, Paul ?

Je répondis que je m'occupais de Jess et de Polly depuis qu'elles étaient bébés, et répétai que Stephen et Shelly m'avaient choisi pour être le tuteur de Jess.

— Il veut la maison, c'est tout ! C'est un acteur ! La gamine, il s'en fiche ! couina Marilyn – ce qui, pour une raison que j'ignore, lui valut les applaudissements de la salle.

Roger marqua une pause de quelques secondes pour laisser retomber le vacarme, puis il lâcha sa bombe :

— Paul… est-il vrai que vous avez connu des problèmes psychiatriques ?

Le public se déchaîna à nouveau, et même Marilyn parut un peu décontenancée.

Je n'étais pas préparé à cette question. Je bredouillai, bégayai et me tirai fort mal de l'exercice consistant à expliquer que ma dépression appartenait au passé.

Cette révélation engendra naturellement d'innombrables gros titres hurlant un seul message : « C'est un fou qui va élever Jess. »

J'en fus bien sûr démoli. Nul n'aime voir des choses pareilles écrites sur soi, et je n'avais à m'en prendre qu'à moi-même : j'avais été trop ouvert. Je fus durement critiqué pour la manière dont je traitai ensuite la presse. Entre autres choses, on m'accusa de chercher la publicité, on me taxa d'égocentrisme et de narcissisme. Mais, quoi que les journalistes aient pu écrire sur moi, j'avais à cœur les intérêts de Jess. J'avais mis ma carrière entre parenthèses afin de me consacrer entièrement à elle. Très franchement, si j'avais voulu l'exploiter pour gagner de l'argent, j'aurais pu engranger des millions. L'argent, de toute façon, n'était pas un problème : les assurances vie de Shelly et de Stephen avaient été versées, et j'avais l'intention de placer le dédommagement de la compagnie aérienne à un fonds fiduciaire pour Jess. Elle ne manquerait jamais de rien. La raison pour laquelle je passai dans les diverses émissions du matin n'avait rien à voir avec l'argent : simplement, je souhaitais rétablir la vérité. N'importe qui en aurait fait autant.

Comme vous voyez, j'avais du pain sur la planche, mais Jess était ma priorité. Physiquement, en dehors de ses brûlures, et quoique toujours inconsciente, elle allait bien. Le moment était venu de me demander où elle allait habiter.

Le docteur Kasabian, qui deviendrait son psychologue dès qu'elle s'éveillerait et recommencerait à parler, suggéra qu'il serait préférable pour elle de se retrouver dans un environnement familier : la maison de Stephen à Chiselhurst.

Y pénétrer, la toute première fois, fut l'une des choses les plus difficiles que j'aie jamais eu à faire. Depuis les photos du mariage et de l'école, sur les murs, jusqu'au sapin de Noël sec que Stephen n'avait pas eu le temps de jeter, dans l'allée, tout me rappelait ce que Jess et moi avions perdu. Quand je refermai la porte, avec les cris des journalistes, dehors, qui me parvenaient encore (oui, ils me suivirent même dans cette triste aventure), je me sentis aussi désespéré qu'au moment où j'avais appris la nouvelle.

Toutefois, je me forçai à affronter les lieux. Pour Jess, je devais être fort. Je déambulai à pas lents dans la maison mais m'effondrai complètement en voyant les photos de Stephen et moi, enfants, affichées dans son bureau. Nous étions là, moi grassouillet, les dents écartées, et lui svelte, sérieux. À nous voir, on ne nous aurait jamais crus jumeaux, et nous différions autant par la personnalité que par le physique. À 8 ans, je voulais déjà jouer la comédie, alors que Stephen était bien plus grave et discret. Nous ne fréquentions pas les mêmes cercles, à l'école, mais nous avions toujours été proches, et, lorsqu'il avait rencontré Shelly, nos rapports avaient gagné en profondeur. Shelly et moi nous étions entendus comme larrons en foire dès notre première rencontre.

Quoique cela me brisât le cœur, je me forçai à passer la nuit à la maison – j'avais besoin de m'y acclimater, pour Jess. Je fermai à peine l'œil et, quand je m'assoupis, ce fut pour rêver de Stephen et Shelly. Des rêves tellement réalistes qu'on les aurait dits tous les deux dans la chambre avec moi, comme si leur esprit s'accrochait à leur domicile. Mais je savais que je prenais les bonnes décisions pour Jess, et je savais qu'ils me donnaient leur bénédiction.

À ce jour, leurs cadavres n'ont pas été retrouvés. Ni celui de Polly. D'une certaine manière, c'est préférable. Plutôt qu'un terrible voyage pour les identifier dans quelque morgue portugaise sans âme, je garde comme ultime souvenir d'eux celui de notre dernier dîner. Polly et Jess qui riaient. Stephen et Shelly qui évoquaient leurs vacances décidées à la dernière minute. Une famille heureuse.

Je ne sais comment j'aurais fait pour traverser tout ça sans Mel, Geoff et le reste des braves gens qui forment les 277 Ensemble. Ils avaient beau avoir perdu leurs propres parents de la manière la plus horrible qui soit, ils se portèrent à mon secours chaque fois qu'ils le purent. Mel et Geoff allèrent jusqu'à m'accompagner le jour où j'emménageai chez Stephen, ils m'aidèrent à décider que faire des photos de famille affichées partout. Nous choisîmes de les ranger en attendant que Jess ait eu le temps d'accepter la mort de ses parents et de sa sœur. Ils furent mes rocs, et je dis cela du fond du cœur.

Bien sûr, la bile crachée par les Addams et leur bande de scribouillards malveillants ne furent pas nos seuls soucis, surtout quand les théories du complot commencèrent à partir en *live* : les accidents étaient la preuve que la fin du monde aurait bien lieu en 2012 ; des extraterrestres avaient fait tomber les avions et possédé les corps des Trois ; et puis cette ridicule assertion d'un prédicateur américain selon laquelle Jess, Hiro et Bobby étaient possédés par trois des Quatre Cavaliers de l'Apocalypse ! Cette dernière histoire, particulièrement, exaspérait Mel. On ne s'en douterait pas en la voyant, mais c'est une catholique fervente, et cette théorie-là l'a vraiment choquée.

Nous apprîmes à ce moment-là que se préparait une cérémonie en hommage aux victimes. Les rares cadavres repêchés ne seraient pas rendus aux familles avant la fin de l'enquête, ce qui pouvait prendre des mois, et nous ressentions tous le besoin d'une conclusion. On ne savait toujours pas ce qui avait provoqué l'accident du vol Go ! Go !, même si la piste terroriste était éliminée, comme pour les trois autres catastrophes. J'essayais de ne pas suivre l'enquête de trop près – ça ne faisait que me plomber un peu plus le moral – mais je crois qu'on soupçonnait la responsabilité d'un orage magnétique ayant causé de graves perturbations sur d'autres vols dans la région. Mel m'apprit qu'elle avait vu les films tournés par le sous-marin parti récupérer la boîte noire dans l'épave. Elle me parla de la paix qui semblait régner tout au fond de l'océan. Une partie du fuselage de l'avion paraissait à peine endommagée, à jamais couchée dans sa tombe aquatique. La seule chose qui lui permettait de tenir le coup, me confia Mel, c'était de se dire que ç'avait été rapide. Elle ne supportait pas l'idée que Lorraine et les autres aient vu la mort venir à eux, comme ces pauvres passagers du vol japonais qui avaient eu le temps de laisser des messages à leurs proches. Je savais exactement ce qu'elle voulait dire, mais il ne faut surtout pas penser à ça, surtout pas.

La cérémonie aurait lieu à Saint Paul, avec un service supplémentaire à Trafalgar Square, pour le public. Je savais que la Famille Addams y serait, sans nul doute avec son pisse-copie du *Sun* préféré, et on peut comprendre ma nervosité.

Encore une fois, Mel, Geoff et leurs amis, leurs familles, une véritable armée, vinrent à mon secours. Ils ne me quittèrent pas de toute cette journée éprouvante. À dire vrai, ils venaient d'un milieu comparable à celui de la famille de Shelly. Geoff était au chômage depuis des années, et ils occupaient un logement social à Orpington, non loin de chez les Addams. Il n'aurait pas été étonnant qu'ils prennent le parti de Marilyn et de sa clique, surtout contre un « snob intello avec des aspirations artistiques », image que donnaient de moi les journaux. Pourtant, ce ne fut pas le cas. Quand nous arrivâmes à la cérémonie, en même temps que les Addams (Si ce n'est pas le destin, ça ? Il y avait des milliers de gens.), Mel agita un doigt sous le nez de Marilyn et siffla :

— Vous faites le moindre pétard ici et on vous dégage, compris ?

Le chapeau fantaisie bon marché de la mère de Shelly évoquait une araignée géante. Il frémit avec indignation, quoique elle-même demeurât de pierre. Jase et Keith se hérissèrent mais baissèrent les yeux sous le regard de Gavin, le fils aîné de Mel et Geoff, un gars au crâne rasé et à la carrure de videur de boîte de strip-tease. J'appris plus tard qu'il avait des relations dans le milieu. Le genre de mec qu'il ne faut pas chercher.

Je l'aurais embrassé.

Je ne m'appesantirai pas sur la cérémonie, mais un moment m'a particulièrement touché : la lecture de Kelvin. Il avait choisi le poème de W. H. Auden *Arrêter les pendules,* qu'on connaît surtout grâce à *Quatre mariages et un enterrement.* Ç'aurait pu être mièvre mais pas avec ce colosse coiffé de dreadlocks qui lisait avec calme et dignité. Quand il arriva au vers « Que les avions qui hurlent au-dehors... », on aurait entendu une mouche voler.

J'étais à peine sorti de la cathédrale quand je reçus le coup de téléphone du docteur Kasabian. Jess s'était réveillée.

J'ignore comment Marilyn et les Addams apprirent qu'elle était sortie du coma – une des infirmières dut les appeler – mais, quand j'arrivai à l'hôpital, à moitié étouffé par l'émotion, ils étaient là, à attendre devant la chambre de la fillette.

Le docteur Kasabian n'ignorait rien de nos rapports tendus – il ne vivait pas dans une grotte –, aussi nous prévint-il qu'une dispute était la dernière chose dont Jess avait besoin. Marilyn ayant accepté à regret de la fermer et ordonné à Fétide et Gomez de l'attendre dehors, on nous fit entrer. Avec son chapeau qui continuait de frémir d'indignation, la mère de Shelly me poussa quasiment hors de son chemin pour atteindre le lit la première.

— C'est moi, Jessie, dit-elle. C'est Nana.

Jess la regarda sans la voir. Puis elle tendit la main vers moi. J'aimerais pouvoir dire qu'elle savait qui nous étions, mais il n'y avait aucune lueur de reconnaissance dans ses yeux, ce qui était compréhensible. Toutefois, je ne puis m'empêcher de penser qu'elle nous observa, nous jaugea, et comprit aussitôt lequel de ces deux maux serait le moindre.

Chiyoko et Ryu

Message envoyé @ 19 : 46 21/01/2012

RYU : T'es là ?????

Message envoyé @ 22 : 30 21/01/2012

CHIYOKO : Je suis revenue.

RYU : Quand ?

CHIYOKO : Genre y a cinq minutes.

RYU : 24 heures sans message. De toi. Ça m'a fait… bizarre.

CHIYOKO : C'est gentil. T'as fait quoi pendant que j'étais pas là ?

RYU : Comme d'hab. Dormi. Mangé un peu, regardé un vieil épisode de *Bienvenue dans la N.H.K.*, mais c'était juste pour passer le temps. Et, au fait… tu as menti.

CHIYOKO : Qu'est-ce que tu veux dire ?

RYU : Je t'ai vue à la télé. T'es mignonne. Euh… tu ressembles un peu à Hazuki Hitori.

CHIYOKO : ...

RYU : Désolé. Je ne voulais pas te mettre mal à l'aise. Pardonne à un crétin de geek. (< ^ _ ^ >) \

CHIYOKO : Comment t'as su que c'était moi ? J'avais pas de badge à mon nom.

RYU : C'était forcément toi. Tu étais à côté de Hiro, debout derrière ton oncle, c'est bien ça ? Ils ont passé presque autant d'images de Hiro et de Kenji que de... comment elle s'appelle, déjà ? La femme d'Uri, la ministre, la cinglée. Celle qui croit aux extraterrestres.

CHIYOKO : Aikao Uri.

RYU : C'est ça, elle. Alors, c'était toi ?

CHIYOKO : Peut-être.

RYU : Je le savais ! Je croyais que tu ne t'intéressais pas à la mode ?

CHIYOKO : C'est le cas. Bon assez de trucs personnels.

RYU : Re-désolé. Alors, c'était comment ?

CHIYOKO : C'était une cérémonie du souvenir. Ça pouvait être comment, à ton avis ?

RYU : Est-ce que je t'agace ?

CHIYOKO : Hé, je suis la princesse de glace, tout m'agace. Je peux t'en parler, si ça t'intéresse. Tu veux quoi, comme détails ?

RYU : Je veux tout savoir. Hé... je sais que c'est contre les règles mais... je vais le proposer quand même : tu veux skyper ?

CHIYOKO : ...

RYU : T'es toujours là ?

CHIYOKO : On continue comme d'habitude.

RYU : Comme tu veux, princesse de glace. Je sais à quoi tu ressembles, maintenant. Tu ne peux pas te cacher de moi (*wwwwwwwwwwwwww*) Mode rire maléfique off. Désolé.

CHIYOKO : Ça me fait bizarre que tu connaisses ma tête. Comme si ça te donnait du pouvoir sur moi ou quelque chose comme ça.

RYU : Hé, je t'ai dévoilé le premier ma véritable identité. Tu peux pas savoir comme ç'a été dur.

CHIYOKO : Je sais. Je suis pas parano.

RYU : Je t'ai dit des choses que j'ai jamais dites à personne. Tu me juges pas. Tu me regardes pas fixement comme les vieilles pies du quartier.

CHIYOKO : J'aurais du mal. On n'habite pas la même préfecture[1].

RYU : Tu vois ce que je veux dire. Je te fais confiance.

CHIYOKO : Sauf que tu sais à quoi je ressemble, alors que je ne sais pas à quoi tu ressembles.

RYU : Tu es plus jolie que moi. (^ _ ^)

CHIYOKO : Arrête !!!!!

RYU : OK. Alors, dis-moi, c'était comment ? Ç'avait l'air très émouvant. Devant l'autel… toutes ces photos des passagers… On aurait dit que ça ne s'arrêterait jamais…

CHIYOKO : C'était comme ça, oui. Très émouvant, je veux dire. Même la princesse de glace que je suis n'a pas pu l'ignorer. 526 personnes. Je ne sais pas par quoi commencer…

RYU : Commence par le commencement.

1. Au Japon, équivalent de nos départements.

CHIYOKO : D'accord... Bon, je t'ai dit qu'on avait dû partir tôt. Pour une fois dans sa vie, papa a pris un jour de congé, et la Créature Mère a dit que je devais m'habiller en noir mais pas trop avoir l'air d'une « gravure de mode ». Moi, j'ai dit pas de problème, CM.

RYU : T'étais chouette.

CHIYOKO : *Ai !*

RYU : Pardon.

CHIYOKO : Grâce aux relations de l'Oncle Androïde, on avait trouvé des chambres dans une des maisons d'hôtes près du lac Saiko, si bien qu'on n'avait pas besoin de partir aussitôt après la cérémonie, contrairement à la plupart des parents des victimes, même si beaucoup étaient descendus au Highland Resort ou dans un autre hôtel du mont Fuji.

CHIYOKO : On était dans une maison d'hôtes de style japonais classique, tenue par un très vieux couple qui ne quittait pas l'Oncle Androïde du regard. La bonne femme n'arrêtait pas de nous offrir du thé et de nous expliquer le chemin de l'*onsen*[1] le plus proche, comme si on était en vacances.

RYU : Mes voisines toutes crachées.

CHIYOKO : Ouais. Des vieilles commères. Quand on est arrivés, la brume matinale tombait et il faisait froid. La CM n'a pas arrêté de parler pendant tout le trajet, désignant l'endroit où on aurait vu le mont Fuji s'il avait été visible – le brouillard l'a caché toute la journée. L'Oncle Androïde nous a accueillis. Il était arrivé d'Osaka la veille au soir avec Hiro et la sœur d'un de ses laborantins, à qui il avait demandé de l'ai-

1. Terme japonais qui désigne à la fois les sources d'eau chaude et l'ensemble des établissements touristiques qui les entourent.

der à s'occuper du gamin. La CM s'était vexée qu'il retourne à Osaka quand son fils avait quitté l'hôpital, au lieu de venir vivre avec nous, mais elle a pris son air poli et respectueux.

CHIYOKO : L'Oncle Androïde était bien plus vieux que dans mon souvenir.

RYU : Tu crois qu'il fait vieillir son robot au même rythme que lui ?

CHIYOKO : Ryu ! Ça ne te ressemble pas d'être aussi noir !!!

RYU : Pardon. Et Hiro ?

CHIYOKO : Il dormait quand la CM, papa et moi sommes arrivés. Il était encore très tôt, rappelle-toi. L'assistante a fait des courbettes à mes parents, tout en minaudant devant l'Oncle Androïde. Visiblement, elle l'aurait bien vu dans le rôle de son futur époux. Quand la CM, papa et l'Oncle Androïde sont partis discuter en privé, elle s'est jetée sur son téléphone portable et elle s'est mise à texter comme une folle.

RYU : Je crois que je l'ai vue ! Grosse tête ! Face blafarde. Enrobée.

CHIYOKO : Comment tu sais que c'était pas moi, ça ?

RYU : C'était toi ? Si oui, je suis vraiment désolé, je voulais pas te vexer.

CHIYOKO : Bien sûr que non, c'était pas moi.

RYU : o(_ _)o Je suis con, pardon.

CHIYOKO : T'es vraiment crédule. Quand les parents et l'Oncle Androïde ont terminé leur conversation privée, ils sont revenus et on est tous restés là, mal à l'aise, à discuter sur un ton franchement crispé. « Il faut que j'aille réveiller Hiro, a dit l'Oncle. C'est l'heure. » « J'y vais, moi », a proposé l'assistante. Je vais l'appeler Face-blafarde. Elle s'est courbée comme une grosse conne et elle est sortie. Ça, c'était rigolo. On l'a entendue pousser un cri aigu et elle a redescendu l'escalier en courant et en criant : « Aie, Hiro m'a mordue ! »

RYU : Hiro l'a mordue ? Sérieux ????

CHIYOKO : Elle le méritait. La Créature Mère a estimé que Hiro faisait un cauchemar et qu'il s'était réveillé terrorisé. J'ai constaté qu'elle n'avait pas non plus très bonne opinion de Face-blafarde, si bien que, pour une fois, sa compagnie ne me déplaisait pas. L'Oncle Androïde est monté chercher Hiro, qui portait un petit costume noir et avait encore les yeux tout bouffis de sommeil. Après ça, l'Oncle lui a tout juste adressé la parole, il l'a à peine regardé.

RYU : Qu'est-ce que tu veux dire ?

CHIYOKO : Je pense qu'il avait du mal à le regarder parce que ça lui rappelait trop tante Hiromi. Hiro ne lui ressemble pas du tout, mais il a peut-être la même gestuelle. Je continue ?

RYU : Je t'en prie.

CHIYOKO : Le petit nous a regardés tour à tour. Quand il m'a vue, il est venu jusqu'à moi à pas traînants et il m'a pris la main. D'abord je n'ai pas su quoi faire. Il avait les doigts glacés. La CM paraissait surprise que Hiro m'ait choisie ; elle essayait de le faire venir à elle. Mais il n'a pas bougé. Il s'est laissé aller contre moi et je l'ai entendu soupirer.

RYU : Tu crois que tu lui rappelais sa mère ?

CHIYOKO : Peut-être. Ou peut-être qu'il s'est aperçu que les autres étaient des putain de nuls.

RYU : !!!!

CHIYOKO : Ensuite, on est allés en voiture jusqu'au site de la cérémonie, le sanctuaire. On était en avance mais il y avait déjà des milliers des gens, plus une meute de journalistes et de caméras de télévision. Soudain, le silence s'est fait quand la foule a vu Hiro, qui refusait toujours de lâcher ma main ; on n'a plus entendu que les flashs des appareils photo. Plusieurs personnes se sont inclinées avec respect, mais je ne sais pas si c'était devant Hiro ou devant l'Oncle Androïde. Être le centre de l'attention donnait une sensation bizarre, dont se rengorgeait Face-blafarde. Papa restait impassible, alors que la CM ne savait pas où regarder. La foule s'est écartée pour qu'on aille directement présenter nos respects à la photo de tante Hiromi, sans attendre notre tour. Il y avait encore de la brume, et l'air était chargé de fumées d'encens. Je t'ennuie ? Je te donne trop de détails ?

RYU : Non, je suis ému. Tu devrais écrire. Tu emploies des mots superbes.

CHIYOKO : Tu rigoles ????????

RYU : Non.

CHIYOKO : Ah ! Tu diras ça au jury des exams.

RYU : Continue, s'il te plaît.

CHIYOKO : À un moment, il y a eu des remous dans la foule et une petite femme s'est approchée de nous. Je ne l'ai pas reconnue tout de suite. Puis j'ai compris que c'était l'épouse du commandant Seto. Elle est vieille, au moins 40 ans, mais elle est beaucoup plus jolie en vrai.

RYU : Ça, c'est pas passé à la télé.

CHIYOKO : C'était courageux de sa part de venir,

surtout avec tous les connards qui disent encore le commandant Seto responsable de l'accident. Ça me fout vraiment en rogne, surtout depuis que les *isho* ont prouvé qu'il est resté calme et concentré jusqu'au bout. Et puis la vidéo filmée par un homme d'affaires avec son téléphone quand la cabine s'est emplie de fumée prouve bien qu'il y a eu un problème technique. Cette femme était très digne, très calme. Elle s'est inclinée devant Hiro mais elle n'a pas parlé. Maintenant, je regrette de ne pas lui avoir adressé la parole. J'aurais voulu lui dire qu'elle devait être fière de son mari. Et puis elle est partie. Je ne l'ai pas revue.

RYU : Ça devait être intense.

CHIYOKO : Ouais. T'as dû voir le reste à la télé.

RYU : Tu as parlé au Premier ministre ?

CHIYOKO : Non. Il a l'air nettement plus vieux et plus petit en vrai, cela dit. Et le code-barres de son crâne est vachement plus marqué : quand le vent soulevait ses mèches, on voyait son cuir chevelu.

RYU : |||||

CHIYOKO : Hé, t'as entendu le discours de l'Oncle Androïde, le moment où il a assuré qu'il tenait beaucoup à tante Hiromi et qu'il ferait de son mieux pour honorer son souvenir en élevant Hiro ?

RYU : Bien sûr.

CHIYOKO : Même moi, j'ai failli pleurer. Ce n'était pas seulement ce qu'il disait, c'était l'atmosphère. Je commence à parler comme une illuminée, hein ?

RYU : Non. L'atmosphère, je la sentais aussi dans ma piaule de merde.

CHIYOKO : Et, pendant tout ce temps, Hiro m'a tenu

la main. Je n'arrêtais pas de le regarder pour vérifier qu'il allait bien, la CM et Face-blafarde se bousculaient pour s'occuper de lui, mais il faisait comme si elles n'étaient pas là.

RYU : L'Américaine à bord de l'avion. C'est sa fille qui s'est exprimée, c'est ça ? Elle parle bien japonais.

CHIYOKO : Ouais. Ce message qu'a laissé sa mère... Qu'est-ce qu'elle voulait dire, à ton avis ? « Le garçon, le garçon... » Tu crois qu'elle a vu Hiro avant de mourir ?

RYU : Aucune idée. Je suis nul en anglais, donc je n'ai lu que la traduction. On n'arrête pas de discuter de ça sur 2-channel et Toko Z.

CHIYOKO : Pourquoi tu perds ton temps sur ces sites-là ? Sérieux ? Qu'est-ce qu'on raconte en ce moment ?

RYU : Le passage à propos des morts. On dit qu'elle a dû voir les esprits des morts.

CHIYOKO : Ouais, c'est ça. Comme si elle n'avait pas pu parler du truc le plus évident qui soit : les cadavres des passagers morts dans l'accident. Les gens sont cons.

RYU : Tu as vu sa photo ?

CHIYOKO : Laquelle ?

RYU : Celle du site américain celebautopsy.net. Prise en douce par un des journalistes avant qu'on leur interdise l'accès au site. C'était horrible.

CHIYOKO : Pourquoi tu l'as regardée ?

RYU : J'ai suivi un lien, je me suis perdu... Hé... Désolé de te demander ça. Mais est-ce que ta tante a laissé un message ?

CHIYOKO : Je ne sais pas. Mon oncle n'a rien dit. Si elle en a laissé un, la presse n'en a pas parlé.

RYU : Et, donc, après les bénédictions et les discours, qu'est-ce qui s'est passé ?

CHIYOKO : On est retournés à la maison d'hôtes. Face-blafarde a affirmé qu'Hiro devait faire la sieste et, cette fois, il l'a accompagnée sans faire d'histoires. De toute la journée, il n'a pas dit un mot à qui que ce soit. Selon la Créature Mère, c'est parce qu'il est encore traumatisé.

RYU : C'est normal.

CHIYOKO : Plus tard, Face-blafarde a essayé de causer avec moi mais je lui ai décoché mon plus beau regard de chat méchant et elle a reçu le message : elle a passé le reste de la soirée sur son téléphone. L'Oncle Androïde n'a quasiment pas ouvert la bouche, quoique la CM ait tenté de lui faire dire ce qu'il prévoyait pour le corps de tante Hiromi, quand on le récupérerait.

RYU : Je croyais qu'une incinération collective était prévue.

CHIYOKO : Ouais. Mais il y en aura deux, une ici et une à Osaka. Tante Hiromi est née à Tokyo mais elle habitait Osaka, donc il faudra choisir. La Créature Mère a quand même réussi à convaincre l'Oncle de rester quelques jours avec nous avant de repartir pour Osaka.

RYU : Sérieux ? Kenji Yanagida est chez toi ???? En ce moment ?

CHIYOKO : Ouais. Non seulement ça, mais Hiro dort dans mon lit, à un mètre de mon fauteuil.

RYU : Et Face-blafarde ?

CHIYOKO : La CM lui a signifié qu'on n'avait plus besoin d'elle et l'a réexpédiée à Osaka.

RYU : J'imagine qu'elle n'a pas aimé ça.

CHIYOKO : Non. Pour une fois, j'étais fière d'être la fille de la CM.

RYU : Encore une question difficile, et tu n'es pas obligée de répondre... Tu es allée sur le lieu de l'accident ? Il paraît que certaines familles ont demandé à le visiter le lendemain.

CHIYOKO : Non. Ils avaient prévu des cars, à la gare de Kawachiko, pour emmener tout le monde. Moi, je voulais y aller, mais la CM et papa ont préféré rentrer en ville. J'irai une autre fois. Oh ! J'ai oublié de te dire. Après la cérémonie, le type qui a trouvé Hiro est venu nous présenter ses respects.

RYU : Celui qui essaie d'empêcher les suicides ?

CHIYOKO : Ouais.

RYU : Il est comment ?

CHIYOKO : Ben, il ne fait pas beaucoup de bruit, mais ça a l'air d'être le genre de type à qui on peut faire confiance. Triste mais pas déprimé, si tu vois ce que je veux dire. Très vieille école, par ailleurs. Attends, la Créature Mère m'appelle. Il faut que j'y aille.

RYU : (ヾ(´･ω･｀)?ↄ

Message envoyé le 22/01/2012 à 10 : 30

CHIYOKO : Ryu, t'es là ?

RYU : Toujours. Quoi de neuf ?

CHIYOKO : L'Oncle Androïde vient de s'apercevoir que Face-blafarde a envoyé des e-mails au *Shukan*

Bunshun pour essayer de vendre son histoire. La Créature Mère est furieuse. L'Oncle écume. La CM lui a demandé s'il voulait nous confier Hiro pendant qu'il retournerait à Osaka, histoire de démêler cette histoire. Elle a proposé mes services pour s'occuper de lui.

RYU : Quoi ? TOI, t'occuper du gamin ?

CHIYOKO : Ouais. Quoi ? Tu crois que j'essaierais de le corrompre ?

RYU : Et tu vas le faire ? Pas le corrompre, t'occuper de lui ?

CHIYOKO : Tu sais comment c'est, ici. Qu'est-ce que je peux faire d'autre ? Je ne suis pas faite pour être une *freeter*[1].

RYU : Tu pourrais toujours rejoindre mon gang de yakuzas, poupée. On a besoin de bons éléments.

CHIYOKO : Cliché. Bon, il faut que j'y aille. La CM veut encore me parler.

RYU : Tiens-moi au courant alors.

CHIYOKO : Compte sur moi. Et merci d'être là.

RYU : Toujours ･*:..｡...｡..:*･'(*°▽°*)'･*:..｡..｡..:*･°°･*

1. Expression japonaise désignant les non-salariés, souvent (quoique pas toujours) chômeurs et à la charge de leurs parents.

Le docteur Pascal de la Croix, un professeur de robotique français enseignant pour l'heure au MIT, est l'une des rares personnes auxquelles le père de Hiro, l'éminent expert en robotique Kenji Yanagida, accepta de parler après l'accident où son épouse trouva la mort.

Je connais Kenji depuis des années. Nous nous sommes rencontrés à l'Exposition universelle de Tokyo en 2005, où il a dévoilé le Substibot #1 – son premier double androïde. J'ai été captivé sur-le-champ : quel talent ! C'était un modèle primitif, mais on ne le distinguait déjà qu'à peine de Kenji. La plupart des scientifiques de notre branche ont ignoré ces travaux, les jugeant narcissiques ou fantaisistes, et ils ont raillé Kenji parce qu'il se préoccupait plus de psychologie que de robotique. Ça n'a pas été mon cas. Certaines personnes ont, en revanche, considéré le Substibot #1 profondément troublant, parce qu'il plonge ses racines dans la vallée mystérieuse qui réside en chacun de nous. J'ai même entendu dire que créer des machines ressemblant à des humains est immoral. Quelle bêtise ! S'il nous est possible de pénétrer et de comprendre la nature humaine, c'est sûrement la plus glorieuse des vocations.

Mais poursuivons. Nous avons gardé le contact au fil des années et, en 2008, Kenji, son épouse Hiromi et leur fils sont venus passer quelques jours chez moi à Paris. Hiromi ne parlait pas bien anglais, la communication avec elle était donc limitée, mais ma femme a été charmée par Hiro.

— Les bébés japonais sont vraiment bien élevés ! m'a-t-elle dit.

Je crois que, si elle avait pu adopter cet enfant sans autre forme de procès, elle l'aurait fait !

Je me trouvais à Tokyo quand j'ai appris l'accident d'avion et le décès de l'épouse de Kenji. J'ai aussitôt compris que je devais aller le voir, qu'il avait plus que jamais besoin de ses amis. L'année précédente, mon père, dont j'étais très proche, était mort d'un cancer, et Kenji m'avait présenté des condoléances très attentionnées. Ce jour-là, toutefois, il n'a pas répondu au téléphone, et ses assistants de l'université d'Osaka ont refusé de me dire où il se trouvait. Durant les jours suivants, sa photo a été publiée partout. Il n'a pas connu la même folie médiatique que les familles du petit Américain et de cette pauvre enfant en Angleterre – les Japonais ne sont pas si indiscrets –, mais on leur accordait néanmoins beaucoup d'attention, à Hiro et à lui. Et les histoires les plus folles circulaient ! Tout Tokyo semblait fasciné par le jeune rescapé. Des employés de l'hôtel m'ont rapporté que, selon une rumeur, il abritait en lui les esprits toutes les victimes de l'accident. Quelles bêtises !

J'ai envisagé de me rendre à la cérémonie du souvenir, mais j'ai craint que ce ne soit déplacé. Puis j'ai appris que Kenji était revenu à Osaka, aussi ai-je décidé de faire une dernière tentative pour le voir. Au lieu de rentrer chez moi, j'ai réservé une place sur le premier vol pour Osaka. À ce moment-là, le trafic aérien était redevenu pratiquement normal.

Je n'ai pas honte de dire que je me suis servi de ma réputation pour forcer la porte de son laboratoire à l'université. Ses assistants, que j'avais en grande partie déjà rencontrés, se sont montrés respectueux mais m'ont affirmé qu'il était occupé.

Et puis j'ai vu son androïde. Le Substibot #3. Assis dans un coin de la pièce, il semblait s'entretenir avec une jeune assistante. J'ai compris aussitôt que c'était Kenji qui faisait parler la machine : je l'avais souvent vu à l'œuvre. D'ailleurs, quand on lui demandait de donner une conférence ici ou là et qu'il ne pouvait quitter l'université, il envoyait le robot et s'exprimait à distance par son intermédiaire !

Vous voulez que j'explique un peu comment fonctionne cette mécanique ? D'accord. Pour employer les termes les plus simples possible, elle est télécommandée grâce à un ordinateur. Kenji filme à l'aide d'une caméra ses mouvements de tête et ses expressions, qui sont transmis aux servos – des micromoteurs – enchâssés dans la plaque faciale de l'androïde. Voilà comment on reproduit les mouvements du visage – jusqu'au clignement de paupières. Un micro capte sinon la voix de l'opérateur, qui est retransmise jusqu'à la moindre intonation par le haut-parleur situé dans la bouche de l'androïde. Il y a aussi un mécanisme inséré dans le torse qui simule la respiration, un peu comme ce qu'utilisent les fabricants de poupées gonflables haut de gamme. Discuter avec ce robot peut se révéler tout à fait déconcertant. À première vue, il ressemble vraiment à Kenji – qui en modifie même les cheveux chaque fois que lui va chez le coiffeur !

J'ai insisté pour lui parler et j'ai déclaré sans hésiter :

— Kenji, je suis vraiment consterné pour Hiromi. Je sais ce que vous traversez. Si je puis faire quoi que ce soit, faites-le-moi savoir, s'il vous plaît.

Il y a eu un temps de silence, puis l'androïde a donné des instructions à l'assistante en japonais.

— Venez ! m'a dit la jeune femme en me faisant signe de la suivre.

Elle m'a guidé le long d'un nombre incroyable de couloirs, jusqu'à un sous-sol. Comme elle refusait poliment de répondre à mes questions concernant le moral de son employeur, je n'ai pu qu'admirer sa loyauté envers lui.

Elle a frappé à une porte dépourvue d'inscription. Kenji en personne est venu nous ouvrir.

J'ai éprouvé un choc en le voyant. Avoir tout juste parlé à son double rendait encore plus évident le terrible coup de vieux qu'il avait pris. Échevelé, des cernes noirs sous les yeux, il s'est adressé à son assistante sur un ton sec – ce qui ne lui ressemblait pas : je ne l'avais encore jamais vu se montrer discourtois – et elle s'est hâtée de disparaître, nous laissant seuls.

Je lui ai présenté mes condoléances, mais il a tout juste paru les entendre. Il avait le visage figé et seuls ses yeux donnaient signe de vie. Il m'a remercié d'avoir fait tout ce chemin pour le voir mais m'a assuré que ce n'était pas nécessaire.

Quand je lui ai demandé pourquoi il travaillait au sous-sol, non au labo, il m'a répondu en avoir assez de côtoyer des gens : la presse n'avait pas cessé de le harceler depuis la cérémonie du souvenir. Ensuite, il m'a proposé d'observer sa dernière création et il m'a fait entrer.

— Oh, ai-je dit. Je vois que votre fils vous rend visite.

Avant même d'achever ma phrase, j'ai pris conscience de mon erreur. L'enfant assis sur la petite chaise, près d'un ordinateur, n'était pas humain. C'était une autre réplique. Une version substibot de son fils.

— Est-ce là votre dernier projet ? ai-je demandé en tentant de dissimuler le choc que cette vue m'inspirait.

Pour la première fois, il a souri.

— Non, celui-là, je l'ai construit l'année dernière.

Puis il a désigné l'angle le plus éloigné de la pièce où était assis un substibot en kimono blanc. Un substibot féminin.

Je m'en suis approché. Un léger sourire aux lèvres, la réplique était magnifique, parfaite. Sa poitrine se soulevait et retombait comme si elle avait inspiré et expiré profondément.

— Est-ce que c'est… ?

Je n'ai pas pu continuer.

— Oui, a dit Kenji. C'est Hiromi, ma femme. (Sans la quitter des yeux, il a ajouté :) C'est presque comme si son âme était encore là.

J'ai essayé d'apprendre pourquoi il avait éprouvé le besoin de construire une réplique de son épouse défunte, quoique la réponse soit évidente, n'est-ce pas ? Il a esquivé mes questions mais m'a appris que Hiro vivait à Tokyo, avec des parents.

Kenji, ai-je pensé, *vous avez un fils en vie. Qui a besoin de vous. Ne l'oubliez pas, mon ami.* Cependant je ne l'ai pas dit.

D'une part cela ne me regardait pas, d'autre part je savais son chagrin trop profond pour qu'il écoute la voix de la raison.

J'ai donc fait la seule chose que je pouvais faire : je suis parti.

Dehors, même la beauté de la ville n'a pu me calmer. Je me sentais déstabilisé, comme si l'axe du monde s'était déplacé.

Alors que je me retournais vers le bâtiment universitaire, il a commencé à neiger.

Mandi Solomon fut le nègre/coauteur de Paul Craddock pour ses mémoires : *Le Tuteur de Jess : Ma vie avec l'un des Trois.*

Mon objectif principal, lors de ma première rencontre avec le sujet, est de gagner sa confiance. Les mémoires de célébrités ont souvent des délais de remise assez courts, j'ai donc l'habitude de travailler vite. La plupart de mes clients n'ont cessé, durant leur carrière, de voir imprimer des articles à sensation ou des conneries pures et simples sur leur compte (avec parfois la collaboration de leur attaché de presse), aussi dissimulent-ils en lieu sûr leur vraie personnalité. Mais les lecteurs ne sont pas idiots : ils sentent un faux à des kilomètres. Je dois donc absolument inclure quelques nouveautés, compléter les communiqués officiels par des révélations et des nouvelles chocs. Je n'ai pas eu ce problème-là avec Paul, bien sûr. Il est monté en première ligne dès le début. Mes éditeurs et son agent ont conclu un accord en quatrième vitesse. Ils voulaient connaître l'histoire de Jess à travers les yeux de quelqu'un qui vivait avec elle. Selon eux, la fillette allait susciter un intérêt colossal du public, et ils ne se trompaient pas. L'affaire devenait plus importante à chaque jour qui passait.

Notre première rencontre a eu lieu début février dans un café de Chiselhurst[1], dites donc. Jess était encore à l'hôpital et Paul s'employait à emménager chez elle, tout en préparant la maison pour son retour. Ma première impression ? Il était charmant, plein d'esprit, bien sûr un peu extraverti mais c'est – ou c'était – un acteur. La mort de son frère l'avait visiblement beaucoup touché et, quand j'ai abordé le sujet, il a même versé quelques larmes, mais n'a pas paru du tout gêné de me dévoiler son émotion. Et il s'est montré d'une remarquable franchise en ce qui concerne ses antécédents : dans sa jeunesse, il a trop bu, expérimenté plusieurs drogues et couché à droite et à gauche. Il n'est pas entré dans les détails de son séjour à l'hôpital psychiatrique Maudsley, mais ne l'a pas nié non plus. Sa dépression, m'a-t-il dit, était due au stress engendré par un revers professionnel. Je n'ai pas songé une seconde qu'il serait incapable de s'occuper d'un enfant. Si on m'avait demandé, après cette première rencontre, ce que je pensais de lui, j'aurais dit que c'était un brave type, peut-être un peu égocentrique, mais bien moins que certaines personnes auxquelles j'ai eu affaire.

Après avoir gagné leur confiance, je remets à mes clients un dictaphone – un enregistreur de voix digital, en fait – et je les encourage à s'en servir le plus possible, sans trop réfléchir à ce qu'ils disent. Je leur assure toujours que je n'inclurai dans le livre aucune information qui puisse les embarrasser. Beaucoup insistent pour que ce soit inscrit dans le contrat, et ça ne me dérange pas. Il y a toujours moyen de contourner ce genre de clause mais, de toute façon, la plupart aiment bien enjoliver l'histoire de leur vie. Vous seriez

1. Banlieue chic au sud-est de Londres.

surprise de constater à quelle vitesse ils s'habituent au dictaphone, certains s'en servent même de thérapeute personnel. Vous avez lu *Le Combat pour la gloire,* la biographie de Lennie L, le spécialiste des combats en cage ? C'est sorti l'année dernière. Bon sang, les trucs qu'il disait ! Je n'ai pu en utiliser que la moitié. Souvent, il laissait le dictaphone allumé pendant qu'il couchait avec une femme, et j'ai fini par en conclure que c'était délibéré.

Paul s'est retrouvé comme un poisson dans l'eau avec le dictaphone. Au début, tout a paru bien se passer. J'ai rédigé le premier jet des trois premiers chapitres, et je lui ai envoyé un e-mail détaillant ce dont, à mon avis, nous aurions encore besoin. Les fichiers audio me parvenaient jusque-là avec la régularité d'un métronome, mais, environ une semaine après l'arrivée de Jess, j'ai cessé d'en recevoir. J'ai songé que Paul avait bien assez à faire avec Jess, sans compter la presse et les maniaques qui ne voulaient pas leur ficher la paix, donc je l'ai couvert pendant un mois. Il promettait sans arrêt de m'envoyer autre chose. Et puis, d'un seul coup, il a décrété que le livre était annulé. Mes éditeurs ont été furieux, ils ont menacé de faire un procès. Ils avaient déjà versé l'avance, vous comprenez.

C'est Mel qui a trouvé la clé USB laissée par Paul à mon intention dans une enveloppe, sur la table de la salle à manger, avec mon nom et mon numéro de téléphone. Je l'ai remise à la police, bien sûr, mais pas avant de l'avoir copiée. J'ai dans l'idée de la transcrire, peut-être de la publier plus tard, mais j'ai été incapable de la réécouter depuis.

Ça m'a foutu la trouille, Elspeth. Ça m'a vraiment foutu une trouille de tous les diables.

Ce qui suit est une transcription d'un enregistrement de la voix de Paul Craddock, daté du 12/02/2012 @ 22 : 15.

Et nous y revoilà, Mandi. Oh, nom d'un chien, chaque fois que je prononce votre prénom, j'ai la chanson de Barry Manilow qui me vient en tête. Est-ce qu'il a vraiment écrit ça pour une chienne ? Pardon, je ne veux pas avoir l'air trop futile, mais vous m'avez dit de me laisser aller et de dire tout ce qui me passait par la tête, et puis ça m'empêche de penser à... à Stephen. À l'accident. À tout ça, nom de Dieu.

(Un sanglot.)

Pardon, pardon, ça va. Ça m'arrive quelquefois, je crois que ça va mieux et puis... Bon. Sixième jour depuis l'arrivée de Jess à la maison. C'est toujours comme si l'ardoise était effacée – ses souvenirs d'avant le Jeudi Noir restent fragmentaires et elle n'en a aucun de l'accident. Elle accomplit toujours son rituel matinal, comme si elle était déconnectée du monde réel et avait besoin de se rappeler qui elle est : « Je suis Jessica, tu es mon tonton Paul, et papa, maman et ma sœur sont avec les anges. » Je me sens un peu coupable de cette histoire d'anges. Stephen et Shelly étaient athées, mais essayez donc d'expliquer le concept de la mort à un enfant de 6 ans sans faire intervenir le ciel, vous. Je n'arrête pas de repenser à ce qu'a dit le docteur Kasabian (l'autre jour, ma langue a fourché et je l'ai appelé Kevorkian[1], merde – ne mettez pas ça dans le bouquin), il a dit qu'il faudrait à Jess du temps pour s'adapter, que des changements de comportement seraient normaux. Comme vous le savez, elle ne présente aucune lésion cérébrale, mais j'ai fait des recherches sur Internet et le TSPT peut produire des résultats étranges. Côté positif, elle est bien plus communicative – plus qu'avant l'accident, aussi bizarre que ça puisse paraître.

Il s'est passé quelque chose de marrant ce soir, pendant que je la mettais au lit, mais je ne suis pas sûr qu'on puisse s'en servir pour le livre. Vous vous rappelez, je vous ai dit qu'on lisait *Le Lion, la sorcière blanche et l'armoire magique* ? C'est Jess qui a choisi ça. Eh bien, d'un coup, elle me sort :

— Tonton Paul, est-ce que M. Tumnus aime bien embrasser les messieurs, comme toi ?

Ça m'a laissé pantois. Stephen et Shelly jugeaient les filles encore trop jeunes pour qu'on leur parle des choux et des fleurs, sans parler d'explications plus complexes, donc, autant que je sache, ils n'avaient jamais discuté de mon homosexualité avec elles. En outre, je ne la laisse pas lire les journaux ni naviguer sur Internet, pas avec toutes les conneries qui se disent aux États-Unis sur elle et les deux autres gamins. Sans parler de la bile que cette salope de Marilyn et la famille Addams continuent de déverser sur moi dans les journaux à sensation. J'ai eu envie de lui demander qui lui avait dit que j'aimais bien « embrasser les

1. Le docteur Jack Kevorkian, surnommé « docteur Mort », est un militant du droit à l'euthanasie.

messieurs », mais j'ai décidé de ne pas en faire une affaire. Il était possible qu'un pisse-copie quelconque soit arrivé jusqu'à elle et que l'hôpital me l'ait caché.

Sauf qu'elle n'a pas voulu lâcher le morceau.

— Hein, tonton Paul, est-ce qu'il aime ça ?

Vous avez lu le bouquin, Mandi, hein ? Monsieur Tumnus est le premier des animaux parlants que rencontre Lucy quand elle entre dans Narnia par l'armoire – un petit homme avec un bouc et des pattes de cerf, une espèce de faune. (En fait, il ressemble énormément au psychologue venu me voir lorsque j'ai appris que Jess avait survécu.) Et, pour être franc, sur l'illustration, M. Tumnus a l'air pédé comme un phoque, avec son petit foulard autour du cou. On l'imagine bien venant de batifoler avec des centaures dans la forêt. Seigneur ! N'écrivez pas ça non plus. Je crois que j'ai dit quelque chose comme « Si c'est le cas, ça le regarde, non ? » et que j'ai continué à lire.

On a encore lu un bon moment. J'étais un peu nerveux quand on est arrivés au passage où Aslan, le lion qui parle, se donne à la méchante reine pour être tué. Stephen m'avait dit que, lorsqu'il avait lu ça aux filles l'année dernière, elles avaient pleuré, pleuré. Polly en avait même fait des cauchemars.

Mais cette fois-ci, les yeux de Jess sont restés secs.

— Pourquoi il fait ça, Aslan ? C'est bête, non, tonton Paul ?

J'ai décidé de ne pas expliquer que la mort d'Aslan était une allégorie chrétienne, Jésus mourant pour nos péchés et toutes ces conneries, donc j'ai répondu un truc du genre :

— Ma foi, Edmund a trahi les autres, et la méchante reine dit qu'elle va le tuer. Aslan propose de prendre sa place parce qu'il est bon et gentil.

— Ça reste bête, mais ça me fait plaisir. J'aime bien Edmund.

Edmund, rappelez-vous, Mandi, c'est le petit bâtard égoïste, gâté et menteur.

— Pourquoi ?

— Parce que c'est le seul des enfants qui ne soit pas une putain de mauviette.

Alors là, je ne savais pas si je devais la réprimander ou éclater de rire. Vous vous rappelez, je vous ai dit qu'elle avait appris un tas de gros mots à l'hôpital. Des brancardiers et des femmes de ménage, sûrement, parce que je n'imagine pas le docteur K ou les infirmières jurer comme des charretiers à côté d'elle.

— Tu ne devrais pas dire des choses comme ça, Jess.

— Comme quoi ? (Et puis elle a enchaîné :) Ça marche pas comme ça. Une putain d'armoire. Comme *si,* tonton Paul.

Cette idée a paru l'amuser et elle s'est endormie peu après.

Je devrais sans doute m'estimer heureux qu'elle parle et communique. Elle ne paraît pas bouleversée quand j'évoque Stephen, Shelly et Polly, mais nous n'en sommes qu'au début. Le docteur K dit que je dois me préparer à une dépression mais, jusqu'ici, ça va. Nous sommes encore très loin d'envisager de la renvoyer à l'école – on n'a vraiment pas besoin que les autres gamins lui répètent ce qu'on raconte sur elle – mais nous travaillons petit à petit à lui rendre une vie normale.

Quoi d'autre ? Ah, oui, demain, Darren, des services sociaux, vient vérifier que « je m'en sors ». Je vous ai parlé de lui ? Il est sympa, un peu le genre barbe, sandales et muesli au petit déjeuner, mais il est de mon côté, ça se voit. Il faudra peut-être que j'engage une jeune fille au pair, ou quelque chose comme ça, quoique cette vieille fouineuse de Mme Ellington-Burn (quel nom !), la voisine, n'arrête pas de me tanner pour que je la laisse s'occuper de Jess. Mel et Geoff disent aussi qu'ils seraient ravis de faire du baby-sitting. Quel couple de braves petits soldats ! Je pense que vous pourriez écrire quelque chose comme : « Je m'appuyais toujours sur Mel et Geoff pendant que je me débattais dans mon nouveau rôle de père célibataire. » Trop couillon ? On travaillera ça. Vous avez fait du très bon boulot avec les premiers chapitres, donc je suis sûr que tout ira très bien.

Attendez une seconde que je me serve un thé. Merde ! Putain, je l'ai renversé. Aïe ! C'est chaud. Bon…

Dieu merci, aucun cinglé n'a téléphoné aujourd'hui. Ceux qui prennent Jess pour une extraterrestre ont arrêté de nous harceler quand j'ai demandé à la police de leur faire peur, donc il ne reste plus que les disciples de Dieu et la presse. Gerry peut s'occuper des gens du cinéma. Il pense toujours qu'on devrait mettre aux enchères l'histoire de Jess. Ça me paraît un peu cupide, surtout vu que les assurances ont payé, mais elle me remerciera peut-être quand elle sera plus grande si j'assure son indépendance financière. Difficile de prendre une décision. Je n'imagine pas ce que vit le gamin américain, avec les délires qu'il suscite. J'ai vraiment une pensée émue pour sa grand-mère, bien qu'elle habite New York et non un des États de la *Bible Belt*. Tout ça finira bien par se calmer. Je vous ai dit qu'un autre *talk-show* américain veut inviter les Trois ensemble, hein ? Un des plus importants cette fois-ci. Ils veulent nous faire venir à New York, Jess et moi, mais elle n'est absolument pas prête pour ça. Ils ont aussi suggéré une interview par Skype, mais c'est tombé à l'eau quand le père du petit Japonais et la grand-mère de Bobby ont répondu qu'il en était hors de question. On a tout le temps de penser à ces trucs-là. Certains jours, je débrancherais volontiers cette saleté de téléphone, mais j'en ai besoin pour les appels importants comme ceux des services sociaux. Oh ! Je vous ai dit que j'étais invité à *Débat matinal avec Randy et Margaret* la semaine prochaine ? Regardez l'émission et donnez-moi votre avis. J'ai accepté parce que la personne qui m'a invité s'est montrée très insistante. Et puis Gerry dit que c'est une chance de remettre les pendules à l'heure après toutes les merdes parues sur moi dans *Le Courrier du dimanche.*

(Une sonnerie de téléphone – le thème du* Docteur Jivago.*)

Bougez pas.

Encore cette salope de Marilyn. À une heure pareille ! Pas question que je réponde. Je bénis la présentation des numéros ! Les Addams continuent de me harceler pour que j'emmène Jess les voir. Je ne peux pas les envoyer balader éternellement, ils finiraient par retourner déblatérer sur moi devant leur plumitif du *Sun*, mais j'attends toujours des excuses pour l'article du magazine *Chat* qui me présentait comme un cinglé. J'espère que vous ne prenez pas ces conneries au sérieux, Mandi. Vous croyez qu'on devrait en parler davantage dans le livre ? Gerry dit qu'il vaut mieux minimiser l'affaire. Il n'y a pas grand-chose à dire, pour être franc. J'ai un peu perdu les pédales il y a dix ans, rien de grave. Et je n'ai pas été tenté de reboire de l'alcool depuis le jour de l'accident.

(Bâillement.) Ça va aller pour aujourd'hui. Bonne nuit à vous. Je vais au lit.

03 h 30

D'accord. D'accord. C'est bon. Respire.

Il vient de se passer un truc complètement fou, Mandi… Je…

Respire à fond, Paul. C'est juste dans ta tête. C'est juste dans ta putain de tête.

Parles-en. Ouais. Merde. Pourquoi pas ? Je pourrai toujours effacer ça, non ? Psychologie narrative, le docteur K serait fier de moi.

(Rire saccadé.)

Bon Dieu, je suis trempé de sueur. Je dégouline. C'est en train de se dissiper, mais voilà ce dont je me rappelle.

Je me suis réveillé en sursaut et j'ai senti quelqu'un assis au pied du lit – le matelas était un peu affaissé, comme sous un poids. Une grande vague d'angoisse a déferlé sur moi et je me suis redressé. Je crois que j'ai su instinctivement que la personne assise là était trop lourde pour être Jess.

J'ai dû dire quelque chose comme « Qui est là ? ».

Quand mes yeux se sont habitués à l'obscurité, j'ai distingué une silhouette sombre sur le lit.

Je me suis figé. Je n'avais encore jamais eu aussi peur. C'est… Merde, réfléchis, Paul. Bon Dieu. On aurait dit… qu'on venait de m'injecter du ciment dans les veines. J'ai regardé la silhouette pendant une éternité. Elle restait assise là, les épaules basses, immobile, à regarder ses mains.

Puis elle a dit :

— Qu'as-tu fait, Paul ? Comment as-tu pu laisser entrer ça ici ?

C'était Stephen. J'ai aussitôt reconnu sa voix, mais son corps paraissait changé. Déformé. Plus voûté, la tête un peu trop grosse. C'était tellement réel, Mandi.

L'espace d'un instant, malgré ma panique, j'ai été convaincu qu'il était bien là, et j'ai éprouvé une bouffée de joie, de soulagement. Il me semble que j'ai crié « Stephen ! », que j'ai tendu la main pour le toucher, mais il avait disparu.

05 h 45

Nom d'un chien. Je viens de réécouter tout ça. C'est bizarre, n'est ce pas, la manière dont les rêves paraissent réels sur le moment mais s'effacent très vite ? C'est sans doute mon subconscient qui me parle. J'aimerais bien qu'il se dépêche de m'éclairer. Je n'arrive pas à me décider : dois-je ou non vous envoyer cet enregistrement ? Je ne veux pas passer pour un dingue, pas avec toutes les histoires qui courent déjà sur moi.

Et qu'est-ce qu'il voulait dire par : « Comment as-tu pu laisser entrer ça ici ? »

Quatrième partie

Le Complot : Février – Mars

Voici le deuxième récit de Reba Louise Neilson, la « meilleure amie » de Pamela May Donald.

Stephenie dit qu'elle a failli avoir une attaque en entendant l'émission du pasteur Len sur le message de Pamela. Après la séance d'étude de la Bible, il discutait toujours avec son cercle intérieur des sujets qu'il allait aborder à la radio, mais, cette fois-là, il a sorti ça sans préambule. J'ai eu peine à m'endormir après l'avoir entendu. Je n'arrivais pas à comprendre pourquoi il n'avait pas d'abord partagé une révélation aussi importante avec son Église. Plus tard, il expliquerait que la vérité l'avait frappé au cours de la journée et qu'il s'était senti obligé de la répandre au plus vite. Stephenie et moi admettions que ces enfants n'auraient pu survivre à un accident pareil sans la main de Dieu pour les guider. Quant aux couleurs des avions correspondant à la vision de Jean dans l'Apocalypse, d'accord, ça ne peut pas être une coïncidence. Mais que Len se mette à dire que Pam était une prophète, comme Paul et Jean, ma foi, je trouvais ça dur à avaler et je n'étais pas la seule.

Je sais que le Seigneur a un dessein pour nous tous et que nous ne sommes pas toujours en mesure de le comprendre, mais Pamela May Donald, une prophète ? Cette bonne vieille Pam qui faisait une maladie si elle laissait brûler les brownies pour la collecte de Noël ? J'ai néanmoins gardé mes doutes pour moi. C'est seulement quand Stephenie a abordé le sujet, alors qu'elle me rendait visite, que j'ai exprimé mon point de vue. Nous avions toutes les deux le plus grand respect pour le pasteur, à l'époque, vraiment, aussi avons-nous décidé de ne souffler mot de ce que nous pensions ni à Kendra ni à lui.

De toute façon, nous ne l'avons pas beaucoup vu durant les jours qui ont suivi l'émission. Je ne sais pas quand il trouvait le temps de dormir ! Il n'est même pas venu à la séance d'étude de la Bible, ce mercredi-là. En fait, il m'a téléphoné pour me demander de la présider, car il allait à San Antonio, rencontrer un créateur de sites Internet : il voulait lancer son propre forum pour propager ce qu'il appelait « la vérité sur Pam », et il rentrerait tard.

— Vous êtes sûr que vous devriez utiliser Internet, Len ? lui ai-je demandé. Est-ce que ce n'est pas l'œuvre du diable ?

— Nous devons sauver le plus d'âmes possible, Reba, m'a-t-il dit. Nous devons faire passer ce message par tous les moyens. (Puis il a cité l'Apocalypse.) Voici, il vient avec les nuées, et tout œil le verra.

Comment aurais-je pu contester cela ?

Ma fille, Dayna, m'a montré le site Internet une fois qu'il a été créé, quelques jours plus tard. « pamelaprophet.com », ça s'appelait ! Il y avait sur la page d'accueil une grande photo de Pam, qui datait d'un bon moment car notre amie faisait dix ans et quinze bons kilos de moins. Stephenie m'a confié que le pasteur écrivait même sur ce truc qui s'appelle Twitter, et qu'il recevait déjà des e-mails et des messages du monde entier.

Environ une semaine après la création du site, sont arrivés les premiers de ce que Stephenie et moi appelions en privé les « loustics ». D'abord, ils sont venus des comtés voisins mais, quand le message du pasteur Len a commencé à se propager comme un virus (d'après Dayna, c'est comme ça qu'on dit), il en est même arrivé de Lubbock. La congrégation a pratiquement doublé d'un jour à l'autre. Voir tant d'êtres appelés par le Seigneur aurait dû me réchauffer le cœur ! Mais j'admets que j'entretenais toujours des doutes, surtout quand Len a fait fabriquer une banderole pour la façade de l'église, « Comté de Sannah, Pays de Pamela May Donald » et s'est mis à appeler ses fidèles les Pamélistes.

Une bonne partie des loustics voulaient visiter la maison de Pamela, si bien qu'il a suggéré à Jim de faire payer un droit d'entrée : l'argent servirait à « propager le message aux quatre coins du monde ». Personne d'autre ne considérait cela comme une bonne idée, et j'ai estimé devoir prendre Len à part pour lui confier mes inquiétudes. Jim avait beau accueillir Jésus dans son cœur, il buvait plus que jamais. Le shérif Beaumont avait été obligé de le verbaliser une ou deux fois pour conduite en état d'ivresse, et, chaque fois que j'allais chez lui pour lui préparer à manger, il puait comme s'il avait pris un bain de whisky. Jamais il ne supporterait que des inconnus le dérangent jour et nuit. J'ai été terriblement soulagée quand le pasteur s'est déclaré d'accord avec moi.

— Vous avez raison, Reba, m'a-t-il dit. Je remercie Jésus tous les jours d'avoir un bras droit tel que vous.

Puis il a dit que nous devions surveiller Jim de plus près car « il luttait contre ses démons ». Stephenie, le reste du cercle intérieur et moi avons mis en place un roulement pour nous assurer que Jim se nourrissait et que la maison ne tombait pas en ruine. Len désirait faire rapatrier les cendres de Pam aux États-Unis dès la fin de l'enquête, afin que nous puissions lui rendre hommage en célébrant une cérémonie convenable, et il m'a demandé de me renseigner pour savoir quand Joanie les enverrait. Jim n'a même pas voulu en discuter. Je n'ai aucune certitude – ce n'était pas le genre à s'épancher, même quand il n'était pas sous l'influence de l'alcool –, mais je crois qu'il n'avait même pas parlé à sa fille. On voyait clairement qu'il abandonnait la partie. Beaucoup de gens lui apportaient des plats cuisinés et du lait frais mais, bien souvent, il les laissait pourrir. Il ne se donnait même pas la peine de les mettre au frais.

Ç'a vraiment été deux semaines trépidantes, Elspeth !

Après la création de son site, le pasteur nous appelait presque tous les jours, Stephenie et moi, pour nous dire que les signes qu'il avait prédits étaient en train de se manifester dans toute leur puissance.

— Vous avez vu les infos, Reba ? Il y a une épidémie de fièvre aphteuse en Angleterre. C'est le signe que les incrédules et les mécréants sont frappés par la famine.

Ensuite, il y a eu le virus sur les paquebots – celui qui s'est répandu en Floride et en Californie –, ce qui prouvait que la pestilence dressait sa vilaine tête. Quant à la guerre, bien sûr, il y en a toujours énormément, avec les islamofascistes que devaient combattre nos braves marines, et ces malades de Nord-Coréens.

— Et ce n'est pas tout, Reba, m'a dit Len. J'ai réfléchi… à propos des familles dans lesquelles vivent les trois enfants. Pourquoi le Seigneur choisit-il de placer ses messagers dans de telles maisonnées ?

Je devais admettre qu'il n'avait pas tout à fait tort.

Non seulement Bobby Small vivait dans une famille juive (même si je sais que les juifs ont leur place dans le dessein divin) mais Stephenie m'a dit avoir lu dans l'*Inquirer* qu'il s'agissait d'un de ces bébés-éprouvette.

— Pas né d'un homme, a-t-elle assuré. Pas naturel.

Et puis il y avait les articles qui disaient que la petite Anglaise était élevée par un homosexuel londonien, et que le père du petit Japonais fabriquait des abominations, des androïdes. Dayna m'a montré une vidéo avec un robot comme ça sur ce truc, là, YouTube. J'ai été choquée au plus profond de mon être ! On aurait juré une vraie personne, et le seigneur a interdit de fabriquer de fausses idoles ! Il y avait aussi toutes ces discussions païennes à propos d'esprits maléfiques vivant dans la forêt où s'est écrasé l'avion de Pam. J'étais vraiment désolée qu'elle soit morte dans un lieu aussi horrible. Mais ils ont des croyances bizarres, en Asie, non ? Comme les hindous et tous leurs faux dieux qui ont l'air d'animaux avec trop de bras. De quoi donner des cauchemars. Le pasteur a mis tout ça sur son site, bien sûr.

Je ne me rappelle pas exactement combien de temps il s'est écoulé après la diffusion du message de Len quand Stephenie et moi sommes allées rendre visite à Kendra au ranch. Elle avait recueilli Snookie et, selon Stephenie, notre devoir de chrétiennes nous commandait d'aller voir comment elle se portait. Connaissant ses problèmes nerveux, nous avions beaucoup parlé de son état qui empirait, dernièrement, avec l'arrivée de tous ces loustics. Stephenie apportait une tarte mais, pour être franche, Kendra n'a pas paru enchantée de nous voir. Elle venait de baigner la chienne, donc elle ne sentait pas trop fort, et elle lui avait même noué un ruban rouge autour du cou, on aurait dit l'animal de compagnie d'une célébrité. Tout le temps où nous sommes restées, elle nous a à peine regardées, se contentant de s'occuper de la chienne comme d'un bébé, et elle ne nous a même pas offert un Coca.

Nous étions sur le point de repartir quand le pasteur Len est arrivé dans un vrombissement de pick-up. Il est entré à grands pas, et je n'ai jamais vu personne aussi content de soi que lui ce jour-là.

— Ça y est, Kendra, j'ai réussi ! a-t-il lancé après nous avoir saluées.

Son épouse a tout juste paru le remarquer. C'est donc Stephenie et moi qui lui avons demandé ce qu'il voulait dire.

— Je viens d'avoir un coup de téléphone du docteur Lund ! Il m'invite à prendre la parole pendant sa convention, à Houston !

Stephenie et moi n'en croyions pas nos oreilles ! Nous regardions toutes les deux l'émission du docteur Theodore Lund tous les dimanches, bien sûr. Pam avait été très jalouse de moi quand Lorne m'avait offert pour mon anniversaire un exemplaire dédicacé du livre de cuisine, *Mes recettes familiales,* de Sherry Lund.

— Tu sais ce que ça signifie, hein, chérie ? a demandé Len à Kendra.

Sa femme a cessé de s'occuper de la chienne pour répondre :

— Non, quoi ?

— Je vais te le dire, a déclaré le pasteur en souriant d'une oreille à l'autre. Je vais enfin jouer dans la cour des grands.

L'article suivant, écrit par le journaliste et réalisateur de documentaires anglais Malcolm Adelstein, parut dans le magazine *Switch Online*, le 21 février 2012.

Dans le hall gigantesque du palais des congrès de Houston, où se déroule la Convention annuelle des Prophéties bibliques apocalyptiques, une bible à la main – avec un pêcheur à la ligne sur la couverture –, j'attends qu'un individu répondant au nom improbable de Flexible Sandy achève de faire la pub de son dernier roman. Malgré un droit d'inscription de cinq mille dollars, la conférence attire des milliers de visiteurs des quatre coins du Texas, voire de plus loin : le parking regorge de Winnebagos et de 4×4 immatriculés au Tennessee ou au Kentucky. Il semble par ailleurs que je sois le plus jeune de tous les participants – d'au moins vingt ans. Un océan de cheveux gris ondule autour de moi. Je ne crains pas de dire que, dans pareil milieu, je me sens très mal à l'aise.

Felix « Flexible » Sandy n'a pas toujours été écrivain. Avant sa conversion au christianisme évangélique à l'orée des années 1970, il avait connu une brillante carrière de contorsionniste, de trapéziste et d'impresario de cirque – une sorte de P.T. Barnum sudiste et apocalyptique, en somme. Lorsque la biographie de Flexible, *Sur la corde raide jusqu'à Jésus,* est devenue un best-seller dans les années 1980, la légende veut que l'étoile montante des prophéties bibliques, le docteur Theodore Lund, lui ait demandé d'écrire le premier volume d'une série de fiction ayant pour thème la Fin des Temps. Rédigée dans un style alerte à la Dan Brown, cette saga détaille ce qui se produira après le Ravissement, quand les justes disparaîtront en un clin d'œil, laissant les mécréants sur Terre pour affronter l'Antéchrist – un personnage qui présente une curieuse ressemblance avec l'ex-Premier ministre anglais Tony Blair. Neuf best-sellers plus tard (on estime les ventes à plus de soixante-dix millions d'exemplaires), Flexible Sandy a encore le vent en poupe. Il a récemment lancé son site web personnel, rapturesacoming.com, où il étudie les catastrophes nationales et mondiales afin d'informer jour après jour ses adhérents (pour une somme modique, bien sûr) de l'approche de l'Apocalypse. À 80 ans, encore sec et nerveux, perpétuellement bronzé, Flexible paraît aussi vigoureux qu'un homme de la moitié de son âge. Son sourire ne diminue pas d'un iota tandis qu'il s'entretient avec les fans formant devant lui une file d'attente ophidienne. J'espère le persuader de participer à ma série de documentaires sur l'ascension du Mouvement Américain de la Fin des Temps. Depuis quelques mois, j'insiste par e-mail auprès de son attachée de presse – une femme efficace et cassante, qui m'observe avec méfiance depuis mon arrivée – pour qu'elle nous organise une rencontre. La semaine dernière, elle m'a laissé entendre que j'aurais une chance si je venais à Houston pour la conférence de lancement de son dernier livre.

Pour ceux qui l'ignorent, la prophétie de la Fin des Temps consiste en la conviction que, d'un jour à l'autre, ceux qui ont choisi Jésus comme sauveur personnel (aussi appelés « chrétiens régénérés ») seront emportés au ciel (ou « ravis ») tandis que les autres connaîtront sept ans d'atroces souffrances sous le joug de l'Antéchrist. Ces croyances, fondées sur l'interprétation littérale de plusieurs prophètes bibliques (dont le Jean de l'Apocalypse, Ézéchiel et Daniel), sont bien plus répandues qu'on ne l'imagine. Aux seuls États-Unis, on estime que soixante-cinq millions de personnes croient les événements exposés dans l'Apocalypse susceptibles de se produire de leur vivant.

Nombre de prêcheurs prophétiques de haut niveau hésitent à s'entretenir avec une presse non évangélique, mais j'espérais un peu naïvement que mon accent anglais m'aiderait à briser la glace avec Flexible. Cinq mille dollars, c'est un grosse somme si ça ne doit me rapporter qu'une bible ciblée. (On trouve en vente dans le hall des bibles pour les enfants, pour les « épouses chrétiennes », les chasseurs et les amateurs d'armes à feu – mais c'est la version avec le pêcheur à la ligne qui m'a attiré l'œil. Je ne sais pas trop pourquoi. Je ne suis même jamais allé à la pêche.) En outre, étant d'un naturel optimiste, j'ai l'espoir que, si Flexible accepte de me parler, je pourrai le persuader de me présenter au grand manitou en personne – le docteur Theodore Lund. (Je n'y crois pas énormément. Des collègues m'ont assuré que j'aurais plus de chances d'être invité à une danse du ventre avec Kim Jong-il.) Mégastar du mouvement évangélique, le docteur Lund possède sa propre chaîne de télévision, une franchise de mégaéglises de la Vraie Foi qui lui rapporte des centaines de millions de dollars par an en « dons », et la confiance de l'ancien président républicain « Billy-Bop » Blake. Il dispose aussi d'une foule d'admirateurs qui n'a rien à envier à celle des acteurs les plus en vue d'Hollywood ; ses trois services religieux dominicaux sont diffusés à l'international, et on estime que plus de cent millions de personnes, de par le monde, regardent chaque semaine son *talk-show* sur la prophétie. Bien qu'il ne soit pas aussi radical que les Dominionistes, cette secte fondamentaliste qui réclame ouvertement une stricte loi biblique aux États-Unis (ce qui vaudrait la peine de mort aux avorteurs, aux homosexuels et aux enfants désobéissants), le docteur Lund est un adversaire acharné du mariage gay et de l'avortement, il conteste le réchauffement climatique et n'hésite pas à user de son influence pour peser sur les décisions politiques, notamment en ce qui concerne le Moyen-Orient.

La file de fans qui attendent de se faire dédicacer un roman par Flexible avance lentement.

— Ces livres ont changé ma vie, m'annonce une femme en face de moi, sans que je lui demande rien.

Elle pousse un caddie où s'empilent diverses éditions de la série *Gone.*

— Ils m'ont amenée à Jésus.

Nous discutons de ses personnages favoris (elle adore Peter Kean, un pilote d'hélicoptère dont la foi vacillante est restaurée – trop tard – lorsqu'il voit sa femme, ses enfants et son copilote, tous chrétiens régénérés, enlevés sous ses yeux). Je m'avise qu'il serait grossier d'aborder Flexible sans un de ses livres, si bien que j'en empoigne deux sur un présentoir qui en déborde. Près des piles de *Gone,* celles d'un beau livre de cuisine m'attirent l'œil. La photo d'une femme au maquillage plâtreux – et aux yeux fixes de qui s'est récemment fait tirer la peau – figure sur la couverture. Je reconnais Sherry, l'épouse du docteur Lund, coprésentatrice de son *talk-show* post-homélie hebdomadaire. Son livre de cuisine apparaît régulièrement en haut de la liste des meilleures ventes du *New York Times,* et le manuel d'éducation sexuelle qu'elle a coécrit avec son mari, *L'Intimité à la mode chrétienne,* a connu un succès inattendu dans les années 1980.

Tandis que Flexible discute sans frémir avec ses admirateurs gériatriques, je consulte les panneaux qui annoncent les débats, conférences et groupes de prières prévus durant le week-end, la plupart ornés de photos grandeur nature, découpées en silhouettes, des prêcheurs célèbres faisant tout l'intérêt de ces événements. Outre plusieurs allocutions sur le thème « Êtes-vous prêts pour le Ravissement ? », il y a des symposiums sur le Créationnisme et un ajout de dernière minute au programme : une rencontre avec le pasteur Len Vorhees, le petit nouveau sur le marché de la Fin des Temps. Vorhees a récemment provoqué une mini-tempête sur Twitter en affirmant, aussi extraordinaire que cela puisse paraître, que les trois enfants ayant survécu aux catastrophes aériennes du Jeudi Noir sont en fait trois des Quatre Cavaliers de l'Apocalypse.

Enfin, les gens qui me précèdent se dispersent et mon tour arrive. L'attachée de presse acariâtre murmure à l'oreille de Flexible, dont le sourire rayonnant se pose sur moi. Ses petits yeux étincellent comme des boutons noirs luisants.

— L'Angleterre, hein ? me dit-il. Je suis allé à Londres l'année dernière. Voilà un pays païen qui a besoin d'être sauvé, pas vrai, fils ?

Je lui assure que c'est tout à fait le cas.

— Qu'est-ce que vous faites comme boulot, fils ? Patty, ici présente, me dit que vous voulez m'interviewer, quelque chose comme ça ?

Je lui dis la vérité. Que je réalise des documentaires pour la télévision, et que j'adorerais discuter de leurs carrières avec le docteur Lund et lui.

Les yeux en boutons de Flexible plongent dans les miens avec plus d'intensité.

— Vous travaillez pour la BBC ?

Je réponds que ça m'est arrivé, oui. Ce n'est pas vraiment un mensonge. J'ai commencé ma carrière comme coursier à la BBC Manchester, quoique j'aie été viré au bout de deux mois pour avoir fumé de l'herbe dans les loges. Un fait que je décide de ne pas mentionner.

Flexible paraît se détendre.

— Bougez pas, fils, je vais voir ce que je peux faire.

C'est beaucoup plus facile que je ne l'aurais cru. Il fait signe de s'approcher à l'attachée de presse, qui réussit à lui sourire et à me faire la gueule simultanément, et ils ont un bref échange à voix basse.

— Teddy est vraiment très occupé, en ce moment. Je vais vous dire un truc, fils : passez à l'appartement d'ici deux heures. J'essaierai de vous présenter. C'est un grand fan de la série *Cavendish Hall* que vous avez, là-bas.

Je ne vois pas trop le rapport entre *Cavendish Hall,* un mélo historique à l'eau de rose qui fait un malheur dans le monde entier, et moi, mais il s'avère que Flexible Sandy croit toujours que je travaille pour la BBC. Je m'éloigne avant que son attachée de presse ne le convainque de changer d'avis.

Plutôt que de filer dans ma luxueuse chambre d'hôtel (Dieu merci incluse dans le prix de l'inscription), je décide de voir si je peux assister à une conférence. J'ai une demi-heure de retard pour la rencontre avec le pasteur Len Vorhees mais, quand je lui apprends que je suis un ami personnel de Flexible Sandy, l'ouvreur me permet de me glisser à l'intérieur.

Il n'y a que des places debout dans l'auditorium

Starlight, et je ne vois du pasteur Len Vorhees que le sommet de son crâne bien coiffé tandis qu'il fait les cent pas devant son public. Sa voix chancelle de temps à autre mais, au chœur de « amen » qu'il suscite, il fait à l'évidence passer son message. Je crois vaguement me rappeler que sa théorie bizarre a provoqué un farouche débat parmi les croyants de la Fin des Temps, en particulier au sein du mouvement prétériste qui, contrairement à la plupart des autres factions, croit que les événements décrits dans l'Apocalypse se sont déjà produits. Car l'Apocalypse est sans conteste la base des assertions fantaisistes de Len. D'après la prophétie de Jean, les Quatre Cavaliers apporteront la guerre, la pestilence, la famine et la mort, et notre pasteur commence à énumérer divers « signes » récents qui, selon lui, prouvent sa théorie. Parmi ces derniers, la mort horrible d'un photographe censé s'être introduit dans la chambre d'hôpital de Bobby Small (les attaques d'animaux font partie des plaies évoquées dans l'Apocalypse), et la récente épidémie de virus de Norwalk qui a changé une escadre de paquebots en enfers flottants remplis de vomi. Il conclut par la proclamation terrifiante que la guerre ne tardera pas à ravager les nations africaines, tandis que la grippe aviaire décimera la population asiatique.

Je ressens le besoin d'un verre et ressors alors que s'élève un nouveau chœur de « amen », pour attendre l'heure de mon rendez-vous avec Flexible Sandy et Teddy Lund.

Je suis époustouflé d'être introduit dans la suite par le docteur Lund en personne, qui me sourit, m'offrant une vue imprenable sur sa dentition étincelante, résultat des dernières avancées techniques.

— Content de vous connaître, fils, dit-il en prenant ma main entre les deux siennes.

Sa peau a un lustre un peu artificiel, comme un fruit irradié.

— Je peux vous apporter quelque chose à boire ? Vous, les Anglais, vous aimez le thé, non ?

Je bredouille quelque chose comme « oui, en effet », et le laisse me guider jusqu'au salon où Flexible et un quinquagénaire en costume bien coupé occupent des fauteuils au rembourrage extravagant. Il me faut une seconde pour comprendre que le troisième homme est le pasteur Len Vorhees. Visiblement moins à l'aise que les deux autres, il m'évoque un enfant cherchant à montrer sa bonne éducation.

Les présentations faites, je me laisse avaler par un canapé en face de mes interlocuteurs, qui me sourient de toutes leurs dents.

— Flexible m'apprend que vous travaillez pour la BBC, attaque le docteur Lund. Je vous dirai tout net que je ne suis pas amateur de télévision, mais j'aime bien la série *Cavendish Hall.* On savait se comporter, à l'époque, non ? On avait de la morale. Donc, vous voulez réaliser un documentaire, c'est bien ça ?

Avant que je ne puisse placer un mot, il continue :

— Beaucoup de gens nous demandent des interviews. Dans le monde entier. Mais j'admets que le moment est peut-être bien choisi pour porter le message en Angleterre.

Je m'apprête à répondre quand deux femmes sortent d'une des chambres de la suite. Je reconnais en la plus grande l'épouse du docteur Lund, Sherry – sa coiffure est aussi travaillée, son brushing aussi impeccable que sur la couverture de son dernier livre de cuisine. Sa compagne ne pourrait être plus différente : maigre comme un clou, la bouche ridée dépourvue de rouge à lèvres, et une espèce de caniche blanc miniature entre les bras.

Je me lève mais le docteur Lund me fait signe de me rasseoir. Il me présente Sherry et l'épouse du pasteur Len, Kendra. Cette dernière me regarde à peine, alors que Mme Lund me lance un large sourire d'une nanoseconde avant de se tourner vers son mari.

— N'oublie pas que Mitch est en route pour te voir, Teddy. (Elle me décoche un autre sourire très étudié.) On va promener Snookie deux minutes.

Puis elle entraîne Kendra et le chien hors de la suite.

— Venons-en au fait, me dit le docteur Lund. Qu'est-ce que vous avez en tête au juste, fils ? Quel genre de documentaire allez-vous tourner ?

— Eh bien…

Soudain, sans raison, mon discours préparé avec soin s'évapore et mon esprit se vide. Désespéré, je me concentre sur Len Vorhees.

— Peut-être pourrais-je commencer… J'ai suivi votre conférence, monsieur le pasteur. C'était… hum… intéressant. Puis-je vous interroger sur votre théorie ?

— Ce n'est pas une théorie, fils, gronde Flexible, qui continue cependant de sourire. C'est la vérité.

Je ne sais absolument pas pourquoi ces trois hommes me rendent si nerveux. Peut-être est-ce la force de leur conviction collective et de leur personnalité – un prédicateur qui entre dans le classement des cinq cents plus grosses entreprises américaines a forcément du charisme. Je parviens à me reprendre.

— Mais… selon vous, les quatre premiers sceaux viennent d'être ouverts. Cela ne contredit-il pas vos convictions ? Que les élus seront ravis *avant* que les Cavaliers n'apportent la dévastation sur Terre ?

L'eschatologie – l'étude des prophéties relatives à la Fin des Temps – est un domaine très complexe.

D'après mes recherches, le docteur Lund et Flexible croient en la théorie du Ravissement prétribulations, qui stipule que les justes seront emmenés au ciel avant la période de tribulations de sept ans – durant laquelle l'Antéchrist, au pouvoir, fera de notre existence un enfer. Len, lui, prêche le Ravissement post-tribulations : les Chrétiens régénérés resteront sur Terre comme témoins de la période apocalyptique qui, selon lui, vient de commencer

Les traits réguliers de Vorhees se crispent, il tire sur ses revers, mais Flexible et le docteur Lund gloussent à l'unisson comme si j'étais un enfant venant de dire une bêtise amusante.

— Il n'y a aucune contradiction, fils, m'affirme le romancier. Nous savons par Matthieu, chapitre 24, que « Une nation s'élèvera contre une nation, et un royaume contre un royaume, et il y aura, en divers lieux, des famines et des tremblements de terre. Tout cela ne sera que le commencement des douleurs ».

— Tout cela se produit dans le monde en ce moment même, intervient Lund. Et nous savons que ces douleurs signifient l'ouverture des quatre premiers sceaux. Nous savons aussi par l'Apocalypse et par Zacharie que les quatre hérauts sont alors envoyés dans le monde. Le blanc à l'ouest, le rouge à l'est, le noir au nord et le cheval pâle au sud. À présent que les sceaux sont ouverts, le châtiment va frapper l'Asie, l'Amérique, l'Europe et l'Afrique.

Quoique j'aie peine à suivre sa logique, je parviens à rebondir sur la dernière phrase.

— Et l'Australie ? L'Antarctique ?

Flexible glousse à nouveau et secoue la tête devant ma stupidité.

— Elles ne participent pas au déclin moral global, fils. Mais elles auront leur tour. Les gouvernements mondiaux et l'ONU se rassembleront pour former la bête aux nombreuses cornes.

Puisqu'on ne m'a pas jeté dehors avec un coup de pied aux fesses, je prends un peu confiance. Je rappelle que le NTSB affirme que les accidents sont dus à des événements concrets – une erreur de pilotage, une possible collision avec des oiseaux, un problème mécanique – et non à des interférences surnaturelles. (Je ne sais trop comment je parviens à formuler ma phrase pour ne pas avoir l'air d'évoquer les extraterrestres ou le diable.)

Vorhees ouvre la bouche mais Lund le devance.

— Laissez-moi répondre à ça, Len. Vous croyez que Dieu n'aurait pas le pouvoir de faire passer ces événements pour des accidents ? Il veut éprouver notre foi, séparer les croyants des mécréants. Nous avons entendu son appel. Mais notre travail consiste à sauver des âmes, fils, et, quand le Quatrième Cavalier sera découvert, même les plus hésitants rejoindront le troupeau.

Je sens ma mâchoire s'affaisser.

— Le Quatrième Cavalier ?

— Exactement, fils.

— Mais il n'y a pas eu de survivant de l'accident africain.

Le pasteur Len et le docteur Lund échangent un coup d'œil. Le second hoche presque imperceptiblement la tête.

— Nous estimons qu'il y en a un, déclare le premier.

Je bredouille que, d'après le NTSB et les agences africaines, nul n'a pu survivre au crash Dalu Air.

— C'est ce qu'on disait aussi des trois autres accidents, répond Lund avec un sourire sans joie, et voyez ce que le Seigneur a choisi de nous montrer. (Il marque un temps d'arrêt puis pose la question que je savais inévitable :) Avez-vous été sauvé, fils ?

Les étranges yeux en boutons de Flexible Sandy plongent dans les miens et je me retrouve soudain à l'école, debout devant le principal. Le désir de mentir et d'admettre que, oui, je suis des leurs, des élus, me submerge un instant, mais il finit par se dissiper et je réponds la vérité :

— Je suis juif.

Le sourire du romancier ne frémit pas.

— Nous avons besoin des juifs, déclare le docteur Lund en hochant la tête, approbateur. Une part importante des événements à venir vous reviendra.

Je sais de quoi il parle. Après le Ravissement et le règne de l'Antéchrist, Jésus reviendra vaincre les infidèles et propulser l'esprit du mal hors de son trône. La bataille est censée avoir lieu en Israël, et Lund, comme bon nombre de croyants apocalyptiques, est un sioniste fervent. Il croit, comme c'est écrit dans la Bible, qu'Israël appartient aux seuls juifs, et il se dit opposé aux échanges de terres et aux accords de paix avec la Palestine. On prétend que, durant le mandat à la Maison Blanche du président « Billy-Bob » Blake, le docteur Lund lui rendait régulièrement visite. J'ai la ferme intention de lui poser la question qui me brûle les lèvres – pourquoi un homme qui croit la fin du monde imminente se mêle-t-il de politique ? –, mais il se lève avant que je ne trouve le moyen de la formuler.

— Allez en paix, fils, dit-il. Appelez mon attachée de presse, elle vous aidera.

Après une autre tournée de poignées de main, me voilà remercié. (Quelques jours plus tard, je suivrais son conseil mais recevrais pour toute réponse : « Le docteur Lund n'est pas disponible », et seul un silence prolongé saluerait mes tentatives ultérieures de communication avec Flexible Sandy.)

Comme je quitte la conférence, ma bible de pêcheur à la ligne et mes volumes de la série *Gone* sous le bras, je dépasse une phalange de gardes du corps baraqués entourant un homme au costume encore plus chic que celui du prédicateur. Je l'identifie aussitôt : Mitch Reynard, l'ex-gouverneur du Texas, qui a annoncé voilà deux semaines son intention de se présenter aux primaires républicaines.

On lira ci-après un extrait de *rapturesacoming.com,* le site de Felix « Flexible » Sandy.

Un message personnel de ma part, aujourd'hui, mes fidèles. Nos frères, le docteur Theodore Lund (qu'on ne présente plus) et le pasteur Len Vorhees du comté de Sannah, nous ont montré la Vérité, la preuve irréfutable que les quatre premiers sceaux décrits dans l'Apocalypse ont été ouverts, et les Cavaliers déchaînés sur le monde pour punir les mécréants par la Famine, la Pestilence, la Guerre et la Mort. Certains diront peut-être : « Mais, Flexible, les sceaux ne sont-ils pas brisés depuis longtemps ? Le monde connaît un déclin moral depuis des générations, n'est-ce pas ? » Je réponds oui, peut-être, mais Dieu, dans sa sagesse, nous montre à présent la vérité. Et, si vous y réfléchissez bien, mes fidèles, tout va se passer comme dans *Le Voleur dans la nuit,* le neuvième volume de la série *Gone,* dont je n'ai pas besoin de vous rappeler que vous pouvez le commander sur ce site.

Et ce n'est pas tout : vous verrez que les signes se multiplient chaque jour. Nous avons eu des incidents capitaux à la une cette semaine. De bonnes nouvelles pour tous ceux d'entre nous qui attendent d'être appelés aux côtés de Jésus !

Flexible

La liste complète figure sous les titres si vous CLIQUEZ dessus, mais voici nos premiers choix :

LA PESTILENCE **(taux de probabilité *rapturesacoming* : 74 %)**

Le microbe émétique né des paquebots s'est répandu sur tout le territoire des États-Unis : www.new-agency.info/2012/february/norovirus-spreads-to-US-East-Coast ***(Merci à Isla Smith de Caroline du Nord pour nous avoir envoyé cette info. Flexible apprécie ta foi, Isla.)***

LA GUERRE **(taux de probabilité *rapturesacoming* : 81 %)**

Que dire, ma foi ? La guerre est toujours un puissant indicateur et elle ne manque pas aujourd'hui ! La guerre sainte contre le terrorisme fait encore rage en Afghanistan, et suivez donc le lien ci-dessous :

www.atlantic-mag.com/north-korea-nuclear-threat-could-be-a-reality

LA FAMINE **(taux de probabilité *rapturesacoming* : 81 %)**

L'épidémie de fièvre aphteuse s'implante dans le reste de l'Europe. Regardez ce gros titre : « La nouvelle variété de fièvre aphteuse pourrait avoir des conséquences importantes sur l'agriculture, avertit le gouvernement britannique. »

(source : www.euronewscorp.co.uk/footandmouth/)

LA MORT **(taux de probabilité *rapturesacoming* : 91 %)**

Je regardai, et voici, parut un cheval d'une couleur pâle. Celui qui le montait se nommait la mort, et le séjour des morts l'accompagnait. Le pouvoir leur fut donné sur le quart de la terre, pour faire périr les hommes par l'épée, par la famine, par la mortalité, et par les bêtes sauvages de la terre. (Apocalypse 6 : 8)

Il y a eu une succession d'attaques animales récemment, tout comme il est dit au verset 8 du chapitre 6. Allez donc voir ces liens :

« Un touriste américain attaqué et tué par une hyène au Bostwana. » (www.bizarredeaths.net)

« L'enquête sur la mort du photographe de L.A. dévoré vivant par ses lézards a été repoussée. » (www.latimesweekly.com)

Note de Flexible : Cette dernière est d'un intérêt tout particulier puisque le photographe avait un lien avec Bobby Small, ce qui nous donne un 9 sur l'échelle ! Nous n'étions jamais arrivés si près depuis le 11 Septembre !

Lola Cando

Je n'avais pas revu Lenny depuis un moment, depuis qu'il m'avait parlé du message de Pamela May Donald. Enfin, un jour, il m'a appelée pour me demander de le retrouver dans un de nos motels. Coup de pot pour lui, j'ai eu une annulation. Un de mes réguliers, un ancien marine – un mec très sympa – avait le cafard et préférait repousser.

Bref, ce jour-là, Lenny est arrivé dans la chambre en trombe, il m'a arraché des mains le verre que je lui avais servi, et il s'est mis à marcher de long en large. On aurait dit un gamin revenant pour la première fois de Disneyland. Il a parlé sans arrêt pendant une bonne demi-heure : il avait rencontré le docteur Lund, lequel l'avait invité à son émission du dimanche ; il avait même dîné avec Flexible Sandy, l'auteur des bouquins que je n'ai jamais trouvé le courage de lire ; et, pour couronner le tout, la salle dans laquelle il avait donné sa conférence était pleine à craquer de fidèles.

— Et devine qui d'autre était là, Lo ? m'a-t-il demandé en enlevant sa cravate.

Je ne savais pas quoi répondre. Je n'aurais pas été surprise qu'il m'annonce la présence de Jésus en personne, étant donné l'émerveillement avec lequel il parlait de tous ces types.

— Mitch Reynard ! Le docteur Lund a décidé de le soutenir.

Je ne m'y connais pas trop en politique, mais celui-là, même moi, je savais qui c'était. Je l'avais vu une ou deux fois, aux émissions d'actualité que Denisha aime regarder. Un type qui présente bien, ancien prédicateur, des faux airs de Bill Clinton, toujours les bonnes réponses, ex-membre du Tea Party. On ne voyait plus que lui aux infos quand on a appris qu'il se présentait aux primaires républicaines. Il a été très critiqué par les libéraux pour ses prises de position antiféministes et pour avoir dit que le mariage gay était une abomination.

Lenny se laissait emporter, disant que ce pourrait même être l'occasion d'entrer lui-même en politique.

— Tout est possible, Lo. Le docteur Lund affirme que nous devons faire tout ce qui est en notre pouvoir pour influencer le vote, veiller à ce que le pays retrouve ses valeurs morales.

Puisqu'on en est à parler de morale, à ce que j'ai compris, Lenny n'a jamais jugé hypocrite de rétribuer mes services. Il ne voyait peut-être même pas ça comme de l'adultère : il parlait peu de sa femme, mais on sentait qu'ils n'avaient plus de relations intimes depuis longtemps. Bien sûr, les deux dernières fois que je l'ai vu, il était trop occupé à se décharger sur moi de tout ce qu'il avait en tête pour qu'il soit beaucoup question d'adultère.

Dirais-je que la célébrité lui est montée à la tête ? Oui, c'est sûr. Quand il a créé son site Internet et qu'il s'est mis à fréquenter le docteur Lund, on aurait dit un gamin avec un nouveau jouet. Il disait être en contact avec des gens du monde entier. Y compris des mecs en Afrique. Il y avait un certain Monty, à qui il disait écrire tous les jours, et un marine cantonné quelque part au Japon. Jake quelque chose. J'ai oublié son nom de famille, alors qu'il a fait la Une de tous les journaux un peu plus tard. Lenny m'a raconté que le marine en question était allé dans la forêt japonaise où s'était écrasé l'avion.

— Là où Pam a rendu son dernier souffle.

Il m'a dit que le docteur Lund voulait contacter la grand-mère de Bobby, qu'il voulait l'inviter elle aussi à son émission, mais qu'il n'y arrivait pas. Je plaignais vraiment cette pauvre femme. Denisha et moi, on la plaignait. Ça ne devait pas être facile pour elle d'être sollicitée tout le temps alors qu'elle était encore en deuil.

Lenny n'arrêtait pas de répéter qu'il recevait des demandes d'interviews de partout – *talk-shows*, émissions de radio, blogs, tout le bataclan, et pas seulement des trucs religieux.

— Tu n'as pas peur qu'ils essaient de te ridiculiser, Lenny ? je lui ai demandé.

Il a admis que l'équipe des relations publiques du docteur Lund l'avait averti de se montrer prudent face à la presse non chrétienne, et j'ai pensé que c'était un sage conseil. Ce qu'il disait des enfants, que c'étaient les Cavaliers, un tas de gens allaient trouver ça complètement absurde.

— Je transmets la vérité, Lo, il m'a dit. S'ils choisissent de l'ignorer, c'est leur problème. Quand le Ravissement viendra, on verra bien qui aura le dernier mot.

On n'a rien fait du tout, ce jour-là. Il voulait juste parler. En partant, il a insisté pour que je regarde l'émission du docteur Lund, *La Communion de la Vraie Foi*, ce week-end-là.

J'étais curieuse de voir comment Lenny s'en sortirait, alors, le dimanche, je me suis installée devant la télé. Denisha n'a pas compris à quoi je jouais. Je ne lui avais pas dit que Lenny faisait partie de mes clients. Je respecte la vie privée de mes réguliers, même si j'ai l'air de mentir en disant ça, vu que je suis en train de vous causer. Mais je n'ai pas demandé à être interviewée, hein ? Ce n'est pas moi qui suis allée trouver les journalistes. Bon, bref, il y avait le docteur Lund, debout sur sa tribune dorée, avec une chorale derrière lui. Son église, aussi grande qu'un centre commercial, craquait aux entournures. *Grosso modo*, il a répété les théories de Lenny sur le message de Pamela May Donald, s'arrêtant toutes les cinq minutes pour que la chorale chante un peu et que la congrégation lui réponde par des « amen » et des « loué soit Jésus ». Ensuite, il a déclaré que l'heure du Jugement de Dieu était venue, à cause de l'immoralité de la société, à cause des gays, des femmes libérées, des tueurs de bébés et des conseils d'administration scolaires qui défendent la théorie de l'évolution. Denisha n'arrêtait pas de faire claquer sa langue. Son Église à elle sait comment elle gagne sa vie et n'a pas de problème non plus avec les gays.

— Pour nous, c'est pareil, Lo, m'assure-t-elle. Les gens sont ce qu'ils sont, et autant le montrer plutôt que de le cacher. Jésus n'a jamais jugé personne, hein ? À part les usuriers.

Les riches prédicateurs, les pasteurs célèbres avaient presque tous des secrets honteux, et on aurait dit qu'un nouveau scandale à leur sujet éclatait tous les jours. Mais pas le docteur Lund, connu pour son intégrité absolue. D'après Denisha, il avait assez de relations pour empêcher ses saloperies d'atterrir dans les médias.

Après son sermon, il a rejoint le côté du plateau, décoré comme un salon, avec des canapés hors de prix, des huiles aux murs et des abat-jour à glands dorés. Sur le canapé, l'attendaient sa femme Sherry, Lenny et une dame émaciée qu'on aurait eu envie de nourrir à la cuiller. C'était la première fois que je voyais Kendra, la femme de Lenny. Totalement différente de Sherry, à laquelle Denisha trouvait un petit quelque chose de Tammy Faye Bakker – ses faux cils et ses accessoires de *drag queen*. Lenny s'en sortait pas mal. Il était un peu agité, il se trémoussait souvent et sa voix vacillait parfois, mais il ne s'est pas ridiculisé. C'est surtout le docteur Lund qui a parlé, de toute façon. Kendra n'a pas dit un mot. Et son expression… Difficile de savoir ce qu'elle avait en tête. Je n'aurais pas su dire si elle était nerveuse, si elle trouvait tout ça ridicule, ou si elle s'ennuyait à mourir.

Le pasteur Len Vorhees accepta d'être interviewé au célèbre *talk-show* radiophonique de New York présenté par Erik Kavanaugh, *Médisons*. Voici une transcription de l'émission diffusée le 8 mars 2012.

ERIK KAVANAUGH : En direct avec moi aujourd'hui, le pasteur Len Vorhees du comté de Sannah, au Texas. Vous avez peut-être entendu parler de lui, les amis, c'est le gars qui raconte que les trois enfants ayant survécu aux accidents du Jeudi Noir sont possédés par les esprits des Quatre Cavaliers de l'Apocalypse.

Alors, pasteur Len... Est-ce que je peux vous appeler comme ça, d'ailleurs ?

PASTEUR LEN VORHEES : Oui, monsieur, c'est parfait.

EK : C'est une première, personne ne m'avait encore jamais appelé monsieur. Vous êtes plus poli que la plupart des invités que je reçois. Pasteur Len, vous faites très fort sur Twitter, en ce moment. Est-ce que vous trouvez normal qu'un chrétien évangélique utilise les réseaux sociaux de cette manière ?

PL : Je pense que nous devons utiliser tous les moyens à notre disposition pour répandre la Bonne Nouvelle, monsieur. Et, depuis que j'ai fait passer le message ainsi, les gens se précipitent en masse dans le comté de Sannah pour se faire sauver. Mon église en déborde littéralement. *(Il rit.)*

EK : Ah, c'est comme la scène des *Dents de la mer*. Il va vous falloir une église plus grande ?

PL : *(Pause.)* Je ne suis pas sûr de comprendre ce que…

EK : Passons au contenu exact de votre discours. Certaines personnes pourraient dire que votre conviction selon laquelle ces enfants sont les Cavaliers de l'Apocalypse est – et je ne trouve aucune autre manière de le dire – un putain de délire.

PL : *(Rire nerveux.)* Alors là, monsieur, ce genre de langage n'est pas…

EK : Est-il vrai que vous avez émis cette théorie après avoir entendu le message laissé sur son téléphone par l'une de vos paroissiennes, Pamela May Donald, la seule passagère américaine de l'avion japonais qui s'est écrasé dans la forêt ?

PL : Ah… oui, c'est exact, monsieur. Son message m'était adressé et ce qu'elle voulait dire était clair comme le jour. « Pasteur Len, disait-elle, avertissez-les à propos du garçon. » Elle parlait forcément du petit Japonais, le seul survivant de l'accident. Le *seul* survivant. Et puis les logos des avions…

EK : Dans son message, elle parle aussi de son chien. Si vous croyez que, selon elle, le petit Japonais est un héraut de la Fin des Temps, vous croyez sûrement aussi que nous devons désormais tous vénérer le toutou de la famille comme un dieu ?

PL : *(Plusieurs secondes de silence.)* Allons, allons, je n'irai pas jusqu'à…

EK : Sur votre site Internet, pamelaprophet.com – allez y jeter un coup d'œil, les amis, faites-moi confiance –, vous dites que des faits étayent vos propos. Des signes que les malheurs censément apportés par les Cavaliers sont en train de se produire. Laissez-moi donner un exemple aux auditeurs encore ignorants de votre théorie. Vous dites que l'épidémie de fièvre aphteuse récemment connue par l'Europe a été déclenchée par l'apparition des Cavaliers, n'est-ce pas ?

PL : C'est exact, monsieur.

EK : Pourtant, de telles épidémies sont fréquentes. L'Angleterre en a connu une semblable il y a quelques années.

PL : Mais ce n'est pas le seul signe, monsieur. Si on les rassemble tous, on voit clairement se dégager un…

EK : Et, ces signes, vous dites qu'ils indiquent que la fin du monde, le moment auquel les élus seront emportés au ciel, est proche. Est-ce vrai que, vous autres, les évangélistes, vous attendez cet événement avec impatience ?

PL : Je ne dirais pas exactement que nous l'attendons avec impatience, non, monsieur. Il est important de faire savoir à vos auditeurs qu'en recevant le Seigneur…

EK : Donc ces signes sont une manière pour Dieu de nous dire : c'est l'heure, les potes, faites-vous sauver ou bien brûlez en enfer pour l'éternité ?

PL : Euh… Je ne suis pas sûr que…

EK : Vos convictions ont été prises à parti sans équivoque par les chefs religieux d'Églises disons… plus traditionnelles. Beaucoup ont qualifié vos propos, je cite, d'« authentiques âneries alarmistes ».

PL : Il y aura toujours des incrédules, monsieur, mais je désire encourager vos auditeurs à…

EK : Vous avez de sacrées vedettes derrière vous. Je parle du docteur Theodore Lund, du Mouvement de la Fin des Temps. Est-il vrai qu'autrefois, il allait à la chasse avec l'ancien président « Billy-Bob » Blake ?

PL : Euh… Il faudra le lui demander, monsieur.

EK : En revanche, je n'ai pas besoin de lui demander ses vues sur les droits des femmes, les accords de paix en Israël, l'avortement et le mariage homosexuel. Il est radicalement opposé à tout ça. Partagez-vous ses vues ?

PL : *(Encore une longue pause.)* Je pense que nous devons nous tourner vers la Bible pour nous guider en ces matières, monsieur. Dans le Lévitique, il est dit que…

EK : Est-ce qu'il n'est pas dit aussi dans le Lévitique qu'il est normal d'avoir des esclaves et que les enfants qui répondent à leurs parents doivent être lapidés ? Pourquoi est-ce que vous acceptez les trucs antigays, mettons, et pas les autres conneries ?

PL : *(Silence complet pendant plusieurs secondes.)* Monsieur… votre ton me déplaît. Je suis venu à l'émission pour dire à vos auditeurs que le temps est…

EK : Poursuivons. Votre théorie sur les Trois n'est pas la seule à courir. Un bon paquet de cinglés croient dur comme fer que les gamins sont possédés par des extraterrestres. Qu'est-ce qui rend leurs vues plus dingues que les vôtres ?

PL : Je ne suis pas sûr de ce que vous…

EK : Les Trois ne sont que des enfants, non ? Ils n'ont pas déjà assez souffert comme ça ? L'attitude la plus chrétienne ne devrait-elle pas être de ne pas les juger ?

PL : *(Autre longue pause.)* Je ne… Je…

EK : Bon, disons qu'ils sont possédés. Est-ce que les véritables enfants sont encore à l'intérieur des corps ? Si oui, ils doivent être un peu à l'étroit, là-dedans, non ?

PL : Dieu… Jésus agit de manière que nous ne pouvons que…

EK : Ah ! le fameux argument « les voies du Seigneur sont impénétrables ».

PL : Euh… Mais on ne peut pas… On ne peut pas ignorer les signes que… Comment ces enfants auraient-ils pu survivre aux accidents, sinon ? C'est…

EK : Est-il vrai que, selon vous, un quatrième enfant aurait survécu à l'accident en Afrique ? Un Quatrième Cavalier ? Vous en êtes persuadé, alors que le NTSB affirme que personne n'aurait pu survivre à la tragédie ?

PL : *(Raclement de gorge.)* Euh… le site de l'accident… ç'a été extrêmement confus là-bas… L'Afrique est… L'Afrique est un…

EK : Alors comment les Cavaliers ont-ils fait tomber les avions ? D'un point de vue pratique, ça représente beaucoup d'efforts pour pas grand-chose, non ?

PL : Hum… Je ne peux rien affirmer à ce sujet, monsieur. Mais je vais vous dire une bonne chose : quand les rapports sur les catastrophes aériennes seront publiés, il y aura des signes de… de…

EK : D'interférences surnaturelles ? Comme le croient les fans des extraterrestres ?

PL : Vous me faites dire ce que je n'ai pas dit, monsieur. Je ne voulais pas…

EK : Merci, pasteur Len Vorhees. Le standard sera ouvert à nos auditeurs après une pause de publicité.

Ace Kelso, l'expert du NTSB, s'entretint à nouveau longuement avec moi après la divulgation, au cours d'une conférence de presse à Washington, Virginie, le 13 mars 2012, des premiers résultats de l'enquête sur les quatre accidents.

Comme je l'ai dit pendant la conférence de presse, il est rare que nous dévoilions si tôt nos résultats. Mais le cas était particulier : il fallait affirmer publiquement et sans attendre que les accidents n'étaient liés ni au terrorisme ni à un putain d'événement surnaturel, les familles des survivants avaient besoin d'en finir avec ça. Vous ne pouvez pas savoir le nombre de cinglés qui appellent notre bureau de Washington, persuadés qu'on est de mèche avec des agences gouvernementales sinistres, type *Men in Black.* Sans compter qu'après le Jeudi Noir, l'industrie aéronautique souffrait et avait besoin de se remettre sur les rails. Vous avez vu certaines des compagnies aériennes les moins scrupuleuses capitaliser sur le fait que les trois survivants étaient assis vers le fond de leurs avions respectifs ? Elles exigent un supplément pour les places situées à l'arrière ; elles envisagent même d'y déplacer la Première Classe et la Classe Affaires pour compenser leurs pertes.

Il nous est apparu très vite que le terrorisme n'avait rien à voir là-dedans. On savait, d'après les cadavres et les épaves, qu'aucun des quatre avions ne s'était démantelé en l'air, ce qui aurait été le cas si une bombe avait explosé. Bien sûr, au début, on a dû envisager une prise de contrôle des commandes, une chute provoquée, mais aucune organisation n'a revendiqué cet acte.

Comme vous le savez, une opération de grande envergure est encore en cours pour retrouver la boîte noire sur le site de l'accident de la Go ! Go ! Air, mais on est à peu près sûrs de la séquence d'événements ayant entraîné la catastrophe. D'abord, d'après le plan de vol et les données météorologiques, on sait que l'avion s'est retrouvé au milieu d'un orage violent. Le dernier contact avec lui, un message télémétrique envoyé automatiquement au centre technique de Go ! Go ! Air, indique qu'il a subi plusieurs pannes, notamment du chauffage des prises statiques. Ce qui a dû entraîner la formation de cristaux de glace dans ces dernières, et donc brouiller les mesures de vitesse. Croyant aller trop lentement, les pilotes ont dû accélérer peu à peu pour éviter de décrocher. On estime qu'ils ont continué jusqu'à dépasser les capacités de l'appareil et lui arracher littéralement les ailes. Il est presque certain que les brûlures de Jessica Craddock ont été provoquées par un feu de carburant après l'accident ou bien par une balise défectueuse.

Le vol Dalu Air, c'est une autre histoire. Les facteurs accumulés pour cette catastrophe-là suggèrent qu'elle n'attendait que de se produire. Déjà, l'Antonov AN-124 date des années 1970, il est à des années-lumière de la technologie de commandes de vol électriques qu'utilise Airbus. L'appareil était en outre affrété par une petite compagnie aérienne nigériane qui transporte surtout des marchandises et qui, il faut bien le dire, n'a pas la meilleure réputation en matière de sécurité. Je ne vais pas entrer dans les détails techniques, mais l'ILS de l'aéroport international du Cap, le système d'aide à l'atterrissage, ne fonctionnait pas ce jour-là – il lui arrive apparemment d'avoir ses vapeurs. Par ailleurs, l'Antonov, dépourvu de tout instrument de navigation moderne tel que le LNS (le système de navigation latérale), n'était pas non plus équipé pour gérer l'équipement d'approche de secours. Les pilotes ont commis une erreur de jugement, ils sont arrivés cent pieds trop bas, l'aile droite a accroché une ligne à haute tension et l'Antonov s'est écrasé dans une zone urbaine fortement peuplée, voisine de l'aéroport. Je dois dire qu'on a tous été impressionnés par la manière dont l'enquête sur la Dalu Air a été menée par la CAA et le groupe des plans d'urgence du Cap. Ces gens-là connaissent leur boulot. C'est incroyable, pour un pays du tiers-monde, mais ils ont été prêts à intervenir aussi vite que possible. L'expert en chef – Nomafu Nkatha, mais je ne suis pas sûr de le prononcer correctement, Elspeth – a rassemblé des récits de témoins oculaires juste après l'accident, et plusieurs personnes avaient enregistré avec leur téléphone portable les quelques secondes ayant précédé l'impact.

Les experts ont encore du pain sur la planche pour identifier les victimes au sol. Il semble que beaucoup soient des réfugiés cherchant un asile, il sera donc presque impossible de retrouver des parents pour procéder à des analyses ADN. On a fini par mettre la main sur la boîte noire. Il y avait des types qui ramassaient des débris et les revendaient aux touristes – vous y croyez, vous ? Mais, comme je le disais, un grand bravo aux experts locaux.

Maintenant, parlons de la catastrophe Maiden Air – celle dont j'étais chargé au départ avant qu'on me demande de superviser toute l'opération. D'après les indices, l'appareil a connu une panne presque complète des deux moteurs en raison de corps étrangers – probablement des oiseaux. Cela s'est produit deux minutes après le décollage, durant la phase la plus vulnérable de l'ascension. Les pilotes n'ayant pu rentrer à l'aéroport, l'avion s'est écrasé trois ou quatre minutes plus tard dans les Everglades. On a retrouvé la boîte noire, mais les données sont sujettes à caution. Les turbines N1 des deux moteurs présentaient des dégâts pouvant s'expliquer par des risques aviaires, bien qu'on n'ait retrouvé aucune trace de sang ni de plumes. Sur mes instances, la commission d'enquête a conclu que la cause la plus probable de la catastrophe était une suite de collisions avec des oiseaux ayant entraîné l'arrêt des moteurs.

Ensuite, nous avons l'accident dont je dirai qu'il est le plus sujet à controverse, à savoir celui du vol Sun Air. Les rumeurs sur cette catastrophe-là ont été difficiles à contenir – notamment celle disant que le commandant Seto, suicidaire, aurait délibérément dirigé l'avion vers la forêt. Pour tout arranger, la femme du ministre japonais des Transports a dit publiquement croire des extraterrestres impliqués dans l'affaire. On avait vraiment la pression pour résoudre cette enquête aussi vite que possible. La boîte noire indiquait une fuite des systèmes hydrauliques prouvant que le crash résultait d'un entretien négligent. Le non-respect des procédures de sécurité a provoqué la rupture de plusieurs rivets dans la queue. L'intégrité structurelle du fuselage s'est retrouvée altérée, d'où une décompression explosive quatorze minutes après le décollage. Le gouvernail endommagé, le système hydraulique en panne… quand un truc comme ça arrive, il devient presque impossible de diriger l'avion. Les pilotes se sont battus. Ce qu'ils ont fait est admirable. On a effectué des tests comparatifs en simulateur, et personne n'a gardé l'avion en l'air aussi longtemps qu'eux.

Bien sûr, on a dû répondre à une tonne de questions pendant la conférence de presse : beaucoup de journalistes s'inquiétaient des lumières vives que certains passagers disaient avoir vues. Il peut s'agir de plusieurs choses, la plus probable étant la foudre. Nous avons donc publié le plus vite possible les enregistrements des boîtes noires pour couper court aux rumeurs.

La transcription suivante de l'enregistrement audio du cockpit du vol Sun Air SAJ 678, réalisée à partir de la boîte noire, fut publiée sur le site du NTSB, le 20 mars 2012.

Pil. – Pilote
Cop. – Copilote
TdC – Tour de Contrôle

La transcription commence à 21 : 44 (quatorze minutes après le décollage de l'aéroport Narita)

COP. : Niveau de vol trois trois zéro dépassé, commandant, encore mille pieds. Tout devrait être tranquille à trois quatre zéro, pas de turbulences prévues.

PIL. : Parfait.

COP. : Est-ce que vous…

[Une forte explosion. L'alarme de dépressurisation retentit.]

PIL. : Votre masque ! Mettez votre masque !

COP. : Masque mis !

PIL. : On est en train de perdre la cabine. Vous pouvez la contrôler ?

COP. : La cabine est déjà à 14 000 !

PIL. : Passez en manuel et fermez la vanne de décharge. On dirait qu'on a une décompression.

COP. : Euh, commandant, il faut qu'on atterrisse.

PIL. : Essayez encore.

COP. : La vanne est fermée à fond, c'est inutile – je ne peux pas la contrôler.

PIL. : Vous avez bien fermé la vanne de décharge ?

COP. : Affirmatif !

PIL. : D'accord, compris. Dites à la Tour qu'on entame une descente d'urgence.

COP. : MAYDAY MAYDAY MAYDAY – SAJ678 entame descente d'urgence. Nous avons eu une décompression explosive.

TDC : Bien reçu. Vous pouvez descendre, SAJ678, aucune circulation ne vous gênera. On vous attend.

PIL. : J'ai le contrôle. Quelle est notre altitude minimum hors route ?

COP. : Niveau 140.

PIL. : Déconnexion de l'auto-poussée, entrée manuelle au niveau de vol 140.

COP. : Niveau de vol 140 fixé.

[Le commandant s'adresse aux passagers.]

PIL. : Mesdames et messieurs, ici votre commandant de bord. Nous entamons une descente d'urgence. Veuillez mettre vos masques à oxygène et suivre les instructions du personnel de cabine.

PIL. : Descente d'urgence entamée. Tirez les leviers de poussée, branchez les aérofreins. Lisez la liste des instructions pour une descente d'urgence.

COP. : Levier de poussée tiré, aérofreins branchés, cap sélectionné, niveau inférieur sélectionné, commutateurs d'allumage en position continue, voyant ceinture de sécurité allumé, oxygène branché, 7 700 en action, TdC notifiée.

PIL. : Je ne maîtrise pas le cap – l'appareil s'incline sur la droite. Je n'arrive pas à redresser les ailes.

COP. : *[juron]* Le gouvernail ou l'aileron ?

PIL. : L'aileron gauche est entier mais l'appareil ne répond pas !

COP. : Alerte hydraulique. On a perdu tout le système, les voyants du système A et le voyant de basse pression du système B sont allumés ! Je sors le manuel de référence rapide pour lire la check-list sur les systèmes hydrauliques.

PIL. : Trouvez la solution pour qu'ils repartent !

COP. : *[juron]*

PIL. : Je vais demander plus de poussée aux moteurs 3 et 4.

COP. : On dirait que le système de secours est mort aussi. Les cadrans des hydrauliques sont tous à zéro !

PIL. : Essayez encore.

COP. : On a 2 000 pieds pour se stabiliser.

COP. : 1 000 pieds pour se stabiliser.

[L'alarme d'altitude résonne]

PIL. : Je remise les aérofreins et je prends plus de poussée sur les numéros 1 et 2.

COP. : On pique du nez. Redressez !

PIL. : Les commandes ne répondent pas ! Plus de puissance pour ralentir la descente.

PIL. : OK, on se stabilise. Je ne contrôle toujours pas le cap. On continue à s'incliner sur la droite.

COP. : Essayez de prendre plus de puissance sur les 3 et 4.

PIL. : OK, plus de puissance sur les 3 et 4.

PIL. : Ça ne marche pas. On vire toujours à droite.

TDC : SAJ678 MAYDAY, quel est votre cap ?

COP. : SAJ678 MAYDAY, on a perdu tous les systèmes hydrauliques, on revient vers vous.

PIL. : On n'a plus de gouvernail.

COP. : Il va falloir passer en manuel.

PIL. : *[juron]* On dirait qu'on y est déjà, en manuel ! Je m'efforce de garder le contrôle. Voyons si on peut diminuer un peu la vitesse – 300 nœuds.

COP. : On pique à nouveau du nez.

PIL. : Il y a un aérodrome, à proximité ?

COP. : Le...

PIL. : Donnez-moi plus de puissance sur les 3 et 4 !

[Bruit du système avertisseur de proximité du sol : bip bip remontez, bip bip remontez, trop bas, trop bas, bip bip remontez, bip bip remontez, trop bas.]

PIL. : Puissance maximale sur les quatre... remontez ! Remontez !

COP. : *[juron]*

PIL. : Remontez ! Remontez !
[Fin de l'enregistrement.]

L'article suivant fut publié dans le *Crimson State Echo* du 24 mars 2012.

Le Prédicateur de l'Apocalypse chasse le « Quatrième Cavalier »

Au cours d'une récente conférence de presse à Houston, le docteur Theodore Lund, l'une des forces vives du mouvement évangélique de la Fin des Temps, a déclaré à la presse mondiale rassemblée : « Le Quatrième Cavalier se trouve quelque part dans la nature et sa découverte n'est qu'une question de temps. » Il faisait référence à la croyance, originellement formulée par un prédicateur d'un trou perdu du Texas, selon laquelle les Trois, les enfants miraculés ayant survécu aux événements dévastateurs du Jeudi Noir, sont possédés par les Cavaliers de l'Apocalypse, envoyés par Dieu pour déclencher la Fin des Temps. Cette croyance se fonde sur les dernières paroles de Pamela May Donald, la seule passagère américaine de l'avion s'étant écrasé dans la célèbre « forêt des suicides », Aokigahara. Selon le docteur Lund et ses fidèles, il n'existe aucune autre explication à la survie prétendument miraculeuse des Trois ; en outre, divers événements mondiaux tels que les inondations sans précédent en Europe, la sécheresse en Somalie et la situation de plus en plus explosive en Corée du Nord, sont les signes de la Fin du Monde imminente.

Or, voici que le docteur Lund affirme, si extraordinaire que ce soit, qu'il existe un autre enfant – un Quatrième Cavalier – ayant survécu à la catastrophe du vol Dalu Air. Après avoir étudié la liste des passagers, récemment publiée, le docteur Lund ajoute qu'un seul enfant à bord avait à peu près l'âge des Trois qui ont survécu aux autres accidents sans une égratignure : Kenneth Oduah, 7 ans, Nigérian. « Nous sommes fermement persuadés que Kenneth se révélera être un des hérauts de Dieu. »

Le docteur Lund se déclare peu convaincu par la déclaration catégorique de l'autorité de l'aviation civile d'Afrique du Sud selon laquelle il n'y a « aucun survivant du vol Dalu Air 467 ».

« Nous le trouverons, affirme-t-il. C'était le chaos, là-bas, après le crash, l'Afrique est un continent désorganisé : l'enfant a très bien pu s'éloigner, se perdre. Et, quand nous le trouverons, ce sera la preuve nécessaire à tous ceux qui n'ont pas encore rejoint la bergerie de Jésus. »

Lorsqu'on lui demande ce qu'il entend par là, il répond : « Il ne faudra pas être laissé sur Terre quand viendra l'Antéchrist, sous peine de connaître d'inimaginables souffrances. Comme il est dit dans la première épître aux Thessaloniciens : "Le jour du Seigneur vient comme un voleur dans la nuit", et Jésus peut nous appeler à lui d'un jour à l'autre, à présent. »

RÉCOMPENSE : **200 000 dollars américains** !!!

Pour la découverte de Kenneth Oduah, 7 ans, Nigérian, passager à bord de l'avion Antonov qui s'est écrasé dans le township de Khayelitsher (***sic***), au Cap, en Afrique du Sud, le 12 janvier 2012. On suppose qu'il a quitté le foyer pour enfants où il avait été emmené après l'accident, et qu'il vit à l'heure actuelle dans la rue.

D'après sa tante, Veronica Alice Oduah, Kenneth a une tête imposante, la peau très noire et une cicatrice en forme de croissant sur le cuir chevelu. Si vous pensez savoir où il se trouve, ayez la gentillesse d'envoyer un e-mail à findingkenneth.net ou d'appeler le +00 789654377646 et de laisser un message. Appel non surtaxé.

Cinquième partie

Les Survivants : Mars

Chiyoko et Ryu

(Le traducteur, Eric Kushan, a choisi d'utiliser dans la transcription ci-dessous le terme japonais *izoku,* plutôt que sa traduction approximative, « les familles affligées », ou plus littérale, « les familles laissées en arrière ».)

Message envoyé @ 16 : 30 05/03/2012

RYU : T'étais où toute la journée ? Je commençais à m'inquiéter pour toi.

CHIYOKO : Six *izoku* sont venus aujourd'hui.

RYU : Tous en même temps ?

CHIYOKO : Non. Deux ensemble le matin. Les autres sont venus séparément. C'est épuisant. La Créature Mère dit toujours qu'il faut traiter les familles avec respect. Je sais que ces gens-là souffrent, mais qu'est-ce que ressent Hiro d'être obligé de les écouter toute la journée, à son avis ?

RYU : Et qu'est-ce qu'il ressent ?

CHIYOKO : Ça doit être vraiment ennuyeux pour lui. Ils arrivent tous en traînant les pieds, ils s'inclinent, et puis ils lui posent la même question : « Est-ce que Yoshi, ou Sakura ou Shinji ou qui que ce soit, a souffert ? Est-ce qu'il a dit quelque chose avant de mourir ? » Comme si Hiro pouvait savoir de qui il s'agit ! Ça me met mal à l'aise, Ryu.

RYU : Ça me mettrait mal à l'aise aussi.

CHIYOKO : S'ils viennent quand la CM est sortie, je les chasse. La CM les informe toujours qu'il ne parle pas encore, mais ça n'a pas l'air de faire une grande différence pour eux. Alors, aujourd'hui, pendant que la CM faisait du thé à la cuisine, je me suis livrée à une expérience. Je leur ai dit qu'il parlait bel et bien mais qu'il était très timide. J'ai ajouté que, selon lui, il n'y avait eu ni panique ni horreur pendant la chute de l'avion et que personne n'avait souffert, à part l'Américaine et les deux survivants qui sont morts à l'hôpital. Est-ce que c'était mal de ma part ?

RYU : Tu leur as dit ce qu'ils voulaient entendre. C'était plutôt gentil.

CHIYOKO : Ouais, bon… J'ai seulement fait ça parce que je voulais qu'ils s'en aillent. Je ne peux pas éternellement servir du thé et porter mon masque de condoléances. Oh, je voulais te dire un truc. Tu sais que la plupart des *izoku* qui viennent voir Hiro sont des vieux. Eh bien, aujourd'hui, une femme plus jeune est venue. Plus jeune au sens où elle marchait sans canne et où elle n'a pas paru choquée quand je n'ai pas servi le thé tout à fait dans les règles. Elle a dit être la femme du passager assis près de l'Américaine dans l'avion.

RYU : Je vois qui tu veux dire… Keita Eto. Il a laissé un message, non ?

CHIYOKO : Oui. Je l'ai relu après son départ. En gros, ça dit qu'avant de monter à bord, il était suicidaire.

RYU : Tu crois que sa femme savait comment il se sentait avant de mourir ?

CHIYOKO : En tout cas, maintenant, elle est au courant.

RYU : Ça doit faire mal. Qu'est-ce qu'elle voulait de Hiro ?

CHIYOKO : Comme d'habitude. Savoir si son mari s'est comporté avec bravoure quand l'avion est tombé et s'il a dit quoi que ce soit en plus de ce qu'il a laissé dans son message. Elle a demandé ça sur un ton badin. J'ai eu l'impression qu'elle était plus curieuse de voir Hiro qu'à la recherche de réconfort. Comme si c'était un phénomène de foire. Ça m'a mise en colère.

RYU : Ils arrêteront bientôt de venir.

CHIYOKO : Tu crois ? Plus de cinq cents personnes sont mortes dans cette catastrophe. Des centaines de familles voudront peut-être encore le rencontrer.

RYU : Vois les choses autrement. Au moins, maintenant, on sait pourquoi l'avion s'est écrasé. Ça aidera sans doute.

CHIYOKO : Oui, tu as peut-être raison. J'espère que ça apportera un peu de paix à la femme du commandant.

RYU : Elle t'a vraiment plu.

CHIYOKO : Oui. J'avoue que je pense souvent à elle.

RYU : Pourquoi, à ton avis ?

CHIYOKO : Parce que je sais ce que c'est. Être mise à l'écart, entendre les gens dire des horreurs à son sujet.

RYU : Ça t'arrivait aussi quand tu étais aux States ?

CHIYOKO : Tu ne peux pas t'empêcher d'aller à la pêche aux informations, hein ? Mais, pour répondre à ta question, non, aux States, je n'étais pas mise à l'écart.

RYU : Tu t'y étais fait des amis ?

CHIYOKO : Non. Juste des relations. La plupart des gens m'ennuient, tu sais, Ryu. Ça vaut aussi pour les Américains, même si je sais que tu les admires.

RYU : Pas du tout ! Qu'est-ce qui te fait penser ça ?

CHIYOKO : Pourquoi serais-tu aussi intéressé par ma vie là-bas ?

RYU : Je te l'ai dit : je suis curieux, c'est tout. Je veux tout savoir de toi. Ne te fâche pas. _|7O

CHIYOKO : *Ai !* L'ORZ contre-attaque.

RYU : Je savais que ça te remonterait le moral. Et, juste pour que tu le saches... je suis très heureux que l'antisociale princesse de glace trouve que je vaux la peine qu'on me parle.

CHIYOKO : Hiro et toi êtes les seules personnes que je supporte dans mon entourage.

RYU : Sauf que tu n'as jamais rencontré l'un des deux et que l'autre ne te répond pas quand tu lui parles. C'est ce que tu aimes ? Qu'on te traite par le silence ?

CHIYOKO : Est-ce que tu es jaloux de Hiro, Ryu ?

RYU : Bien sûr que non ! Ce n'est pas ce que je voulais dire.

CHIYOKO : Il n'est pas toujours nécessaire de parler pour se faire comprendre. Tu serais surpris de voir combien Hiro peut exprimer d'émotions rien qu'en se servant de ses yeux et de son corps. Et, oui, j'admets qu'il est reposant de parler à quelqu'un qui ne peut pas répondre, mais c'est aussi frustrant. Ne t'en fais pas : je ne choisirai pas le Garçon Silencieux plutôt que toi. Par ailleurs, il se passionne pour *Waratte Iitomo !* et *Ai no Apron,* ce que tu ne ferais jamais, je le sais. J'espère que ça va passer.

RYU : Ah ! Il n'a que 6 ans.

CHIYOKO : Ouais. Mais ces émissions sont destinées à des crétins. Je ne sais pas ce qu'il y voit. La CM s'inquiète de ce que diront les autorités s'il ne retourne pas bientôt à l'école. Je crois qu'il ne devrait pas y retourner. Je n'aime pas l'imaginer en compagnie d'autres enfants.

RYU : Je suis d'accord. Les enfants sont cruels.

CHIYOKO : Et comment pourrait-il se défendre s'il ne peut même pas parler ? Il a besoin d'être protégé.

RYU : Mais il ne peut pas rester à la maison éternellement.

CHIYOKO : Il faut que je lui apprenne à se protéger. Je ne veux pas qu'il vive ce qu'on a vécu. Je ne le supporterais pas.

RYU : Je sais.

CHIYOKO : Hé, il est là en ce moment, assis avec moi. Tu veux lui dire bonjour ?

RYU : Salut, Hiro ! ヤアヤア (/・ ω・)(/・ ω・)

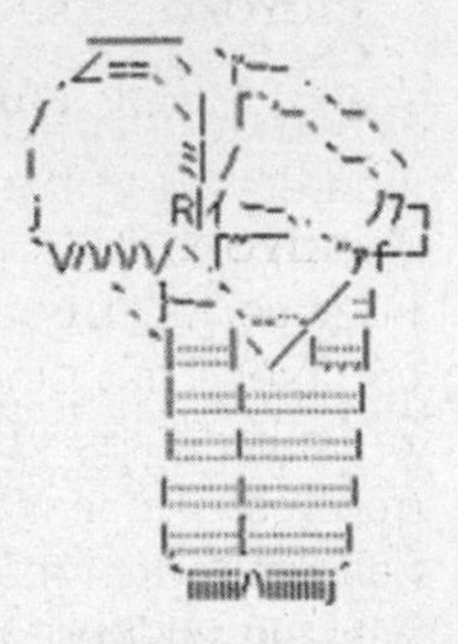

CHIYOKO : Joli ! Il vient de s'incliner à son tour devant toi. La CM dit qu'elle veut le ramener à l'hôpital pour lui faire refaire un check-up. Je n'arrête pas de m'engueuler avec elle là-dessus. À quoi ça sert ? Physiquement, il va très bien.

RYU : Peut-être qu'il n'a tout bonnement rien à dire.

CHIYOKO : Ouais. C'est peut-être ça.

RYU : Tu as entendu les Américains ? À propos du quatrième enfant ? Celui d'Afrique ?

CHIYOKO : Bien sûr. C'est très con. La CM dit qu'un journaliste américain l'a appelée hier. Un étranger qui travaille pour le *Yomiuri Shimbun.* Ils sont aussi nuisibles qu'Aikao Uri et ses conneries sur les extraterrestres. Comment une femme de ministre peut-elle être aussi bête ? Non, je retire ça, ça ne devrait pas me surprendre. Ce qui m'inquiète, c'est qu'elle vienne à la maison et demande à voir Hiro.

RYU : Ouais. « Conduisez-moi à votre chef, Hiro. »

CHIYOKO : !!! Écoute, Ryu, je tenais à te dire que ça me fait plaisir que tu m'écoutes.

RYU : Qu'est-ce que ça vient faire dans la conversation ?

CHIYOKO : Je voulais te le dire depuis un moment. Je sais que ce n'est pas facile de supporter mes manières de princesse de glace. Mais ça me fait du bien.

RYU : Euh… Chiyoko, moi aussi, j'ai un truc à te dire. C'est difficile, mais il faut que ça sorte. Je crois que tu peux deviner ce que c'est.

CHIYOKO : Garde ça en tête. Il y a la CM qui me crie quelque chose.

Message envoyé @ 17 : 10 05/03/2012

CHIYOKO : L'Oncle Androïde est ici ! Il n'a pas prévenu qu'il venait, alors la CM pète un plomb. Je t'en dirai plus après.

Message envoyé @ 02 : 30 06/03/2012

CHIYOKO : Ryu : Ryu !

Message envoyé @ 02 : 40 06/03/2012

RYU : Je suis là. Désolé, je dormais. C'est le bip de ton message qui m'a réveillé.

CHIYOKO : Écoute… J'ai un truc dingue à te raconter. Mais il faut que tu promettes de garder ça pour toi.

RYU : T'es vraiment obligée de me le demander ?

CHIYOKO : D'accord… L'Oncle Androïde a apporté quelque chose à Hiro. Un cadeau.

RYU : Quel genre ? Ne me fais pas languir.

CHIYOKO : Un androïde.

RYU : !!!!!!!!!!!!!!!!!!

CHIYOKO : Et il y a mieux. C'est une copie exacte de Hiro. Ça lui ressemble trait pour trait, à part les cheveux. J'aurais voulu que tu entendes la CM hurler quand elle l'a vu.

RYU : C'est sérieux ? Une version robotisée de Hiro ?

CHIYOKO : Oui. L'Oncle Androïde dit qu'il avait commencé à le fabriquer avant la mort de tante

Hiromi. C'est très troublant. Encore plus flippant que son propre substibot. Et ce n'est pas tout.

RYU : Quoi ? Qu'est-ce qu'il pourrait y avoir de plus hallucinant ?

CHIYOKO : Attends. L'Oncle Androïde l'a apporté ici à cause de ce que la CM lui a dit, à propos de Hiro qui refusait de parler. Il a pensé que ça pourrait l'aider. Tu sais comment fonctionne le substibot de l'OA, hein ?

RYU : Je crois. Il filme ses mouvements faciaux avec une caméra et les images sont transmises par ordinateur aux capteurs de l'androïde.

CHIYOKO : Dix sur dix ! Il a fallu une éternité à l'OA pour mettre tout au point. Avec la CM et moi comme spectatrices, il a braqué son objectif de capture de mouvement sur le visage de son fils et il lui a demandé d'essayer d'articuler quelques mots. Hiro a bougé les lèvres, il chuchotait à peine. Alors, à ce moment-là, l'androïde a dit... Tiens-toi bien... « Bonjour, papa. »

RYU : !

CHIYOKO : La CM a failli tomber dans les pommes. Ç'avait l'air tellement réel. Il a un mécanisme dans la poitrine pour donner l'impression qu'il respire. De temps en temps, il cligne même des paupières.

RYU : Tu imagines ce qui se passerait si tu filmais ça et si tu le mettais sur Nico Nico ???

CHIYOKO : *Aiiiii !!!* Les journalistes piqueraient une crise !!!!

RYU : Mais, s'il parle... les experts voudront sûrement savoir ce qu'il a vu pendant le crash, non ?

CHIYOKO : Quelle importance ? Ils ont leur réponse,

maintenant. Tu as lu la transcription des dernières paroles du pilote. Les autorités connaissent la cause de la catastrophe. Ce qu'on peut faire de mieux, c'est attendre de voir si l'androïde aide Hiro à communiquer avec nous. Et on dirait que ça marche. Tu sais ce qu'il a dit pendant le dîner ?

RYU : Quoi ????

CHIYOKO : Comme l'OA est arrivé, la CM a décidé de préparer son plat de *nattō*[1] préféré.

RYU : Dégueulasse.

CHIYOKO : Je sais. Moi aussi, j'ai horreur de ça. J'ai donné son bol à Hiro, il l'a regardé, il a bougé les lèvres et, ensuite, son androïde a dit : « J'aime pas ça. Je peux avoir du *ramen*[2] à la place ? » Même la CM a éclaté de rire. Elle m'a demandé de le mettre au lit. Ensuite, je suis redescendue discrètement pour savoir ce qu'elle et l'OA disaient. Comme d'habitude, papa était sorti.

RYU : Et alors ???

CHIYOKO : La CM s'inquiétait du fait que Hiro ne retourne pas à l'école primaire – de ce que diraient les autorités. L'OA fera jouer ses relations pour qu'il ne soit pas obligé d'y retourner avant un moment, au moins le temps qu'il reparle normalement pour éviter qu'il attire trop l'attention sur lui. Il nous a répété encore et encore qu'il fallait garder tout ce qui concerne l'androïde secret. La CM était d'accord.

RYU : Il doit t'être reconnaissant de t'occuper si bien de Hiro.

---

1. Plat japonais à base de haricots de soja fermentés.
2. Soupe de nouilles japonaise.

CHIYOKO : Sans doute. Mais écoute-moi bien, Ryu. Tu ne dois vraiment parler de ça à personne.

RYU : À qui tu veux que j'en parle ?

CHIYOKO : Je sais pas. Tu traînes toujours sur 2-channel. Toi et ton ORZ.

RYU : Très drôle. Regarde : tu l'as rappelé : _|7O

CHIYOKO : *Ai !!!* Range-le !!! Il faut que j'aille dormir, j'en ai besoin. Mais, hé, qu'est-ce que tu voulais me dire, tout à l'heure ?

RYU : Ça peut attendre. On se reparle plus tard ?

CHIYOKO : Et comment ! Ne manquez pas les prochains épisodes palpitants du Monde Délirant de la Princesse de Glace et de l'Incroyable Garçon qui Parlait.

RYU : T'es marrante.

CHIYOKO : Je sais.

Lillian Small

Bobby vivait avec nous depuis six semaines quand Reuben s'est réveillé pour la première fois. Ce jour-là, j'avais engagé une garde pour mon mari afin de pouvoir emmener le petit au parc. Qu'il ne fréquente pas d'autres enfants me préoccupait, mais il ne semblait pas convenable de le renvoyer à l'école, pas avec les assauts constants des médias. J'étais hantée de cauchemars où j'arrivais en retard à la sortie de la classe et où un fanatique religieux kidnappait Bobby. Mais il nous fallait sortir de l'appartement, que nous n'avions pu quitter depuis plusieurs jours. L'affaire avait suscité un regain d'intérêt au moment de la publication des rapports d'enquêtes sur les accidents, et le quartier grouillait de ces saletés de camionnettes des actualités. Cela dit, nous savions enfin pourquoi cet avion s'était écrasé. L'expert du NTSB venu me faire part des découvertes de ses collègues avant la conférence de presse – une femme, ce qui m'a surprise – a dit que la mort avait sûrement été instantanée, que Lori n'avait pas souffert. Le savoir m'a un peu réconfortée mais la blessure s'est néanmoins rouverte et j'ai dû m'excuser quelques minutes pour laisser s'exprimer mon chagrin. L'experte ne quittait pas Bobby des yeux ; elle n'arrivait pas à croire qu'il avait survécu, je le voyais. Et que des oiseaux aient pu être responsables de telles catastrophes… *Des oiseaux !* Comment une chose pareille peut-elle arriver ?

Ensuite, juste après cette vague-là, ces fichus adeptes de l'Apocalypse ont recommencé leurs âneries, cette histoire de quatrième enfant, un survivant de la catastrophe africaine. Voilà qui a attiré une nouvelle vague de journalistes et de cameramen, et une foule de dévots avec leurs grands yeux fixes et leurs pancartes annonçant la fin du monde. Betsy était furieuse.

— Ces *meshugeners*[1], on devrait les arrêter pour lancer des fausses rumeurs pareilles.

J'avais cessé de lire les journaux qui répandaient leur poison sur Bobby, disant qu'il n'était « pas naturel », et affirmant qu'il était possédé. Finalement, j'avais dû demander à Betsy de ne pas me montrer les articles, de ne même pas m'en parler. Je ne les supportais plus.

La situation s'est tellement aggravée que j'ai dû mettre au point une procédure spéciale pour que Bobby et moi puissions quitter l'appartement. D'abord, je demandais à Betsy de regarder dehors pour vérifier qu'il n'y avait ni adeptes des extraterrestres ni Apocalyptiques bruyants dans le parc. Ensuite, Bobby enfilait son déguisement – une casquette de base-ball et une paire de lunettes aux verres clairs. Dieu merci, il prenait cela pour un jeu :

— On se déguise encore, Bubbe !

Je me teignais les cheveux depuis qu'avaient été publiées toutes les photographies de Bobby et moi, à la cérémonie en hommage à Lori. C'était une idée de Betsy, nous avions passé une demi-heure chez Wal-

1. En yiddish : fou.

greens, à choisir une couleur. Nous nous étions décidés pour l'auburn, malgré mes craintes de faire un peu mauvais genre. Oh ! comme j'aurais aimé avoir l'avis de Reuben à ce sujet !

Bobby et moi nous sommes bien amusés ce jour-là. Il pleuvait, il n'y avait donc aucun autre enfant dehors, mais la promenade nous a fait du bien à tous les deux. Une heure durant, j'ai presque pu croire que nous menions une existence normale.

Après notre retour du parc, j'ai installé Reuben au lit. Il était plus serein, je crois le mot approprié, depuis que Bobby vivait avec nous. Il dormait beaucoup et ses rêves ne semblaient pas le hanter.

Je nous ai confectionné des sandwichs au rosbif, puis Bobby et moi nous sommes installés sur le canapé, devant Netflix. J'ai choisi un film intitulé *Nim's Island,* ce que j'ai regretté aussitôt car il mettait en scène la mort d'une mère dès le prégénérique. Mais Bobby n'a pas bronché. Il n'avait pas encore intégré (je pense que c'est le terme correct) ce qui était arrivé à Lori. Il s'était installé dans son existence avec Reuben et moi comme s'il avait toujours vécu chez nous. Et il ne parlait jamais de Lori à moins que je n'aborde le sujet. Je lui répétais sans cesse que sa mère l'aimait plus que la vie elle-même, et qu'elle serait toujours avec lui en esprit, mais cela semblait glisser sur lui. J'avais renoncé à lui faire consulter un autre psychologue – il ne semblait pas en avoir besoin –, mais je gardais le contact avec le docteur Pankowski, qui m'assurait que je ne devais pas m'inquiéter. Les enfants disposent d'un mécanisme inné qui leur permet de s'accommoder de traumatismes brutaux, m'assurait cette jeune femme, aussi ne devais-je pas m'affoler en cas de changements de comportement. Bien que je n'en aie jamais parlé à Lori, quand je gardais Bobby, juste après que la maladie de Reuben se fut déclarée, il me faisait parfois des caprices. Mais, depuis que l'avion s'était écrasé et que sa mère… Depuis que Lori… C'était comme s'il avait grandi d'un coup, comme s'il savait que nous devions tous avancer ensemble pour surmonter cette épreuve. Et il était bien plus affectueux. Je tentais de lui cacher mon chagrin mais, chaque fois qu'il me voyait pleurer, il m'enlaçait et me soufflait : « Sois pas triste, Bubbe. »

Pendant que nous regardions le film, il s'est pelotonné contre moi, puis il a demandé :

— Est-ce que Po Po ne pourrait pas regarder avec nous, Bubbe ?

Il appelait Reuben Po Po. Je ne me rappelle pas où il avait pris ça, mais Lori trouvait le surnom mignon et l'encourageait à s'en servir.

— Po Po dort, Bobby, ai-je dit.

— Il dort beaucoup, Po Po, hein, Bubbe ?

— Oui. C'est parce que…

Comment expliquer la maladie d'Alzheimer à un enfant ?

— Tu sais qu'il est malade depuis un moment ? Tu dois te le rappeler d'avant que tu viennes habiter avec nous.

— Oui, Bubbe, a-t-il répondu avec gravité.

Je ne me rappelle pas m'être endormie sur le canapé, mais c'est pourtant ce qui a dû arriver. Ce sont des rires qui m'ont réveillée. Le film était terminé, donc ce n'était pas la télévision.

C'était Reuben.

Je suis restée figée, Elspeth, j'osais à peine respirer. Et puis j'ai entendu Bobby dire quelque chose – que je n'ai pas compris – et de nouveau ce rire.

Un son que je n'avais pas entendu depuis des mois.

Ma sieste dans une mauvaise position m'avait laissé

un léger torticolis mais je ne m'en suis pas préoccupée. J'ai bougé plus vite que ça ne m'était arrivé depuis des années !

Ils étaient dans la chambre. Reuben assis, les cheveux ébouriffés, son petit-fils perché au pied du lit.

— Salut, Bubbe, a dit Bobby. Po Po s'est réveillé.

Son expression sans vie – le masque d'Al – avait disparu.

— Bonjour, m'a lancé Reuben d'une voix tout à fait claire. Est-ce que tu as vu mes lunettes ? (J'ai dû me presser les mains sur la bouche pour retenir un hurlement.) Bobby veut que je lui lise une histoire.

— Vraiment ? ai-je répondu, je crois.

Je tremblais de tous mes membres. Cela faisait des mois qu'il n'avait pas eu de période de lucidité – de moment sans Al –, exception faite de la pression exercée sur ma main juste après avoir appris la nouvelle de la survie de Bobby. La parole était la première chose qu'Al avait volée à Reuben, et voilà qu'il s'exprimait clairement, en mettant tous les mots dans le bon ordre.

J'ai pensé que, peut-être, je rêvais.

Puis Reuben a repris :

— J'ai regardé dans le turvet mais je ne les ai pas trouvées.

Je ne me suis pas souciée qu'il utilise un mot imaginaire : tout ce que je savais, c'était que j'assistais à un miracle.

— Je vais les chercher, Reuben, ai-je assuré.

Il n'avait pas eu besoin de lunettes depuis des mois – il n'allait pas lire, hein ? Pas avec Al. Le cœur battant à toute allure, tels les sabots d'un cheval emballé, j'ai cherché partout, mettant l'appartement à sac. J'avais très peur, si je ne trouvais pas ses lunettes, de voir Reuben s'effacer à nouveau devant Al. J'ai fini par les découvrir au fond de son tiroir à chaussettes.

— Merci, ma chère, m'a-t-il dit.

Je me rappelle avoir pensé que c'était bizarre. Il ne m'appelait jamais « ma chère ».

— Reuben… est-ce que… Comment tu te sens ?

J'avais toujours beaucoup de mal à m'exprimer.

— Un peu fatigué. Mais, sinon, ça va très bien.

Bobby a filé dans sa chambre et rapporté un de ses vieux livres d'images. Un bouquin étonnant que lui avait acheté Lori quelques années plus tôt : *Glu végétale*. Il l'a tendu à son grand-père.

— Hum… (Reuben a plissé les yeux pour lire.) Les mots… ils sont bizarres.

Il s'effaçait. Je voyais l'ombre d'Al réapparaître dans ses yeux.

— Tu veux que je demande à Bubbe de nous le lire, Po Po ? a suggéré Bobby.

Encore un regard désorienté, puis une étincelle de vie.

— Oui. Où est Lily ?

— Je suis ici, Reuben, ai-je dit.

— Vous êtes rousse. Ma Lily était brune.

— Je me suis teint les cheveux. Ça te plaît ?

Il n'a pas répondu. Il ne pouvait pas. Il était reparti.

— Lis-nous ça, Bubbe ! a insisté le petit.

Je me suis assise sur le lit et mise à lire, la voix tremblante.

Reuben s'est endormi presque aussitôt. Plus tard, en bordant Bobby, je lui ai demandé de quoi ils parlaient quand j'avais entendu rire son grand-père.

— Il me racontait ses mauvais rêves, et je lui disais qu'il avait plus besoin d'en faire s'il en avait pas envie.

Je ne m'attendais pas à fermer l'œil cette nuit-là. Pourtant, j'ai dormi. Quand je me suis réveillée, mon mari n'était plus au lit. J'ai couru à la cuisine, le cœur battant à tout rompre.

Bobby, assis sur le plan de travail, jacassait au profit de Reuben, qui versait du sucre en poudre dans une tasse de lait. Je me fichais que le plan de travail soit couvert de café moulu, de miettes et de lait renversé ; tout ce qui m'a frappée à ce moment-là, c'est que Reuben s'était habillé. Il avait mis sa veste à l'envers mais, en dehors de cela, il paraissait tout à fait bien. Il ne s'était même pas trop mal tiré de sa tentative de rasage.

— Je voulais aller acheter des petits pains mais je n'ai pas trouvé la clé, a-t-il dit en me lançant un coup d'œil et en agitant la main.

J'ai essayé de sourire.

— Comment tu te sens, aujourd'hui, Reuben ?

— Bien, merci de le demander, je t'en prie, a-t-il répondu.

Il n'était pas entièrement revenu, pas tout à fait normal – quelque chose manquait encore dans ses yeux –, mais il était levé, habillé, et il parlait.

Bobby l'a tiré par la main.

— Viens, Po Po. On va regarder la télé. On peut, Bubbe ?

Toujours un peu assommée, j'ai hoché la tête.

Je ne savais pas quoi faire. J'ai appelé le service d'aide à domicile pour dire que je n'aurais besoin de personne ce jour-là, puis j'ai pris rendez-vous avec le docteur Lomeier. Tout cela, machinalement.

Quitter l'appartement, même compte tenu du miracle, n'allait pas être simple. Reuben n'était pas sorti depuis des semaines et je craignais qu'il ne se fatigue vite. J'ai failli demander à Betsy d'effectuer son habituel examen du quartier pour vérifier qu'aucun journaliste ne rôdait, mais quelque chose m'a retenue de frapper à sa porte. Au lieu de cela, j'ai appelé un taxi, alors que la clinique Beth Israël ne se trouvait qu'à quelques rues de chez nous, et j'ai dit à Bobby d'enfiler son déguisement. Nous avons eu de la chance, ce jour-là. Je n'ai pas vu de journalistes, et les passants devant l'immeuble – un juif hassidique et un groupe d'adolescents latinos – ne nous ont pas accordé un regard. Le chauffeur de taxi a pu se garer juste devant la porte. Bien qu'il ait jeté un regard curieux à Bobby, il n'a rien dit. C'était un de ces chauffeurs immigrés, un Bengali ou quelque chose comme ça, je crois qu'il ne parlait même pas anglais. J'ai été obligée de lui indiquer le chemin de la clinique.

Il faut que je parle un peu du docteur Lomeier. Je ne l'appréciais pas beaucoup, Elspeth. C'était sans aucun doute un bon médecin, mais je n'aimais pas l'entendre parler de Reuben devant lui comme s'il n'était pas là, lorsque je l'amenais faire des examens.

— Et comment va Reuben aujourd'hui, madame Small ? Il ne nous fait pas trop de difficultés ?

Il avait été le premier praticien à citer Alzheimer comme cause possible des distractions de Reuben, lequel ne l'aimait pas non plus.

— Pourquoi faut-il que j'apprenne une nouvelle pareille d'un *putz*[1] comme lui ?

Le spécialiste chez lequel on nous a envoyés était bien plus sympathique, mais il consultait à Manhattan et je n'étais pas prête à emmener Reuben aussi loin. Pour l'heure, le docteur Lomeier ferait l'affaire. J'avais besoin de réponses. Besoin de savoir à quoi j'avais affaire.

Quand on nous a introduits dans son cabinet, Lomeier s'est montré plus chaleureux qu'à l'ordinaire.

— Est-ce que c'est Bobby ? a-t-il demandé. J'ai beaucoup entendu parler de toi, jeune homme.

---

1. En yiddish : crétin.

— Qu'est-ce que vous faites sur votre ordinateur ? a demandé Bobby. Vous avez des photos ? Je veux voir !

Le docteur a cligné des yeux de surprise puis fait pivoter son écran, sur lequel s'étalait la photo d'une scène alpestre.

— Pas celle-là, a protesté Bobby. Celles avec les dames qui se touchent le pipi.

Il y a eu un silence gêné puis Reuben a dit d'une voix aussi claire que possible :

— Eh bien, allez-y, docteur, montrez-les-lui.

Bobby lui a lancé un large sourire, heureux comme un pape.

La bouche du docteur Lomeier s'est ouverte en grand. J'ai l'air d'exagérer, Elspeth, mais j'aurais voulu que vous le voyiez.

— Depuis combien de temps est-ce que ça dure, madame Small ? a-t-il demandé.

J'ai répondu que Reuben s'était remis à parler la veille au soir.

— Il a commencé à parler hier soir de manière cohérente ?

— Oui.

— Je vois.

Il s'est tortillé sur son fauteuil. Je m'attendais presque à ce que Reuben dise quelque chose comme « *Oy,* je suis là, tu sais, espèce de *schmuck*[1]. » Mais il est resté silencieux.

— J'avoue, madame Small, que, si ce que vous dites est vrai, je suis éberlué. La détérioration de l'état de santé de Reuben a été… En fait, je suis surpris de constater qu'il se déplace encore. Je pensais vous adresser, bien avant aujourd'hui, à une maison de retraite spécialisée.

1. En yiddish : pénis et, par extension, imbécile, minable.

La colère m'a frappée de plein fouet.

— Ne parlez pas de lui comme ça ! Il est ici ! C'est une personne, espèce de… de…

— *Putz* ? a suggéré joyeusement Reuben.

— Bubbe ? (Bobby a levé la tête vers moi.) On peut partir, maintenant ? Il est malade, ce monsieur.

— C'est ton grand-père qui est malade, Bobby, a corrigé le docteur Lomeier.

— Oh, non. Po Po n'est pas malade. (Il m'a tirée par la main.) Allons-nous-en, Bubbe, c'est idiot.

Reuben, déjà debout, se dirigeait vers la porte.

Je me suis levée.

Le docteur Lomeier restait nerveux ; son visage pâle s'était empourpré.

— Madame Small… je vous en conjure, prenez tout de suite un autre rendez-vous. Je peux vous adresser à mon confrère, le docteur Allen, à l'hôpital Mount Sinai. Si Reuben donne des signes d'amélioration des capacités cognitives, il est possible que la Dématine qu'on lui prescrit fonctionne bien mieux que nous ne l'avions prévu.

Je n'ai pas répondu que Reuben refusait de prendre son médicament depuis plusieurs semaines. Quoi qui puisse provoquer sa transformation, ce n'était pas la Dématine : je n'arrivais pas à la lui faire avaler.

Isobel, la fille de Stan Murua-Wilson, est une ancienne camarade de classe de Bobby Small. M. Murua-Wilson accepta de s'entretenir avec moi par Skype, en mai 2012.

Il va sans dire que nous tous, les parents de l'école Roberto-Hernandes, nous avons subi un choc en apprenant la mort de Lori. Nous n'arrivions pas à croire que quelque chose comme ça pourrait arriver à quelqu'un de notre entourage. Non pas que nous ayons été proches, pas du tout. Ma femme, Ana, n'est pas jalouse, mais elle a détesté le comportement de Lori pendant une ou deux réunions parents-instituteurs. Elle dit que c'était une allumeuse et une écervelée de première classe. Je n'irai pas jusque-là. Lori était sympa. La plupart des enfants inscrits à Roberto-Hernandes viennent de familles hispaniques, mais on y cultive des valeurs d'intégration, de diversité, et Lori ne l'a jamais jouée genre « hé, regardez, j'envoie mon fils dans une école publique pour qu'il goûte à la réalité avec les gosses du quartier ». Certains parents blancs dont les enfants fréquentent des écoles expérimentales sont comme ça, voyez. Suffisants. Et Lori aurait facilement pu envoyer Bobby dans une des bonnes *yeshivah*[1] du coin. Je pense que le problème d'Ana avec Lori venait en partie de Bobby, d'ailleurs... Ce n'était pas un enfant très facile, à vrai dire.

J'ai fait des études littéraires – avant la naissance d'Isobel, je comptais enseigner –, et le comportement de Bobby (avant le crash, je veux dire) ainsi que l'attitude de Lori avec lui me rappelaient la nouvelle de Shirley Jackson, *Charles.* Vous connaissez ? Ça parle d'un petit garçon, Laurie, qui revient tous les jours de l'école maternelle avec des histoires concernant un camarade très méchant du nom de Charles : dissipé en classe, il frappe les autres enfants, il a même tué le hamster de la classe, et ainsi de suite. Les parents de Laurie, emplis de *schadenfreude*[2], s'interrogent : « Pourquoi est-ce que ses parents ne le punissent pas ? » Bien sûr, quand ils se rendent à l'école pour une réunion parents-instituteurs, ils découvrent qu'aucun élève ne s'appelle Charles : le méchant petit garçon est en fait leur propre fils.

Certains parents ont essayé de parler de Bobby à Lori, mais ça n'a jamais rien donné. Ana a pété un plomb l'année dernière quand Isobel est rentrée à la maison en disant qu'il avait essayé de la mordre. Elle voulait aller voir le directeur, mais je l'en ai dissuadée. Je savais que ça finirait par se calmer ou que Lori reprendrait ses esprits et lui donnerait de la Ritaline ou je ne sais quoi ; ce gamin avait un sacré trouble du déficit de l'attention.

Est-ce que je peux dire qu'il n'était plus le même après l'accident ? On a beaucoup parlé de ça, avec toutes

---

1. École juive.
2. Terme allemand parfois employé en français mais plus souvent en anglais, et recouvrant *grosso modo* la notion de joie malsaine provoquée par le malheur des autres.

les conneries que racontent les cinglés des prophéties, mais j'ai du mal à me prononcer, vu que la grand-mère de Bobby, Lillian, a opté pour l'école à domicile – sûrement à cause du harcèlement qu'ils subissaient de la part de la presse et de tous les illuminés. Je l'ai quand même rencontré une fois, vers la fin mars. Il ne faisait pas très beau mais Isobel m'avait tanné toute la journée pour aller au parc et, finalement, j'ai capitulé.

Quand on est arrivés, elle a lancé :

— Oh, regarde, papa, c'est Bobby !

Avant que je puisse l'arrêter, elle a couru tout droit à lui. Il portait une casquette de base-ball et des lunettes, donc je ne l'ai pas reconnu tout de suite, contrairement à Isobel. Bobby était accompagné d'une vieille dame qui s'est présentée comme étant Betsy, la voisine de Lillian. Elle m'a dit que le grand-père du petit, Reuben, était dans un mauvais jour, et que du coup elle avait proposé d'emmener Bobby se promener. C'était une vraie pipelette, cette Betsy !

— Tu veux jouer avec moi, Bobby ? a demandé Isobel.

C'est une gentille petite fille. Il a hoché la tête, tendu la main et ils sont allés ensemble jusqu'aux balançoires. Je les regardais avec attention, en écoutant Betsy d'une oreille. On voyait qu'elle trouvait bizarre que je reste à la maison pour élever Isobel alors qu'Ana allait travailler.

— On n'aurait pas vu ça de mon temps, n'arrêtait-elle pas de répéter.

Un tas de copains en font autant. Et puis on ne s'ennuie pas : on a un club de jogging ; on se retrouve au centre de loisirs pour jouer au racquetball, des trucs comme ça.

Isobel a dit quelque chose à Bobby, qui a éclaté de rire. J'ai commencé à me détendre. Ils étaient là, penchés l'un vers l'autre, à discuter avec animation, et ils semblaient beaucoup s'amuser.

— Il ne voit pas assez d'autres enfants, a continué Betsy. Je ne fais aucun reproche à Lillian, elle est tellement occupée.

Quand on est rentrés à la maison, j'ai demandé à Isobel de quoi Bobby et elle avaient discuté. Je craignais qu'il ne lui ait parlé de l'accident et du décès de sa mère. La mort était un sujet que je n'avais pas encore abordé avec Isobel : elle avait un hamster qui devenait plus mollasson chaque jour, et j'avais l'intention de le remplacer sans rien lui dire. Je suis lâche. Ana est différente, elle dit que la mort fait partie de la vie. Mais on ne veut pas que les enfants grandissent trop vite, hein ?

— Je lui ai parlé de la dame, a-t-elle répondu.

Je savais exactement de quoi il s'agissait. Depuis l'âge de 3 ans, elle souffrait de peurs nocturnes. Un type bien précis, des hallucinations hypnagogiques, durant lesquelles elle voyait l'image terrifiante d'une vieille femme voûtée qui tourbillonnait devant ses yeux. Une partie du problème venait de ma belle-mère, qui lui bourrait le crâne avec un tas d'histoires, de superstitions – El Chupacabra[1] et d'autres conneries du même genre. Ana et moi on s'est beaucoup battus contre ça.

L'état d'Isobel avait empiré au point que, l'année dernière, malgré ce que ça coûtait, je l'avais emmenée chez une psychologue. Elle m'avait dit que le problème finirait par disparaître, et je priais pour qu'elle ait raison.

— Bobby est comme la dame, a dit ma fille.

---

1. Monstre issu de la tradition populaire d'Amérique latine, qui vide de leur sang les animaux domestiques.

Je lui ai demandé ce qu'elle entendait par là mais, tout ce qu'elle a répondu, c'est :

— Il est comme elle.

Pour être franc, ça m'a un peu angoissé.

C'est sans doute une coïncidence, mais… après avoir vu Bobby ce jour-là, Isobel ne s'est plus jamais réveillée en hurlant ni plainte de visites nocturnes de la dame. Plusieurs semaines plus tard, je lui ai redemandé ce qu'elle avait voulu dire par « Bobby est comme la dame », mais elle n'a pas paru savoir de quoi je parlais.

Transcription de l'enregistrement de Paul Craddock, mars 2012.

12 mars, 05 h 30

Ce n'était qu'un verre, Mandi. Un seul… J'ai encore passé une mauvaise nuit. Stephen est revenu mais, cette fois, il n'a pas parlé, il a juste…

(Un coup sec, suivi d'un bruit de chasse d'eau.)

Plus jamais. Plus jamais, bordel. Darren sera là d'ici quelques heures et je ne veux pas qu'il me trouve l'haleine chargée d'alcool. Mais ça aide, je ne peux pas le nier.

Ô Seigneur.

12 mars, 11 h 30

Je crois que c'est passé. J'ai aussi pris soin de ne pas puer le bain de bouche, ce qui est un indice flagrant. À la place, j'ai déniché un déodorant bon marché en bombe, au fond du placard de la salle de bains, qui m'a fait embaumer le musc artificiel. Mais c'est la dernière fois que je prends un risque pareil.

Quoique, de toute façon, je ne passe pas beaucoup de temps avec Darren. Jess en fait ce qu'elle veut, comme toujours.

— Darren, tu viens regarder *My little pony* avec moi ? Oncle Paul m'a acheté toute la série.

Elle n'était pas aussi liante avant l'accident, j'en suis certain désormais. Polly et elle n'avaient jamais été très précoces, elles étaient timides avec les étrangers, mais j'imagine qu'une légère différence de comportement était à prévoir. Selon Darren, on devrait la renvoyer à l'école après les vacances de Pâques. On verra ce qu'en dit le docteur K.

Merci d'avoir aussi bien compris que je ne vous envoie pas d'enregistrements pendant un moment. C'est juste que… parler d'elle comme ça… ça me fait vraiment du bien. J'en reviendrai très vite au contenu normal, promis. Ce doit être le chagrin, hein ? Le déni ou je ne sais quoi. C'est un stade par lequel tout le monde passe pendant un deuil, non ? Encore heureux que Jess ne connaisse pas tout ça. Elle semble avoir tout accepté, elle n'a pas pleuré une seule fois – même quand on lui a retiré ses pansements et qu'elle a vu les cicatrices sur son visage. Rien de bien grave : un peu de maquillage dissimulera ça très bien quand elle sera plus âgée. Et ses cheveux commencent à repousser. On s'est bien amusés, l'autre jour, à choisir des chapeaux sur Internet. Elle a sélectionné un feutre noir très chic. Je n'imagine pas la Jess d'avant apprécier ce genre de chose. Rien à voir avec Missy K, à l'élégance digne d'une *drag queen* daltonienne attardée.

Cela dit… tout accepter de cette manière… ça ne peut pas être normal, hein ? Je suis presque tenté de lui montrer les photos de famille que j'ai rangées avant qu'elle ne revienne à la maison, pour essayer de déclencher une réaction émotionnelle, mais je ne suis pas encore prêt à les revoir, moi, et je prends garde à ne pas craquer devant elle. Je prie le Seigneur que la publication des premiers résultats de l'enquête sur l'accident me vaille un certain sentiment d'aboutissement.

Et les membres des 277 Ensemble me sont d'un grand secours. Je ne leur ai pas parlé des cauchemars, pas question. Je leur fais confiance, surtout à Mel et Geoff, mais on ne sait jamais. Ces putain de journaux imprimeraient n'importe quoi. Vous avez vu l'histoire à faire pleurer dans les chaumières qu'a sortie le *Daily Mail* – le *Daily Heil,* comme disait Stephen – à propos de Marilyn ? Il paraît qu'on lui a trouvé un emphysème. « Et tout ce que je veux, c'est revoir la petite Jessie avant de mourir, bou hou hou. » Du pur chantage affectif. Je m'attends toujours à voir Fétide et Gomez rôder autour de la maison, mais je suppose que, même dans la Famille Addams, on n'est pas assez bête pour risquer une ordonnance restrictive. Et puis, s'ils se montrent quand même, je pourrai toujours appeler Gavin, le fils de Mel, un vrai dur, pour qu'il vienne leur inspirer la crainte de Dieu, non ?

Bon sang, écoutez-moi bavasser comme un idiot. C'est le stress. Le manque de sommeil. Pas étonnant que ces salopards d'Américains du camp de Guantánamo se soient servi de la privation de sommeil comme mode de torture.

(Une sonnerie de téléphone – le thème du* Docteur Jivago.*)

Bougez pas. Téléphone.

11 h 45

Génial. Alors, ça, c'était d'enfer. Un journaleux, comme d'habitude, cette fois-ci de *The Independent.* Ce n'est pas censé être un journal rationnel ? Croyez-le ou non, il voulait mon avis sur les rumeurs selon lesquelles un de ces connards de bigots va partir à la recherche du Quatrième Cavalier.

Qu'est-ce que j'ai à voir avec ça, merde ? Seigneur ! Le quatrième enfant ? Non, mais quelles conneries ! Il a même eu le culot de me demander si j'avais remarqué des changements de comportement chez Jess. Sans blague ? C'est ça, la presse, de nos jours ? On croit aux charmeurs de serpents et aux prédicateurs cinglés ? C'est les fous qui dirigent l'asile ou quoi ? Hé, c'est pas trop mal, ça. Il faut que je me rappelle de le garder quand j'effacerai les trucs sur mes rêves.

Bon, allez : un café, habiller Jess, et on file au supermarché. Il n'y a que deux paparazzi de Neandertal devant la maison, aujourd'hui ; on devrait pouvoir sortir sans problème.

15 mars, 23 h 25

Hum… Je ne sais pas trop quoi dire de tout ça. Sacrée journée.

Ce matin, paparazzi ou pas, j'ai décidé qu'on avait besoin de prendre l'air. Je commençais à grimper aux murs, et Jess passait beaucoup trop de temps devant la télé, mais on ne peut pas sortir n'importe quand si on ne veut pas se faire mitrailler par les photographes. Dieu merci, la petite ne s'intéresse pas aux chaînes d'actualité, mais, si j'entends encore le générique de *My little pony*, mon cerveau va exploser. On a marché le long de l'allée jusqu'aux écuries, au bout de la rue, traqués par un groupe de journaleux qui cachaient leur calvitie sous des mèches rabattues. Ils croassaient et haletaient autour de ma nièce comme un troupeau de pédophiles en permission, tout droit sorti de l'hôpital de Broadmoor.

— Souris pour la photo, Jess !

Il m'a fallu faire appel à toute ma volonté pour ne pas leur dire d'aller se faire foutre, mais j'ai mis mon masque de brave oncle et Jess a joué leur jeu comme toujours, posant avec les chevaux et me donnant la main pendant qu'on rentrait à la maison.

Puisqu'on devait rencontrer le docteur K le lendemain, j'ai pensé qu'il serait bon d'essayer à nouveau de faire parler Jess de Polly, Stephen et Shelly. Ça m'inquiète de la voir aussi calme et… heureuse, je crois. Parce qu'elle l'est. En permanence, putain, comme un personnage d'une sitcom américaine ringarde des années 1980. Elle a même arrêté de dire des gros mots.

Comme à son habitude, elle m'a écouté calmement, avec son air un peu condescendant.

J'ai désigné l'épisode de *My little pony* qui passait en boucle – c'est une série à laquelle on devient accro très facilement, je dois l'admettre, malgré la musique infâme du générique. À l'heure qu'il est, je connais plus ou moins tous les épisodes par cœur.

— Tu te rappelles quand Applejack refuse d'accepter l'aide de ses amis et qu'elle finit par se retrouver en danger, Jess ? j'ai radoté de ma voix d'Oncle Joyeux. À la fin, Twilight Sparkle et les autres l'aident et elle réalise que, parfois, le seul moyen de régler des problèmes difficiles, c'est de les partager avec ses amis.

Jess n'a rien répondu du tout. Elle me regardait comme si j'étais complètement cinglé.

— Ce que je veux dire, c'est que tu peux t'appuyer sur moi quand tu veux. Et que c'est bien de pleurer quand on est triste. Polly, papa et maman doivent te manquer terriblement. Je sais que je ne peux pas les remplacer.

— Je ne suis pas triste, m'a-t-elle répondu.

Peut-être les a-t-elle chassés de son esprit. Peut-être fait-elle semblant de croire qu'ils n'ont jamais existé.

Pour la millième fois, je lui ai proposé d'inviter ses copines à venir jouer à la maison le lendemain.

Elle a bâillé, répondu « Non, merci », et elle s'est remise à regarder ces foutus poneys.

03 h 30
(Sanglots)

Mandi. Je n'en peux plus, Mandi. Il était là… Je n'ai pas vu son visage. Et il a répété la même chose, la seule qu'il dise jamais :

— Comment as-tu pu laisser entrer ça ici ?

Ô bon Dieu. Oh, merde.

04 h 30

Je ne réussirai jamais à me rendormir. Jamais, putain.

C'est tellement réel. Ces rêves. Incroyablement réel. Et… merde. C'est carrément de la folie… mais, cette fois-ci, je suis sûr d'avoir senti quelque chose… une vague odeur de poisson pourri. Comme si, au fil du temps, le cadavre de Stephen se putréfiait. Et je ne vois toujours pas son visage…

Bon. Ça suffit.

Il faut que j'arrête ça.

C'est complètement délirant.

Mais… Je me dis que tout ça vient peut-être de mon sentiment de culpabilité. Est-ce ce problème-là que mon inconscient voudrait me voir régler ?

Je fais de mon mieux pour Jess, oui, bien sûr. Mais je ne peux pas m'empêcher de penser que je rate quelque chose. Que je devrais faire plus.

Comme quand papa et maman sont morts. J'ai laissé Stephen s'occuper de tout, prendre toutes les dispositions pour les obsèques. J'étais en tournée, à ce moment-là, je jouais Alan Bennett à Exeter. J'ai fait passer ma carrière avant, je me suis convaincu que papa et maman n'auraient pas voulu me voir gâcher la chance de ma vie. Ah, ah, tu parles d'une chance ! On s'estimait heureux les soirs où la salle était à moitié pleine. Je suppose que j'étais encore en colère contre eux. Je ne le leur ai jamais avoué mais ils le savaient. Ils ne cachaient pas que j'étais la brebis galeuse de la famille, alors que Stephen était la prunelle de leurs yeux. Je sais ce que je vous ai dit avant, Mandi, mais mon frère et moi, on n'était pas très proches, enfants. On ne se disputait jamais ni rien, seulement... Tout le monde l'aimait bien. Je n'étais pas jaloux mais il avait la vie facile. Pas moi. Dieu merci, Shelly est arrivée. Sans elle, on n'aurait jamais repris le contact.

Mais je savais... je l'ai toujours su... Il était trop doué, Stephen. Bien plus que moi.

(Un sanglot.)

Il m'a même défendu quand je ne le méritais pas.

Et je savais au plus profond de mon cœur qu'il savait, lui, que je n'étais pas capable de m'occuper de Jess.

Shelly et lui... ils avaient réussi, non ? Alors que moi...

(Un reniflement sonore.)

Écoutez-moi. Toujours à m'apitoyer sur mon sort.

C'est la culpabilité. Rien d'autre. La culpabilité et le regret. Mais je ferai mieux avec Jess. Je prouverai à Stephen que Shelly avait raison de me confier sa garde. Ensuite, peut-être qu'il me laissera en paix.

21 mars, 23 h 30

Ce soir, j'ai craqué : j'ai demandé à Mme Ellington-Burn de garder Jess pendant la réunion des 277 Ensemble. En général, je l'emmène, et elle se conduit toujours en petit ange. Mel lui trouve une occupation au centre communautaire, du coloriage ou n'importe quoi, et j'apporte le Mac de Stephen pour qu'elle puisse regarder en boucle Rainbow Dash et ses amis, mais... pour une partie des 277... Je ne sais pas, j'ai l'impression que sa présence les gêne. Ils sont tous gentils avec elle, bien sûr, c'est juste que… eh bien, je ne peux pas leur en vouloir. Elle leur rappelle cruellement que ceux qu'ils aimaient, eux, n'ont pas survécu. Certains doivent ressentir cela comme une injustice. Et je sais qu'ils ont envie de l'interroger sur ce qui s'est passé juste avant que l'avion ne s'écrase. Elle dit ne rien se rappeler, et pourquoi se rappellerait-elle ? Elle a été assommée. L'expert de l'AAIB venu lui parler avant de donner la conférence de presse a fait de son mieux pour stimuler sa mémoire, mais elle n'a pas voulu en démordre : la dernière chose dont elle se souvient, c'est la piscine de l'hôtel à Ténérife.

Mme E.-B. m'a pratiquement jeté dehors, impatiente de se retrouver en tête à tête avec Jess. Elle doit se sentir seule. À part les Témoins de Jéovah, je n'ai jamais vu personne lui rendre visite, mais bon, en règle générale, c'est vraiment une vieille peau. Dieu merci, elle a laissé chez elle son chien qui n'arrête pas de japper, donc je n'ai pas à craindre que ces horribles poils de caniche se retrouvent sur mes couvertures. Je ne crois pas que son hostilité à mon égard soit personnelle. Geoff dit qu'elle le toise comme s'il avait de la merde sur les pompes (un geoffisme typique), donc je pense que c'est juste une question de snobisme. Je craignais un peu de les laisser seules, mais Jess m'a joyeusement fait signe de partir. Je ne l'ai encore jamais formulé à haute voix, mais… parfois, je me demande si elle en a quelque chose à foutre que je sois là ou pas.

Bref… Qu'est-ce que je disais ? Ah, oui. Les 277 Ensemble. J'ai failli tout avouer. Parler de Stephen. Des cauchemars. Bon Dieu. Au lieu de ça, j'ai répété encore et encore combien les assauts de la presse m'épuisaient. Je savais que je bouffais le temps de tout le monde mais je ne pouvais pas m'arrêter.

Finalement, Mel a été obligée de m'interrompre, parce qu'il se faisait tard. Pendant qu'on buvait un thé, Kelvin et Kylie se sont levés et ont annoncé qu'ils avaient une déclaration à faire. Kylie est devenue toute rouge, elle a commencé à se tordre les mains, puis Kelvin nous a appris qu'ils sortaient ensemble et comptaient se fiancer. On s'est tous mis à pleurer et à applaudir. J'étais un peu jaloux, pour dire la vérité. Ça fait des mois que je n'ai pas même pris un verre avec qui que ce soit. J'aurais plus ou moins envie de baiser, mais il est peu probable que j'y arrive, à présent, hein ? Je vois déjà le gros titre du *Sun* : « L'oncle dépravé de Jess transforme leur foyer en un antre de perversité sexuelle », ou quelque chose comme ça. Je me suis déclaré content pour eux, bien qu'il soit nettement plus âgé qu'elle et que tout ça me paraisse un peu hâtif – il n'y a qu'un mois qu'ils sortent ensemble.

Cela dit, c'est un brave gars. Kylie a de la chance de l'avoir. Il est vraiment sensible, sous tous ces muscles et tous ses « *yeah, man !* » un peu clichés. Moi-même, je craque un peu pour lui depuis que je l'ai entendu lire son poème pendant la cérémonie du souvenir. Je sais que ça n'irait nulle part : plus hétéro que Kelvin, tu meurs. Ils le sont tous. Je suis le seul gay à la réunion, ah ah, merde alors. Quand on a eu fini de le féliciter, Kelvin a dit que ses parents – il les a perdus tous les deux dans l'accident – auraient adoré connaître Kylie ; ils le tannaient depuis des lustres pour qu'il se marie. On est tous repartis de plus belle. Geoff vagissait presque. On sait que c'est Kelvin qui a offert à ses parents ce séjour à Ténérife pour leurs noces de rubis. Ça doit être absolument atroce à vivre, et ça m'a rappelé la maman de Bobby Small. N'est-elle pas allée en Floride pour chercher une maison de retraite où auraient pu s'installer ses parents ? Horrible. Putain de karma, tiens.

Une partie des 277 allait ensuite au pub, boire un verre pour fêter ça, mais j'ai estimé que les accompagner serait une mauvaise idée. La tentation serait trop forte. Je ne sais pas si c'est mon imagination, mais certains ont paru soulagés quand j'ai refusé. Sans doute juste ma vieille copine parano qui fait des siennes.

Quand je suis rentré, Mme Ellington-Burn lisait un roman de Patricia Cornwell, vautrée sur le canapé. Puisqu'elle ne semblait pas pressée de rentrer chez elle, je lui ai demandé si elle avait remarqué un changement chez Jess – en dehors de ses brûlures, bien sûr – depuis l'accident. Je voulais savoir si j'étais le seul à estimer que la personnalité de ma nièce avait subi une transformation à la *Docteur Who*.

Elle a réfléchi longuement à la question, puis elle a secoué la tête et déclaré qu'elle n'avait pas de certitude. Cela dit, elle m'a affirmé que Jess avait été « un vrai trésor », ce soir-là, bien qu'elle ait curieusement demandé à regarder autre chose que *My little pony*. Mme E.-B. a admis, un peu contrainte et forcée, qu'elles avaient effectué un marathon de téléréalité – de *Britain's Got Talent* à *America's Next Top Model*. Ensuite, Jess était allée au lit sans qu'on le lui demande.

Comme elle ne faisait pas mine de partir, je l'ai remerciée à nouveau, lourdement, et j'ai souri, attendant une réaction. Elle s'est levée et m'a regardé droit dans les yeux. Les bajoues de sa tête de bouledogue frémissaient.

— Un conseil, Paul. Faites attention à ce que vous mettez dans vos poubelles.

Une vague de paranoïa s'est abattue sur moi. Un instant, je me suis dit qu'elle avait trouvé une bouteille de ce que j'appelle ma « gnôle de premier secours » et s'apprêtait à me faire chanter. J'ai clamé sur tous les tons que j'étais au régime sec, alors je ne peux pas laisser sortir une info pareille. Pas en plus de tout le reste.

— Les journalistes, vous comprenez. Je les ai vus fouiller dans les poubelles une ou deux fois. Mais ne vous en faites pas, je les ai chassés. (Elle m'a tapoté le bras.) Vous faites du bon travail. Jess va très bien. Elle ne pourrait pas être en de meilleures mains.

Je l'ai accompagnée à la porte puis j'ai fondu en larmes, terrassé par le soulagement. Le soulagement de constater qu'au moins une personne de ma connaissance estimait que je faisais du bien à Jess. Tant pis si c'était cette vieille peau bourrue.

À présent, je me dis qu'il faut que je règle cette histoire de cauchemars. Que je me reprenne et que j'arrête une fois pour toutes de m'apitoyer sur mon sort.

22 mars, 16 h 00

Je reviens tout juste de chez le docteur K.

Quand il a terminé d'examiner Jess – comme d'habitude, elle semble aller bien, on peut sans conteste envisager de la renvoyer bientôt à l'école, etc. –, j'ai essayé d'évoquer certaines de mes inquiétudes. J'ai dit que j'avais fait de mauvais rêves, sans entrer dans les détails pour des raisons évidentes. C'est un type à qui on se confie facilement, il est sympathique, corpulent, mais à la manière d'un gros ours en peluche, ce qui lui va très bien, pas du genre « vite, le voilà, planquez les gâteaux ». Selon lui, mes cauchemars sont le signe que mon inconscient gère mon chagrin et mon angoisse, et ils disparaîtront en même temps que le harcèlement auquel je suis soumis. À ce qu'il dit, je ne dois pas sous-estimer la pression que m'imposent les journaleux, la famille Addams et les cinglés qui téléphonent encore occasionnellement, et je ne dois pas non plus hésiter à prendre un somnifère. Il m'a rédigé une ordonnance pour des comprimés qui, paraît-il, m'assommeront proprement.

Bon... On va bien voir si ça marche.

Mais je vais être franc. Même avec les somnifères, j'ai peur de m'endormir.

23 mars, 04 h 00

(Un sanglot.)

Pas de rêves. Pas de Stephen. Mais ça... c'est, euh... pas pire, mais...

Je me suis réveillé vers l'heure à laquelle je vois en général mon frère, 3 heures du matin, et j'ai entendu des voix qui montaient de quelque part. Puis un rire. Le rire de Shelly. Clair comme le cristal. J'ai bondi hors du lit et j'ai couru au rez-de-chaussée, le cœur au bord des lèvres. Je ne sais pas ce que je m'attendais à trouver. Peut-être Shelly et Stephen dans le couloir ; ils m'auraient expliqué qu'ils avaient été... merde, je ne sais pas, capturés par des pirates somaliens ou quelque chose dans le genre, et que c'était pour ça qu'on n'avait pas eu de leurs nouvelles. J'étais à moitié réveillé, je ne réfléchissais pas très clairement, sans doute.

Ce n'était que Jess. Assise à quelques centimètres de l'écran de télévision, en train de regarder le DVD du mariage de Stephen et Shelly.

— Jess ? j'ai soufflé, ne voulant pas l'effrayer.

Je me disais : *Merde, est-ce qu'elle a enfin décidé d'affronter leur disparition* ?

Sans se retourner, elle m'a demandé :

— Est-ce que tu étais jaloux de Stephen, tonton Paul ?

— Pourquoi est-ce que j'aurais été jaloux ?

À ce moment-là, je n'ai pas songé à lui demander pourquoi elle disait « Stephen », pas « papa ».

— Parce qu'ils s'aimaient, tous les deux, alors que, toi, tu n'as personne qui t'aime.

J'aimerais pouvoir reproduire le ton qu'elle employait. Un scientifique intéressé par un spécimen.

— Ce n'est pas vrai, Jess.

Alors elle a demandé :

— Est-ce que tu m'aimes ?

J'ai dit oui. Mais c'est un mensonge. J'aimais la Jess d'avant. Le Paul d'avant aimait la Jess d'avant.

Quel con, merde. Je n'arrive pas à croire que j'ai dit ça. C'est quoi, la Jess d'avant ?

Je l'ai laissée revoir le DVD, je suis passé à la cuisine et j'ai déterré une vieille bouteille de xérès destinée à faire des sauces. Je l'avais cachée – loin des yeux, loin du cœur.

Elle est encore en train de regarder le DVD. Encore et encore. Pour la quatrième fois, j'entends la musique jouée pendant la cérémonie. *Better Together,* « mieux ensemble », par ce putain de Jack Johnson. Et elle rit. Elle rit de quelque chose. Qu'est-ce qui peut bien être drôle ?

Je suis assis et j'ai la bouteille sous les yeux, Mandi. Mais je n'y toucherai pas. Pas question.

Geoffrey Moran et son épouse Melanie jouèrent un rôle très important dans la création des 277 Ensemble, le groupe de soutien destiné aux personnes qui ont perdu des proches dans la catastrophe du vol Go ! Go ! Air. Geoffrey accepta de s'entretenir avec moi début juillet.

Moi, je dis que c'est la faute des journalistes. C'est eux qui devraient répondre de ça. Vous avez entendu parler de leur piratage téléphonique et des mensonges qu'ils ont imprimés impunément ; je ne pouvais vraiment pas reprocher à Paul de devenir parano. Ces salauds ont même essayé de nous faire dire du mal de lui, à Mel et à moi, ils sont venus plusieurs fois nous poser des questions formulées de manière à nous faire dire ce qu'ils voulaient. Mel les a envoyés se faire cuire un œuf, bien sûr. On se serre les coudes, aux 277 Ensemble, on se protège les uns les autres. À présent, moi aussi, je suis persuadé que la survie des trois gamins est un miracle, c'est un de ces trucs de la vie qui ne s'expliquent pas, voilà tout. Mais essayez de dire ça à des gens qui croient aux extraterrestres ou aux Amerloques avec leurs conneries de complots. Et sans ces putain de journalistes, rien de tout ça n'aurait vu le jour. C'est eux qui ont mis ça sous les yeux du public. Il faudrait les fusiller, ces connards, tous autant qu'ils sont.

On savait qui était Paul, bien sûr. Et je ne parle pas du fait qu'il soit gay. Ce que les gens font derrière leur porte, c'est leur problème. Je veux dire qu'il était un peu poseur, qu'il aimait être le centre de l'attention. Il nous a dit dès le début qu'il était acteur. Je n'avais jamais entendu parler de lui, alors qu'il affirmait avoir eu quelques rôles à la télé, mais des petits rôles, voyez. De la figuration, presque. Ne pas atteindre son but dans la vie a dû le frustrer. Ça m'a rappelé ma Lorraine. Elle était bien plus jeune que lui, naturellement, mais il lui a fallu un moment pour trouver ce qu'elle voulait faire. Elle a essayé plein de trucs avant de décider d'être esthéticienne. Il faut plus de temps à certains qu'à d'autres pour trouver leur vocation, hein ?

Avant que Paul ne commence à… eh bien… à devenir un peu plus renfermé qu'à l'ordinaire, il agaçait un peu Mel. Il parlait des heures pendant les réunions, si on le laissait faire. Quand on pouvait, on essayait tout de même de lui donner un coup de main avec Jess. Ce n'était pas toujours facile : on devait aussi s'occuper de nos petits-enfants. Notre Gavin, il en a trois, mais, Paul, c'était un cas spécial. Il avait besoin de toute l'aide possible, le pauvre vieux, avec la presse qui n'arrêtait pas de le harceler et l'autre côté de la famille – de la mauvaise graine, disait Mel – qui ne le laissait jamais en paix. Gavin se serait interposé si ces gens-là avaient fait des histoires pendant la cérémonie du souvenir. Il passe l'examen pour entrer dans la police l'année prochaine, Gavin. Il fera un bon flic. C'est toujours le cas de ceux qui ont vu l'autre côté de la loi, si on peut dire. Pas qu'il ait eu de graves ennuis, cela dit. Et la voisine prétentieuse a aussi fait ce qu'elle pouvait. C'est une snobinarde finie mais elle a du cœur. Une fois, je l'ai vue chasser un des paparazzi en lui balançant un seau d'eau froide. Rien que pour ça, elle a droit à des félicitations, malgré son manche à balai dans le cul.

Quand Discovery Channel a préparé son émission spéciale sur le Jeudi Noir, juste après la publication des résultats de l'enquête, le producteur a voulu nous interviewer, Mel et moi, pour qu'on dise ce qu'on a ressenti en apprenant que l'avion s'était écrasé. C'est affreux d'y repenser maintenant, mais, avant de perdre Lorraine, on adorait cette émission d'enquêtes sur les accidents d'avion, avec l'expert américain, Ace Kelso. Bien sûr, aujourd'hui, je voudrais ne l'avoir jamais regardée. Mel a refusé tout net la proposition du producteur, et ç'a aussi été le cas de Kylie et de Kelvin. Ils étaient ensemble, maintenant. Elle avait perdu son compagnon dans la catastrophe et lui était célibataire, alors pourquoi pas ? Oui, il était plus âgé qu'elle, mais il y a des tas de couples dans leur cas qui fonctionnent, non ? Regardez-nous : Mel a sept ans de plus que moi et on est heureux depuis plus de vingt ans. Kylie et Kelvin comptaient se marier en août mais ils parlent à présent de reculer la date. Je leur ai dit que nous avions besoin d'un peu de joie dans nos vies, qu'ils ne devaient pas se laisser abattre par ce qui était arrivé à la petite Jess.

Qu'est-ce que je disais ? Ah ! oui, là, j'aurais dû réaliser que Paul n'allait vraiment pas bien. Quand il a refusé de participer à l'émission du Discovery Channel, je veux dire. Il faut lui reconnaître une chose : il n'essayait pas de mettre Jess sous le feu des projecteurs. Bien au contraire. Au début, cela dit, il ne craignait pas d'apparaître dans les médias. Les deux premiers mois, on avait l'impression de le voir dans toutes les émissions du matin, assis sur un canapé, en train de donner des nouvelles de Jess – mais je ne crois pas que ça autorisait la presse à fouiller dans sa vie privée et à les traquer comme elle l'a fait. On se disait que les journalistes auraient appris la leçon, après ce qui est arrivé à la princesse Diana, mais non. Combien de sang faudra-t-il encore répandre pour qu'ils arrêtent, nom de Dieu ? Je sais, je me répète, mais ça me fait vraiment bouillir.

Quant à Jess... c'était un amour. Un vrai trésor. Elle semblait très philosophe pour son âge, ce qui n'était pas surprenant, vu ce qu'elle avait traversé. Elle souriait toujours, elle ne se plaignait jamais de ses cicatrices au visage. Une heureuse nature. C'est étonnant comme les enfants sont capables de rebondir après des trucs pareils, hein ? J'ai lu la biographie de la petite musulmane qui a été la seule survivante d'un accident d'avion en Éthiopie : elle disait que rien ne lui avait paru réel avant des années. Alors, c'est peut-être comme ça que Jess s'en sortait. Mel n'a pas pu lire ce bouquin. La plupart des 277 non plus. Kelvin affirme qu'aujourd'hui encore, il demande à ses amis de vérifier ce qui passe à la télé avant de la regarder. Il ne peut pas voir d'avions ni d'accidents, ni assister à une quelconque opération de police.

Et, non, merde, Jess n'avait rien de bizarre. Je l'affirme haut et fort. Ah ! ces cons d'Américains avec leurs mensonges à propos de ces pauvres gosses. Ça foutait Mel en rogne. Et on n'était pas les seuls à penser que Jess allait très bien, hein ! Sinon, ils l'auraient dit à l'école, non ? L'institutrice n'était pas du genre à tolérer les conneries. La psychologue et le mec des services sociaux n'ont jamais rien remarqué d'anormal non plus.

La dernière fois que j'ai vu Jess, j'étais tout seul. Mel aidait Kylie à trouver une salle pour le mariage et Paul disait être pris par une réunion avec son agent.

Je suis donc passé chercher la petite à l'école et je l'ai emmenée voir les chevaux, au bout de la rue. Je lui demandais toujours comment ça se passait en classe, j'avais peur que les autres enfants la harcèlent. Ses cicatrices n'étaient pas graves mais elles étaient présentes, et vous savez comment sont les gosses. Mais bon, elle m'a dit que personne ne se moquait d'elle. C'était quelqu'un, cette gamine. On a passé une très bonne après-midi. Quand on est rentrés à la maison, elle m'a demandé de lui lire *Le Lion, la sorcière blanche et l'armoire magique.* Elle aurait pu le lire toute seule mais elle disait qu'elle aimait m'entendre faire les voix des personnages. Elle le trouvait très drôle, ce livre, elle s'en lassait jamais.

Quand on a entendu Paul rentrer, elle m'a souri, un sourire adorable qui m'a rappelé ma Lorraine quand elle était petite.

— Tu es gentil, tonton Geoff, elle m'a dit. Je suis vraiment triste que ta fille soit morte.

C'est ce qui me revient, maintenant, chaque fois que je pense à elle. Ça me fait pleurer.

Chiyoko et Ryu (Cet échange s'est déroulé trois mois avant leur disparition).

Message envoyé @ 13 : 10 25/03/2012

RYU : T'es là ?

Message envoyé @ 13 : 31 25/03/2012

RYU : T'es là ?

Message envoyé @ 13 : 45 25/03/2012

CHIYOKO : Je suis là.

RYU : J'étais inquiet. Tu n'étais encore jamais restée muette aussi longtemps.

CHIYOKO : J'étais avec Hiro. On discutait. La CM est sortie, alors on a la maison rien qu'à nous, pour une fois.

RYU : Est-ce qu'il t'a déjà parlé de l'accident ?

CHIYOKO : Ouais.

RYU : Et alors ??????

CHIYOKO : Il se rappelle avoir été hissé dans l'hélicoptère. Il dit que c'était rigolo. « Comme de voler. » Il dit qu'il a hâte de recommencer.

RYU : Dingue.

CHIYOKO : Je sais.

RYU : C'est tout ce qu'il se rappelle de l'accident ?

CHIYOKO : C'est tout ce qu'il dit pour l'instant. S'il sait autre chose, il le garde pour lui. Je ne veux pas trop le pousser.

RYU : Est-ce qu'il a déjà parlé de sa mère ?

CHIYOKO : Non. Pourquoi est-ce que ça t'intéresse tant que ça, d'ailleurs ?

RYU : C'est normal que ça m'intéresse. Pourquoi ça m'intéresserait pas ?

CHIYOKO : Je recommence à être trop dure avec toi, c'est ça ?

RYU : J'ai l'habitude, depuis le temps.

CHIYOKO : Des engelures données par la princesse de glace.

RYU : Chiyoko… quand il parle par l'intermédiaire de l'androïde, tu regardes qui ? Hiro ou l'autre ?

CHIYOKO : Ah ! Bonne question. Surtout Hiro, mais c'est bizarre… Je suis tellement habituée au double, maintenant, que je vois presque en lui un frère jumeau de Hiro. Hier, je me suis surprise à lui parler comme s'il était vivant quand l'original est sorti.

RYU : !!!

CHIYOKO : Tant mieux si ça fait rire un de nous deux. Mais cette réaction, le fait que j'oublie qu'il n'est pas vivant, c'est exactement pour ça que l'Oncle Androïde a construit son substibot.

RYU : ???

CHIYOKO : Il voulait savoir si les gens finiraient ou non par traiter les androïdes comme des humains, une fois qu'ils auraient surmonté la sensation de vallée dérangeante[1]. À présent, on sait qu'ils les verront bel et bien comme tels. Du moins ce sera le cas des princesses de glace.

RYU : Désolé, j'aurais dû y penser.

RYU : Hé... T'as vu cette interview où il dit que, parfois, quand les gens touchent le substibot alors qu'il le télécommande à des kilomètres de distance, il sent leurs doigts sur sa peau ? C'est chié, le cerveau.

CHIYOKO : Et comment ! J'aimerais savoir pourquoi Hiro n'accepte de s'exprimer qu'à travers l'androïde. Je sais qu'il a une voix, donc il est capable de parler. Peut-être que ça lui donne de la distance émotionnelle, quoiqu'on soit tous distants émotionnellement dans cette maison, ah ah.

RYU : Comme des cameramen capables de filmer des scènes horribles sans frémir. Oui, tu dois avoir raison, pour la distance.

CHIYOKO : Écoute ça : aujourd'hui, je lui ai demandé s'il voulait retourner à l'école primaire.

RYU : Alors ?

CHIYOKO : Il a répondu : « Seulement si je peux emmener mon âme. »

---

1. Selon une théorie du roboticien japonais Masahiro Mori, plus un robot androïde se rapproche de l'être humain, plus ses imperfections créent un sentiment de révulsion.

RYU : Quoi ?

CHIYOKO : C'est comme ça qu'il appelle son subs-tibot.

RYU : Il ne faut pas l'ébruiter. Surtout qu'Aikao Uri refait parler d'elle avec ses théories à la noix sur les extraterrestres. Il ne faut pas lui donner de mauvaises idées.

CHIYOKO : Qu'est-ce qu'elle raconte ? Elle a parlé de Hiro ?

RYU : Pas cette fois-ci. Mais elle croit dur comme fer avoir été enlevée par des extraterrestres. Il y a une vidéo sympa d'elle, sur Nico Nico, où elle raconte qu'elle s'est fait sonder. Le gars qui a monté ça a entrecoupé son interview de scènes de *E.T.*, c'est très rigolo.

CHIYOKO : Elle est aussi nuisible que ces bigots américains avec leur histoire de quatrième enfant. Ça remue tout. Dès que la terre se dépose, quelqu'un plonge un bâton dans l'eau, et elle redevient trouble.

RYU : Ah ! Très lyrique. Tu devrais écrire. Je pourrais illustrer tes histoires.

CHIYOKO : On pourrait créer notre boîte de mangas. Des fois, je me dis... Attends. Il y a quelqu'un à la porte. Sûrement juste un représentant qui tente sa chance.

Message envoyé @ 15 : 01 25/03/2012

CHIYOKO : Devine qui c'était.

RYU : Je donne ma langue au chat.

CHIYOKO : Allez, essaie.

RYU : La femme du commandant Seto.

CHIYOKO : Non. Encore.

RYU : Aikao Uri et ses potes extraterrestres ?

CHIYOKO : Non !

RYU : Totoro dans son Chat-bus ?

CHIYOKO : Ah ! Il faut que je répète ça à Hiro. Je t'ai dit que je l'ai laissé regarder *Mon voisin Totoro*, alors que la CM rabâche que je ne dois rien faire pour l'exciter, hein ?

RYU : Non, tu me l'avais pas dit. Et alors ? Ça l'a excité ? Lui ou son androïde ?

CHIYOKO : Non, ça l'a fait rire. Il a même trouvé amusant le passage où la mère des filles est à l'hôpital.

RYU : Il est carrément bizarre, ce gamin. Bon, alors ? C'était qui, si c'était pas le Chat-bus ?

CHIYOKO : C'était la fille de l'Américaine.

RYU : Σ(O_O ;) ! ! La fille de Pamela May Donald ?

CHIYOKO : Ouais.

RYU : Comment elle a su où vous habitez ?

CHIYOKO : Sans doute par un des groupes de soutien aux *izoku* mais on peut trouver l'adresse grâce à d'autres sources. Les magazines ont dit que la maison se trouvait près de la gare de Yoyogi, et il y en a des photos sur le site du *Tokyo Herald*.

RYU : Elle est comment ?

CHIYOKO : Je croyais que tu l'avais vue quand tu as regardé la cérémonie du souvenir.

RYU : Je veux dire : c'est quel genre de personne ?

CHIYOKO : Au début, je me suis dit que c'était l'étrangère typique. Et, d'une certaine manière, c'est le cas. Mais elle était très sereine, tranquille, habillée de manière traditionnelle. Elle m'a saluée comme si elle connaissait mon statut de princesse de glace numéro un de tout l'arrondissement Shinjuku.

RYU : Tu l'as laissée entrer chez vous ???

CHIYOKO : Pourquoi pas ? C'est une *izoku* comme les autres. Non seulement ça, mais je l'ai laissée parler à Hiro.

RYU : À Hiro ou à son âme ?

CHIYOKO : À son âme.

RYU : Tu l'as laissée lui parler par l'intermédiaire du substibot ??? Je croyais que tu étais en colère contre elle.

CHIYOKO : Pourquoi je serais en colère ?

RYU : À cause de ce que sa mère a provoqué.

CHIYOKO : Ce n'est pas sa faute. C'est celle de ces cons d'Américains. Et elle avait l'air tellement perdue en arrivant ! Il a dû lui falloir du courage pour venir d'Osaka voir Hiro.

RYU : Il y a quelque chose qui ne va pas. La princesse de glace ne devrait pas se comporter comme ça.

CHIYOKO : Peut-être que je voulais entendre ce qu'elle allait dire à Hiro. Peut-être que j'étais curieuse.

RYU : Comment a-t-elle réagi quand elle a vu l'âme de Hiro et réalisé qu'elle allait devoir parler par son intermédiaire ?

CHIYOKO : Elle l'a fixée et puis elle lui a fait une de ces courbettes gênées dont se fendent les Occidentaux quand ils veulent être polis. J'ai entendu Hiro pouffer. Il se cachait dans ma chambre, derrière le paravent, avec l'ordinateur et la caméra. J'ai été impressionnée qu'elle ne hurle pas, qu'elle ne pique pas une crise.

RYU : Et qu'est-ce qu'elle a demandé ?

CHIYOKO : D'abord elle l'a remercié d'accepter de lui parler. Ensuite, elle a posé la même question que tous les autres : sa mère a-t-elle souffert ?

RYU : Et alors ?

CHIYOKO : Alors Hiro a dit « oui ».

RYU : Aïe ! Qu'est-ce qu'elle a répondu ?

CHIYOKO : Elle l'a remercié de sa franchise.

RYU : Alors Hiro a admis avoir parlé à sa mère ?

CHIYOKO : Pas précisément. En fait, il ne lui a pas donné de réponses directes. J'ai craint qu'elle ne soit vraiment frustrée mais, ensuite, il a dit : « Ne soyez pas triste », en anglais !

RYU : Hiro parle *anglais* ?

CHIYOKO : Tante Hiromi et l'Oncle Androïde avaient dû lui apprendre quelques phrases. Ensuite, elle a montré une photo de sa mère et demandé s'il était bien sûr de l'avoir vue. Lui, il a répété « Ne soyez pas triste ». Elle s'est mise à pleurer ; à chaudes larmes, vraiment. J'ai eu peur que cela ne dérange Hiro, donc je lui ai demandé de partir.

RYU : Chiyoko, ça ne me regarde pas... mais... je crois que tu n'aurais pas dû faire ça.

CHIYOKO : La jeter dehors ?

RYU : Non. La laisser parler à l'âme de Hiro.

CHIYOKO : Je ne t'ai pas demandé ton avis, Ryu. Et, de toute façon, je croyais que tu adorais les Américains.

RYU : Pourquoi es-tu si dure avec moi ?

CHIYOKO : Ce n'est pas juste de ta part de me culpabiliser.

RYU : Je n'essayais pas de te culpabiliser, j'essayais d'être ton ami.

CHIYOKO : On ne juge pas ses amis.

RYU : Je n'étais pas en train de te juger.

CHIYOKO : Si. Je n'ai pas besoin que tu t'y mettes aussi. J'ai déjà suffisamment à faire avec la CM. Je m'en vais.

RYU : Attends ! On ne peut pas au moins en parler ?

CHIYOKO : Il n'y a rien à dire.

Message envoyé @ 16 : 34 25/03/2012

RYU : T'es toujours fâchée ?

Message envoyé @ 16 : 48 25/03/2012

RYU : _|7O

Message envoyé @ 03 : 19 26/03/2012

CHIYOKO : Tu dors ?

RYU : Désolé pour tout à l'heure. T'as vu que je t'ai même envoyé un ORZ ?

CHIYOKO : Ouais.

RYU : Ça va ?

CHIYOKO : Non. La Créature Mère et papa se disputent. Ça ne leur était pas arrivé depuis que Hiro habite avec nous. J'ai peur qu'ils le contrarient.

RYU : Pourquoi est-ce qu'ils se disputent ?

CHIYOKO : À cause de moi. La CM dit que papa doit être plus strict avec moi et me renvoyer à l'école. Qu'il faut m'obliger à construire mon avenir. Mais qui s'occupera de Hiro, alors ?

RYU : Tu t'es vraiment attachée à lui.

CHIYOKO : Oui.

RYU : Alors... Qu'est-ce que tu vas faire de ta vie ?

CHIYOKO : Je suis comme toi, je ne prévois jamais rien au-delà du lendemain. Qu'est-ce que j'ai comme choix ? Je ne veux pas bosser pour une entreprise, devenir une esclave. Je ne veux pas mener une vie de *freeter* à la con. Je finirai sans doute sous une tente, dans le parc, avec les SDF. La CM serait heureuse si je me mariais, si j'avais des enfants, et si j'en faisais le sens de ma vie.

RYU : Tu crois que ça arrivera un jour ?

CHIYOKO : Jamais !!!!!! J'adore Hiro, mais l'idée d'être responsable de la vie de quelqu'un d'autre... Je vivrai et mourrai seule. Je l'ai toujours su.

RYU : Tu n'es pas seule, Chiyoko.

CHIYOKO : Merci, Ryu.

RYU : Est-ce que la princesse de glace vient de dire merci ????

CHIYOKO : Il faut que j'y aille. Hiro est réveillé. On se reparle demain.

RYU : ☆･* :.｡.(●≧▽≦)^☆ｽｷ②ﾀﾞｲｽｯｷ.｡. :*･☆

Sixième partie

Le Complot : Mars – Avril

Lola Cando

La dernière fois que Lenny est venu me voir, il était fou furieux. À la seconde où il est arrivé au motel, il s'est envoyé un double bourbon cul sec, puis un autre. Il lui a fallu un moment pour se calmer et me dire ce qui se passait.

Pour faire vite, le docteur Lund organisait un meeting pour Mitch Reynard à Fort Worth, un congrès pro-sionniste sur le thème « Croyants, unissez-vous », et Lenny fulminait de ne pas avoir été invité à y prendre la parole. Et puis il y avait autre chose. Après l'émission de radio – celle pendant laquelle le présentateur de New York lui avait percé un deuxième trou au cul – le docteur Lund lui avait envoyé un attaché de presse. Ce type (selon Lenny un laquais minable et prétentieux en costard) lui avait recommandé de ne pas trop attirer l'attention, de laisser Lund et Flexible Sandy répandre à leur manière le message de Pamela. Lenny était aussi vexé que Lund ne veuille pas le voir participer à la quête du quatrième enfant.

— Il faut que j'arrive à le convaincre qu'il a besoin de moi, Lo, disait-il. C'est moi que Pamela a choisi pour répandre la bonne parole. Il faut qu'il s'en rende compte.

Je n'allais pas jusqu'à le plaindre, mais, que le docteur Lund l'évince, lui pique son message, ça lui donnait visiblement l'impression d'être le souffre-douleur de l'école. Et je ne crois pas que ç'ait été pour l'argent. D'après lui, son site web lui rapportait des dons du monde entier. Si vous voulez mon avis, c'était surtout une question de fierté.

Même si Lund le tenait à distance, le message de Lenny prenait comme un feu de broussailles. Des gens que je n'aurais jamais crus dévots s'empressaient de se faire sauver. Un ou deux de mes clients y sont allés. Certains, on le voyait, prenaient ça comme une assurance – juste au cas où ça se révélerait être la vérité. Alors que les épiscopaliens et même les chefs musulmans affirmaient qu'il n'y avait aucune raison de s'affoler, les gens commençaient vraiment à y croire. Il y avait tous ces signes à travers le monde – des signes de pestilence, de famine, de guerre et de je ne sais quoi. Le virus qui faisait vomir et l'épidémie de fièvre aphteuse empiraient ; après, il y a eu la sécheresse en Afrique et la panique quand les Nord-Coréens ont menacé de tester leurs armes atomiques. Ce n'était que le début. Ensuite, les rumeurs sur le grand-père de Bobby se sont propagées, tout comme cette histoire de robot avec le petit Japonais. On aurait dit que, chaque fois que la théorie était battue en brèche, un nouveau signe venait la soutenir. Si vous m'aviez dit à l'époque où j'ai connu Lenny qu'il serait capable de provoquer une telle agitation, j'aurais juré que c'était impossible.

— Il me faut une tribune plus performante, Lo, répétait-il. Lund est en train de tout rafler. Il fait comme si c'était son idée.

— Mais est-ce que le plus important n'est pas de sauver des âmes, chéri ? ai-je demandé.

— Si, bien sûr, il faut sauver les gens.

Il s'est vraiment mis en colère, là, il a répété plusieurs fois que le temps était compté, que Lund et lui auraient dû travailler main dans la main. Il n'a même pas voulu faire ses trucs habituels, ce jour-là. Trop énervé, il n'arrivait pas à… Bon, bref. Il disait qu'il devait discuter avec le fameux Monty, échafauder des plans pour revenir dans les bonnes grâces des gens importants. J'ai appris qu'il logeait déjà quelques « messagers » comme Monty à son ranch, et je crois qu'il envisageait d'en inviter davantage.

Après son départ, j'étais en train de rassembler mes affaires, prête à aller retrouver mon client suivant dans mon appartement, quand on a frappé. Je me suis dit que c'était peut-être Lenny qui regrettait d'avoir gâché notre heure en parlotte. En fait, derrière la porte, j'ai découvert une femme. J'ai su tout de suite de qui il s'agissait, je l'aurais reconnue rien qu'à la chienne, la fameuse Snookie. Elle avait l'air encore plus maigre qu'à l'émission du docteur Lund. Trop maigre, comme anorexique. Mais son expression était différente. Elle n'avait pas l'air aussi perdue qu'à la télévision. Pas en colère non plus, mais il y avait dans ses yeux une lueur qui disait : « Me faites pas chier. »

Elle m'a détaillée de la tête aux pieds, et j'ai compris qu'elle cherchait à déterminer ce que Lenny me trouvait. Elle m'a demandé :

— Depuis combien de temps faites-vous ça, lui et vous ?

J'ai répondu la vérité. Elle a hoché la tête, m'a bousculée pour entrer et a ajouté :

— Vous l'aimez ?

J'ai failli éclater de rire. J'ai dit que Lenny n'était

rien d'autre pour moi qu'un de mes réguliers. Je n'étais ni sa copine ni sa maîtresse ni quoi que ce soit. Je sais qu'une bonne partie de mes clients sont mariés ; ça les regarde.

Cette information a paru la réconforter. Elle s'est assise sur le lit et m'a demandé de lui servir un verre. Je lui ai donné la même chose qu'à Lenny. Elle a reniflé le bourbon puis l'a avalé d'un trait. L'alcool a coulé sur son menton, l'a fait s'étrangler, mais elle n'a pas paru s'en apercevoir.

— Tout ça, a-t-elle dit en désignant la chambre d'un geste, tout ce que vous avez fait avec lui, c'est moi qui l'ai payé. J'ai payé pour tout.

Je n'ai pas su quoi répondre. Je savais que Lenny dépendait d'elle financièrement, mais j'ignorais à quel point. Elle a posé la chienne sur le lit, près d'elle. Snookie a reniflé les draps puis s'est laissée tomber sur le flanc, comme si elle s'apprêtait à se rouler en boule pour mourir. Les animaux étaient interdits au motel mais j'ai gardé ça pour moi.

Elle a voulu savoir ce qu'aimait Lenny et j'ai répondu la vérité. Qu'il ne lui ait pas caché des tendances sexuelles bizarres depuis toutes ces années a tout de même paru la soulager.

Ensuite, elle m'a demandé si je croyais ce qu'il racontait à propos des enfants et des Cavaliers. J'ai dit que je ne savais pas trop. Elle a hoché la tête et s'est levée pour partir. Elle ne m'a pas adressé un mot de plus. Il y avait en elle une grande tristesse, ça, je l'ai vu tout de suite. C'est forcément elle qui a parlé de Lenny et moi à l'*Inquirer*. Le journaliste m'a appelée le lendemain ou le surlendemain, en se faisant passer pour un client normal. Coup de pot, je l'ai senti venir, mais ça n'a pas empêché les photographes de tenter leur chance pendant des jours.

Après, j'ai avoué la vérité à Denisha, que Lenny faisait partie de mes clients. Ça ne l'a pas surprise. On ne peut pas la choquer, Denisha. Elle a tout vu. Vous vous demandez sans doute ce que je pense de Lenny maintenant. On essaie toujours de me faire dire que c'était un monstre, mais ce n'est pas vrai. C'était juste un homme. Quand je déciderai de faire le livre que les éditeurs me demandent sans arrêt, j'en parlerai peut-être un peu plus, mais c'est tout ce que j'ai à dire sur le sujet pour le moment.

L'article suivant, écrit par Vuyo Molefe, blogueur et journaliste indépendant, lauréat de plusieurs prix, fut publié dans le journal *online Umbuzo,* le 30 mars 2012.

Le Retour des corps : le coût pour les familles des victimes de l'accident du vol Dalu Air.

Demain aura lieu l'inauguration du monument commémoratif de la catastrophe Dalu Air, à Khayelitsha, et les photographes de presse tournent déjà comme des vautours. Plusieurs équipes de fonctionnaires municipaux ont été emmenées sur les lieux en bus pour boucler la zone autour de la sculpture réalisée à la hâte – une sinistre pyramide de verre noir qui serait plus à sa place dans une série B de science-fiction. Pourquoi une pyramide ? Bonne question. En dépit du nombre d'éditoriaux ayant condamné ce choix, aucune des personnes interrogées – dont Ravi Moodley, le conseiller municipal du Cap qui a commandé l'œuvre, et Morna van der Merwe, la sculptrice – ne semble prête à me donner une réponse directe, ni à moi ni à qui que ce soit d'ailleurs.

Le site grouille aussi d'agents de sécurité, repérables à leur tenue noire et à leur oreillette, qui nous observent, moi et les autres représentants de la presse, avec un mélange de méfiance et de mépris. Parmi les célébrités attendues à la cérémonie, on compte Andiswa Luso, futur chef probable de la Ligue des Jeunes de l'ANC *(African National Congress)*, et John Diobi, un prédicateur nigérian de haut niveau, mâtiné d'homme d'affaires, qu'on dit en rapport avec plusieurs Églises américaines importantes, notamment celle du docteur Theodore Lund – dont la théorie selon laquelle les Trois sont les hérauts de l'Apocalypse fait les gros titres de par le monde. La rumeur veut que Diobi et ses associés se soient engagés à verser la prime pour la découverte de Kenneth Oduah, le passager du vol Dalu Air 467 considéré comme le Quatrième Cavalier le plus probable. Bien que la CAA d'Afrique du Sud et le NTSB affirment qu'aucun passager à bord de ce vol n'aurait pu survivre au crash, l'offre de récompense a déclenché une chasse à l'homme délirante, et les touristes sont aussi pressés que les locaux de passer à l'action. Que le nom de Kenneth Oduah soit gravé sur le monument, malgré l'absence de cadavre et même d'ADN dans l'épave, a froissé plusieurs groupes chrétiens évangéliques nigérians – autre raison de l'importance des mesures de sécurité.

Mais je ne suis pas ici pour affronter les vigiles ni pour demander une interview aux VIP. Aujourd'hui, ce ne sont pas leurs histoires qui m'intéressent.

Levi Bandah (21 ans), qui vient de Blantyre, au Malawi, me retrouve à l'entrée du foyer communautaire de Mew Way. Il y a trois semaines, il est venu au Cap chercher les restes de son frère Elias qui fait partie des victimes tuées au sol quand le fuselage a percé une tranchée meurtrière au milieu du township. Elias travaillait comme jardinier afin de subvenir aux besoins de sa famille nombreuse restée au Malawi, et

Levi avait soupçonné un problème après être resté plus d'une semaine sans nouvelles de son frère.

— Il nous envoyait un texto tous les jours, et on recevait de l'argent toutes les semaines. Je n'avais pas d'autre choix que de venir ici pour essayer de le retrouver.

Elias ne figure pas sur la liste des victimes mais, avec tant de cadavres inconnus qui attendent des tests ADN pour être identifiés – pour la plupart des immigrés en situation irrégulière, soupçonne-t-on –, ça ne garantit rien du tout.

Dans beaucoup de cultures africaines, y compris la mienne – Xhosa –, il est vital que le corps d'un défunt soit rapatrié chez lui afin d'être uni aux esprits de ses ancêtres. Faute de quoi on estime qu'il deviendra une âme en peine susceptible de causer du chagrin aux vivants. Or cela coûte très cher de rapatrier un cadavre. D'ici au Malawi ou au Zimbabwe par avion, cela peut aller jusqu'à 14 000 rands et, sans aides, un citoyen moyen ne peut pas se le permettre. Pour les familles de réfugiés, la perspective de transporter un cadavre sur deux mille kilomètres par la route est aussi intimidante que répugnante. J'ai naguère entendu parler de directeurs de funérariums qui, en accord avec les proches, faisaient passer les corps pour des marchandises afin de réduire les frais de transport.

Dans les jours qui ont suivi l'accident, Khayelitsha a retenti du bruit de haut-parleurs diffusant le message des familles qui imploraient la communauté de donner dans la mesure de ses moyens, afin que les victimes puissent être rapatriées dans leur pays d'origine. Il est fréquent, dans ces cas-là, que les familles reçoivent le double de la somme requise ; avec de nombreux habitants du Cap-Oriental venant chercher du travail en ville, au Cap, nul ne sait s'il ne sera pas le prochain à avoir besoin d'aide – et les communautés de réfugiés ne sont pas différentes.

— Les gens ont été généreux ici, affirme David Amai (52 ans), un Zimbabwéen discret et élégant, de Chipinge, qui a aussi accepté de s'entretenir avec moi.

Comme Levi, il attend que les autorités l'autorisent à ramener chez lui les restes de son cousin Lovemore – une autre victime au sol de l'accident. Avant de quitter le Zimbabwe, toutefois, contrairement à Levi, David avait la certitude que son cousin était mort. Et il ne la tenait pas des médecins légistes travaillant sur le site.

— Quand on est restés sans nouvelles de Lovemore, au début, on n'était pas sûrs qu'il soit décédé, m'a dit David. Ma famille a consulté un herboriste (*sangoma*) qui a accompli le rituel et parlé aux ancêtres de mon cousin. Ils ont confirmé qu'il avait pris contact avec eux, nous avons donc su qu'il était mort.

Le cadavre de Lovemore a été identifié grâce à son ADN, et David espère le ramener prochainement à Chipinge.

Mais que se passe-t-il quand il n'y a pas de corps à enterrer ?

Faute de corps, Levi n'avait plus qu'à prélever un peu de cendre et de terre sur le site, afin de les inhumer une fois rentré chez lui. C'est là que son histoire bifurque pour devenir un cauchemar (ou une farce). Alors qu'il emplissait de terre un petit sac, un flic trop zélé lui est tombé dessus et l'a accusé de voler des souvenirs pour les vendre à des touristes peu scrupuleux ou à des « chasseurs de Kenneth Oduah ». Malgré ses protestations, il a été arrêté et jeté dans une cellule où il a croupi tout le week-end en craignant pour sa vie. Dieu merci, quand elles ont appris sa mésaventure, plusieurs ONG et l'ambassade du Malawi sont intervenues, si bien qu'on l'a relâché, à peu près indemne. Son ADN ayant été prélevé, il attend qu'on lui confirme la présence d'Elias parmi les victimes.

— Il paraît que ça ne sera pas long. Et les gens sont gentils avec moi ici. Mais je ne peux pas rentrer chez moi sans une partie de mon frère à rendre à ma famille.

Alors que je quitte le site, je reçois un SMS de mon éditeur m'informant que Veronica Oduah, la tante du mystérieux Kenneth, a atterri au Cap pour la cérémonie de demain mais qu'elle refuse de parler à la presse. Je ne puis m'empêcher de me demander ce qu'elle ressent. Tel Levi, elle habite de cruels limbes d'incertitude, espérant sans y croire que, d'une manière ou d'une autre, son neveu n'ait pas rejoint les rangs des morts.

Le surintendant Randall Arendse est le contrôleur du poste de police du Site C, Khayelitsha, au Cap. Il s'entretint avec moi en avril 2012.

Quatrième Cavalier, mon cul ! Tous les jours, on nous amenait un nouveau « Kenneth Oduah » au poste, bordel. En général, c'était juste un gamin des rues auquel on avait donné la pièce pour qu'il prétende s'appeler Kenneth. Et pas seulement chez nous : c'était pareil dans tous les postes de police du Cap. Ces connards d'Américains ne savaient pas ce qu'ils avaient déclenché. Deux cent mille dollars ? Presque deux millions de rands, soit plus d'argent que la plupart des Africains du Sud n'en verront dans toute leur vie. On avait la photo du gamin mais, pour être franc, on ne voyait pas bien l'intérêt de vérifier. La plupart de mes gars étaient sur place, ce jour-là, ils avaient observé l'épave. Personne n'aurait pu survivre à bord de cet avion, pas même un putain de Cavalier de l'Apocalypse.

Au début, c'étaient juste les gens du coin qui tentaient leur chance, mais, ensuite, les étrangers s'y sont mis. Alors qu'il n'y en avait pas tant que ça au début, à un moment ils ont déferlé. Il n'a pas fallu longtemps à nos escrocs locaux pour passer à l'action. Les plus malins offraient même leurs services sur le Net. Bientôt, des groupes divers ont organisé la visite de tous les quartiers. Aucun n'avait de permis officiel mais ça n'empêchait pas les clients de tomber dans le panneau. Bon Dieu, il y en avait même pour payer d'avance. C'était aussi facile que de tirer sur des poissons dans un tonneau, et je peux vous dire un truc sous le sceau du secret : je ne serais pas surpris que certains flics aient été dans le coup.

Je ne sais pas combien de pigeons venus en formule « *all inclusive* » se sont retrouvés plantés à l'aéroport en attendant qu'un taxi vienne les chercher. On a eu des chasseurs de primes professionnels dans le coin, des ex-flics, et même quelques-uns de ces foutus chasseurs de gros gibier. Certains étaient là pour le fric et se foutaient de savoir si l'histoire était vraie, mais une partie croyaient vraiment les conneries de ce prédicateur. Le Cap est une ville complexe, cela dit. On ne se pointe pas avec sa belle bagnole de location dans Gugulethu, Khayelitsha ou la Plaine du Cap pour poser des questions, même si on a abattu plein de lions ou de guépards dans la brousse. Une bonne partie de ceux-là s'en sont rendu compte à la dure quand on les a délestés de leurs biens d'une manière ou d'une autre.

Je n'oublierai jamais les deux Américains qui sont arrivés au poste, un soir. Grands, la tête rasée, des muscles monstrueux. Tous les deux s'étaient engagés dans les marines, à une époque, puis avaient été marshal. Ils se croyaient très forts, ils nous ont dit ensuite avoir joué un grand rôle dans la comparution devant la justice de certains ennemis publics réputés. Eh bien, la première fois que je les ai vus, ils tremblaient comme des fillettes. Ils avaient retrouvé à l'aéroport leur soi-disant « guide », qui les avait emmenés là où ils voulaient, en plein Khayelitsha. Une fois à destination, il les avait délestés de leurs flingues, de leur fric, de leurs cartes de crédit, de leurs passeports, de leurs chaussures et de leurs vêtements, ne leur laissant que leur caleçon. Et il avait aussi joué un peu avec eux : il les avait fait entrer dans de vieilles chiottes qui refoulaient comme pas permis, les avait attachés et leur avait dit que, s'ils criaient à l'aide, il les descendrait. Quand ils avaient enfin réussi à se libérer, il faisait nuit, ils puaient la merde et le *skelm* était parti depuis longtemps. Des autochtones les ont pris en pitié et les ont conduits au poste. Mes gars se sont foutus plusieurs jours, de ces deux-là. On a été obligés de les déposer à l'ambassade des États-Unis en caleçon : aucune des tenues de rechange qu'on avait au poste ne leur allait.

Le fait est qu'ici, les gens sont durs, la plupart se battent pour subsister, alors ils saisissent les opportunités qui passent. Pas tout le monde, bien sûr – mais la vie est rude. Il faut connaître la rue. Il faut respecter ceux qui y vivent, ou alors ils te *naii* à fond. Est-ce que je me pointe au centre-ville de L.A. comme en pays conquis, moi ?

Je vous jure, tous les *moegoes* venus ici auraient aussi bien pu remettre leurs objets précieux à l'immigration, histoire de gagner du temps. Il a fallu installer des pancartes à l'aéroport pour prévenir les gens. Ça m'a rappelé le film *Charlie et la chocolaterie.* La chasse au ticket doré avec tout le monde qui pète un plomb.

Sérieux, c'était une vraie plaie pour nous, la police, mais une aubaine par ailleurs. Les hôtels étaient pleins, les cars de tourisme bondés, tout le monde en profitait, depuis les gamins des rues jusqu'aux aubergistes. Surtout les gamins des rues : à un moment, la rumeur s'est répandue que Kenneth en faisait partie. Les gens sont prêts à croire n'importe quoi.

C'était la tante de Kenneth qui me faisait de la peine. Elle avait l'air d'une brave femme. Mon cousin Jamie était membre de son escorte de sécurité quand elle est venue exprès de Lagos pour l'inauguration de la statue commémorative. Selon lui, elle était abasourdie, elle n'arrêtait pas de dire que les autres enfants avaient bien survécu par miracle, alors pourquoi pas Kenneth ?

Ces connards de fondamentalistes lui ont donné de faux espoirs. *Ja*, ce n'était pas autre chose. De faux espoirs.

Et ils n'ont même pas réalisé à quel point c'était cruel.

Reba Neilson

Tout ça commençait à me dépasser. J'avais l'impression que le pasteur Len tournait le dos à son véritable cercle intérieur au profit de gens comme ce Monty. Je vous ai déjà parlé de Monty, Elspeth ? Je ne me rappelle plus. Bon, c'est un des premiers loustics qui ont choisi de rester – il a débarqué dans le comté de Sannah juste après que le pasteur est rentré de sa conférence à Houston. Quelques jours après son arrivée, il trottait au côté de Len, loyal comme un chien errant qu'on vient de nourrir. Il m'a déplu dès le début, et je ne dis pas ça seulement à cause de ce qu'il a fait à ce pauvre Bobby. Il avait quelque chose, un côté sournois, et je n'étais pas seule à penser ça.

— Ce gars-là aurait besoin d'être bien récuré, disait toujours Stephenie.

Il avait les bras couverts de tatouages – dont une partie qui ne paraissaient pas très chrétiens – et il aurait fallu lui passer un coup de tondeuse dans les cheveux. On aurait dit un des satanistes dont parle parfois *The Inquirer*.

Depuis son arrivée, le pasteur semblait avoir retiré ses faveurs à Jim. Oh, il le traînait encore parfois à l'église le dimanche, et il n'avait pas abandonné l'idée de faire visiter la maison de Pam, mais, la plupart du temps, Jim restait chez lui et s'assommait de boisson.

Len a demandé à Billy, le cousin de Stephenie, de lui faire un devis pour des travaux de construction qu'il voulait effectuer au ranch. C'est donc Billy qui nous a appris que tous ces gens-là semblaient s'installer définitivement. Il disait que si on n'était pas prévenus, on aurait pu croire à une communauté hippie.

J'ai connu une infinité de nuits sans sommeil, ces semaines-là, Elspeth. Je ne saurais vous dire à quel point j'ai souffert. Ce que le pasteur disait à propos des signes… c'était très logique, mais pourtant… je n'arrivais pas à accepter que Pamela, cette vieille cruche de Pamela, ait été prophète.

J'ai bien failli user les oreilles de Lorne à force de lui parler de ça.

— Reba, a-t-il fini par me dire. Tu sais que tu es bonne chrétienne et que Jésus te sauvera quoi qu'il arrive. Si tu n'as plus envie d'appartenir à l'Église du pasteur Len, c'est peut-être Jésus qui te dit de la quitter.

Stephenie était dans les mêmes dispositions que moi, mais couper les ponts n'avait rien de simple dans une communauté comme la nôtre. Je pense qu'on peut dire que j'attendais le bon moment.

Stephenie et moi redoutions que Kendra ne soit submergée, avec tous les loustics qui arrivaient, et nous avons conclu que, même si nous n'étions pas toujours d'accord avec Len ces derniers temps, il nous appartenait d'aller voir comment elle s'en tirait. Nous comptions nous en occuper pendant le week-end mais, ce vendredi-là, l'histoire de la bonne amie du pasteur a éclaté. Dès qu'elle l'a appris, Stephenie s'est précipitée à la maison avec son exemplaire de *The Inquirer*.

C'était étalé sur la une : *La sordide liaison sentimentale du prédicateur de la Fin des Temps.* Les photos montraient une femme corpulente en pantalon violet et haut moulant, mais elles étaient tellement pixelisées qu'on ne voyait pas si elle était bronzée, noire ou *latina.* Je n'ai pas cru une seconde à tout ça. J'ai la profonde conviction, même après avoir laissé entrer le diable en lui, le véritable Len, l'homme de bien qui a dirigé notre Église pendant quinze ans, était encore là, tout au fond, je refuse d'admettre qu'il aurait pu nous tromper aussi longtemps. D'ailleurs, comme j'ai dit à Stephenie, quand aurait-il folâtré avec des filles perdues ? Avec toutes ses activités, il avait à peine le temps de dormir.

Bon, alors, juste au moment où Stephenie et moi finissions de parler, voilà qu'il est apparu en personne devant la maison. Mon cœur a manqué un battement quand j'ai constaté que Monty l'accompagnait.

— Reba, a-t-il lancé alors même qu'il franchissait la porte-moustiquaire, est-ce que Kendra est ici ?

J'ai répondu que je ne l'avais pas vue.

Monty s'est assis à table et servi un verre de thé glacé sans rien demander. Stephenie l'a foudroyé du regard mais il ne lui a prêté aucune attention.

— Tous les vêtements de Kendra ont disparu, nous a appris Len. La chienne aussi. Elle vous a dit quelque chose, Reba ? Elle a mentionné un point de chute quelconque ? J'ai appelé son frère à Austin mais il prétend qu'il ne l'a pas vue.

J'ai répondu que je n'avais pas la moindre idée d'où elle aurait pu aller, et Stephenie m'a imitée. Je me suis retenue d'ajouter que je comprenais son départ, avec tous ces inconnus qui investissaient sa maison.

— C'est sans doute mieux, a soupiré le pasteur.

Kendra et moi… on n'était pas toujours d'accord sur le rôle de Jésus dans nos vies.

— Amen, a lâché Monty, alors qu'il n'y avait aucune raison à cela.

Stephenie s'efforçait de cacher *The Inquirer* sous ses bras mais le pasteur Len a vu de quoi il s'agissait.

— N'écoutez pas les mensonges qu'on raconte sur moi, nous a-t-il intimé. Je n'ai jamais rien fait d'immoral. Je n'ai besoin que de Jésus dans ma vie.

Je l'ai cru, Elspeth. Il parlait avec une authentique conviction quand il le voulait, et j'ai vu qu'il ne mentait pas.

J'ai préparé un nouveau pichet de thé glacé puis décidé de dire ce que j'avais sur le cœur.

— Comment comptez-vous nourrir tous ces nouveaux venus, Len ?

Je n'ai pas honte d'admettre que je regardais Monty en disant cela.

— Le Seigneur y pourvoira. Ces braves gens ne manqueront de rien.

Moi, ils ne me faisaient pas l'effet de braves gens. Surtout ceux du genre de Monty. J'ai dit qu'ils profitaient de sa bonté, ou quelque chose comme ça, et le pasteur s'est vraiment énervé contre moi.

— Jésus a dit qu'il ne faut pas juger son prochain, Reba. La bonne chrétienne que vous êtes devrait le savoir.

Ensuite, Monty et lui sont partis.

J'ai été bouleversée par notre altercation, vraiment, et, le dimanche suivant, pour la première fois depuis des années, je ne suis pas allée à l'église. Stephenie m'a appris ensuite qu'elle était pleine à craquer de nouveaux loustics et qu'une bonne partie du cercle intérieur ne s'était pas montrée.

Bref, deux jours plus tard, je crois bien, j'étais

très occupée car je voulais terminer mes conserves dans la semaine (on avait des bocaux de fruits pour deux bonnes années, à ce moment-là, Elspeth, mais il restait beaucoup à faire). Lorne et moi parlions de commander du bois à stocker dans l'arrière-cuisine, au cas où l'électricité serait coupée, quand j'ai entendu les vibrations d'un pick-up qui s'arrêtait devant la véranda. En regardant dehors, j'ai vu Jim effondré sur son volant. Je n'avais eu aucun contact avec lui depuis que j'étais allée lui porter une tourte, une semaine plus tôt. Il avait refusé de m'ouvrir et je suis au regret de devoir dire que j'avais dû laisser ma tourte sur le perron.

Il a bien failli tomber de son camion. Quand Lorne et moi nous sommes précipités pour le soutenir, il a dit :

— J'ai eu un coup de fil de Joanie, Reba.

Il puait vraiment très fort l'alcool et la sueur. Et on aurait dit qu'il ne s'était pas rasé depuis plusieurs semaines.

Je me suis demandé si sa fille avait appelé pour lui dire que les cendres de Pam allaient enfin être rapatriées, si c'était pour cela qu'il était si bouleversé.

Je l'ai fait asseoir dans la cuisine

— Est-ce que vous pouvez appeler le pasteur Len pour moi ? a-t-il demandé. Lui dire de venir tout de suite ?

— Pourquoi n'êtes-vous pas allé en voiture jusqu'à son ranch ? ai-je demandé.

Quoique, à dire vrai, il n'aurait pas dû conduire du tout. Il sentait l'alcool à un kilomètre. Ça m'a fait monter les larmes aux yeux. Si le shérif Beaumont l'avait vu dans cet état, il l'aurait enfermé, c'est sûr. Je lui ai tout de suite donné un Coca pour parer au plus pressé.

Je n'avais aucune envie de téléphoner au pasteur après notre légère prise de bec, mais je l'ai fait tout de même. Je ne m'attendais pas à ce qu'il réponde, pourtant il a décroché et il m'a assuré qu'il arrivait.

Jim n'a presque pas ouvert la bouche pendant qu'on attendait, malgré nos efforts à Lorne et moi pour tenter de le faire parler, et le peu qu'il a dit ne nous a pas paru très cohérent. Un quart d'heure plus tard, le pasteur arrivait – son chien, Monty, sur les talons, comme d'habitude.

Jim s'est assis bien droit.

— Joanie est allée voir le garçon, Len. Le garçon au Japon.

Le pasteur s'est figé. Avant que leurs chemins ne divergent, il disait que le docteur Lund tentait depuis très longtemps de parler à un de ces enfants. Jim a battu des paupières.

— Joanie dit que le petit Japonais… qu'elle a parlé au petit Japonais, mais pas tout à fait à lui.

Personne n'avait la moindre idée de ce qu'il voulait dire.

— Je ne vous comprends pas, Jim, a avoué le pasteur Len.

— Elle dit qu'elle lui a parlé par l'intermédiaire d'un androïde. Un robot qui lui ressemble comme deux gouttes d'eau.

— Un robot ? ai-je répété. Il parlait par l'intermédiaire d'un robot ? Comme ceux de YouTube ? Mais pourquoi, au nom du ciel ?

— Qu'est-ce que ça veut dire, Len ? a demandé Monty.

Le pasteur est resté muet au moins une minute.

— Je devrais peut-être appeler Teddy, a-t-il déclaré enfin.

C'était ainsi qu'il désignait le docteur Lund. Teddy,

comme s'ils étaient bons amis, alors qu'on savait tous qu'ils n'étaient plus en bons termes. Plus tard, Lorne m'a dit que, à son avis, Len espérait compenser par cette histoire les mensonges au sujet de sa bonne amie, réparer un peu les dégâts.

Sauf que le meilleur était à venir : Jim était déjà allé raconter son histoire aux journaux. Il leur avait tout dit sur la visite de Joanie au petit Japonais, durant laquelle elle avait parlé à un robot qui lui ressemblait trait pour trait.

Le pasteur est devenu aussi rouge qu'une betterave en boîte.

— Mais pourquoi ne pas m'en avoir parlé avant d'avertir les journaux ? a-t-il demandé.

Jim avait son air entêté

— Pam était ma femme. Ils m'ont offert du fric pour l'histoire. Je n'allais pas refuser. Il faut bien que je vive.

L'assurance de Pam allait lui rapporter un paquet d'argent, alors ce n'était pas une excuse. D'après Lorne, on voyait clairement que le pasteur était contrarié parce qu'il aurait voulu utiliser lui-même l'information.

Jim a tapé du poing sur la table.

— Et il faut dire aux gens que ces enfants sont maléfiques. Comment ce garçon a-t-il pu survivre et pas Pam, Len ? Ce n'est pas juste. Pas normal. Pam était quelqu'un de bien. Oui, quelqu'un de bien.

Il s'est mis à pleurer en traitant les enfants d'assassins. Ils avaient tué tous ces gens à bord des avions, et il ne comprenait pas pourquoi personne ne s'en rendait compte.

Le pasteur a annoncé qu'il allait le ramener chez lui, avec Monty qui les suivrait dans le pick-up. Il leur a fallu s'y mettre à deux pour le porter jusqu'au 4×4 neuf de Len. Jim pleurait à chaudes larmes, il tremblait, il hurlait. À partir de ce moment-là, cet homme n'aurait pas dû rester seul : il avait de toute évidence perdu l'esprit. Mais il était obstiné, et je sais au fond de moi qu'il aurait refusé si je lui avais proposé de l'accueillir à la maison.

Juste avant le départ à l'imprimerie de ce livre, j'obtins enfin une interview avec l'épouse du pasteur Len, Kendra Vorhees, désormais séparée de lui. Je m'entretins avec elle dans la clinique psychiatrique ultramoderne où elle réside actuellement – dont j'ai accepté de tenir secrets les nom et adresse.

Une aide-soignante parfaitement manucurée m'introduit dans une chambre spacieuse et ensoleillée. Kendra est assise derrière un bureau, un livre ouvert devant elle (plus tard, je constaterais qu'il s'agit du dernier volume de la série Gone, de Flexible Sandy). La chienne sur ses genoux – Snookie – agite la queue sans enthousiasme quand j'approche, mais Kendra semble à peine remarquer ma présence. Quand elle relève enfin la tête, elle a le regard clair et l'expression bien plus sagace que je ne m'y attendais. Elle est si maigre que je vois chaque veine sous sa peau. La voix marquée d'un léger accent texan, elle parle très lentement, peut-être à cause des médicaments qu'elle prend. Elle me fait signe de m'installer dans un fauteuil, en face du bureau, et ne proteste pas quand je pose mon appareil enregistreur devant elle.

Je lui demande pourquoi elle a décidé de me parler à moi et non aux autres journalistes qui voudraient tant l'interviewer.

J'ai lu votre livre. Celui où vous interviewez les enfants qui ont accidentellement tué leurs frères et sœurs avec le 38. Special de maman, et ceux qui se sont mis en tête d'assassiner leurs camarades de classe avec le jouet semi-automatique de papa. Len était fou furieux quand il m'a vue lire ça. Et comment ! Il soutient cette bêtise de deuxième amendement, le droit d'être armé et tout ça.

Mais vous ne devez pas croire que je cherche à me venger de ce qu'il a fait avec cette fille. Cette prostituée. Elle m'a bien plu, si vous voulez la vérité. Elle est d'une honnêteté rafraîchissante, c'est rare, de nos jours. J'espère qu'elle va saisir son heure de gloire et s'en faire une rente. En tirer le plus possible.

Je lui demande si c'est elle qui a révélé aux journaux les indiscrétions du pasteur Len. Elle soupire, caresse Snookie, puis hoche brièvement la tête. Je m'enquiers alors de la raison pour laquelle elle l'a fait, si ce n'est pas pour se venger.

Parce que… la vérité libère ! ***(Elle a un rire brutal et sans humour.)*** Vous raconterez bien ce que vous voudrez quand vous rédigerez ça, de toute façon. Exactement ce que vous voudrez. Mais, si la vérité vous intéresse, j'ai fait ça pour séparer Len du docteur Lund une bonne fois pour toutes. Il a eu le cœur brisé quand les grands chefs l'ont viré de leur club après qu'il s'est ridiculisé pendant son interview à la radio, mais je savais qu'il ne faudrait pas grand-chose pour qu'il y retourne en courbant le dos si Lund claquait des doigts. Je croyais faire ça pour son bien. N'importe qui pouvait voir que ce Lund était un manipulateur. Jamais il ne voudrait d'un acolyte mouillé dans un scandale sexuel qui pourrait ternir son étincelante réputation, pas avec ses ambitions politiques nouvelles. Il s'est avéré que je n'aurais pas pu faire pire. Ça me tourne dans la tête à longueur de journée : et si je n'avais pas suivi Len ce jour-là ? Si je n'avais pas donné suite ? Je n'arrête pas de me demander si ç'aurait fait une différence, au bout du compte, que Len rentre à nouveau dans les bonnes grâces de Lund ? Est-ce que ça l'aurait empêché d'écouter les folies de Jim Donald ? Tout le monde dit que Len a « laissé le diable entrer en lui », mais ce n'est pas si simple. Le fait est que c'est la déception qui l'a mené à la folie. Ça arrive quand on a le cœur brisé.

J'ouvre la bouche pour émettre un commentaire mais elle poursuit.

Je ne suis pas folle. Je ne suis pas dingue. Je ne suis pas cinglée. Faire semblant m'a épuisée, c'est tout. On ne peut pas jouer un rôle toute sa vie, hein ? Je fais une dépression, paraît-il. Clinique. Je suis peut-être bipolaire, mais je ne sais pas ce que ça veut dire. Ce n'est pas bon marché, ici. Je m'arrange pour que mon bon à rien de frère paie la note. Il dépense depuis toujours l'argent de papa, il en a hérité la part du lion, alors il est grand temps qu'il paye un peu. Et à qui pouvais-je m'adresser ? Un moment, j'ai pensé contacter Lund en personne. Même pendant leur atroce convention, on voyait qu'il me trouvait gênante. Je sais très bien qu'il ne voulait pas que j'apparaisse avec Len dans son émission, cette fois-là. Sa femme ne m'a pas appréciée non plus. C'était réciproque. Si vous aviez vu sa tête quand j'ai refusé de m'inscrire à sa Ligue des Chrétiennes. Elle m'a répondu :

— Il faut remettre tous ces féministes et ces tueurs de bébés à leur place, Kendra.

Elle plisse les yeux en me regardant.

À vue de nez, vous en faites partie, des féministes en question.

Je confirme que c'est le cas.

Ça mettra encore plus Lund en rogne quand il lira ce que j'ai à dire. Moi, je ne le suis pas. Féministe, je veux dire. Je ne suis rien du tout. Je n'ai pas d'étiquette, pas de cause à défendre. Oh, je sais ce que pensent de moi toutes ces bonnes femmes dans cette horrible petite ville. Quinze ans, j'ai vécu là-bas. Elles me trouvaient hautaine, elles me prêtaient des idées de grandeur à cause de mes origines. Elles me croyaient faible aussi ; douce et faible. Bienheureux les doux, car ils posséderont la Terre. Len faisait battre leur cœur, bien sûr, je m'étonne qu'il ne se soit pas mis en ménage avec l'une d'entre elles. Mais je devrais sans doute lui être reconnaissante de ne pas avoir fricoté dans notre arrière-cour.

Quelle vie ! Coincée en pleine brousse avec un prédicateur comme mari. Ce n'était pas ce que papa avait en tête pour moi. Ce n'était pas non plus ce que, moi, j'avais en tête. J'avais des ambitions. Pas énormes mais, à une époque, j'envisageais d'enseigner. J'ai un diplôme du second degré, vous savez. Et ces bonnes femmes qui espéraient m'intéresser à leurs préparatifs en cas de catastrophe ! S'il y a une éruption solaire ou une guerre atomique, ce ne sont pas mille bocaux de navets au vinaigre qui vont nous sauver, hein ? Pamela était la meilleure du lot. Dans une autre vie, on aurait pu être amies. Bon, peut-être pas amies, mais elle n'était pas aussi déplaisante que les autres. Pas aussi terne ni portée sur les commérages. Je la plaignais de vivre avec son mari. Aussi méchant qu'un chien d'attaque, ce Jim. J'aimais bien aussi Joanie, la fille, je me suis réjouie en mon for intérieur quand elle a coupé les ponts et qu'elle est partie découvrir le monde.

Elle caresse à nouveau Snookie.

J'espère qu'au moins, Pam sera un peu réconfortée de savoir que quelqu'un s'occupe de Snookie.

Je lui demande comment elle a rencontré le pasteur Len.

Dans un grand rassemblement religieux, bien entendu. Au Tennessee, où j'allais à l'université. On s'est rencontrés sous un chapiteau bondé. ***(Elle a un rire sans joie.)*** Ç'a été le coup de foudre – du moins pour moi. Il m'a fallu des années pour réaliser que Len ne me trouvait séduisante que pour mes autres qualités. Tout ce qu'il voulait, c'était une église à lui.

— C'est pour ça que j'ai été mis sur Terre, disait-il. Prêcher la parole de Dieu et sauver des âmes.

Il était baptiste à l'époque, et moi aussi. Il avait fréquenté l'université sur le tard, après avoir travaillé dans tout le Sud. Ivre de feu céleste et de Jésus, il avait été un moment diacre pour le docteur Samuel Keller. Vous ne vous le rappelez sans doute pas, celui-là. Encore modeste, on le disait pourtant parti pour devenir un nouvel Hagee avant qu'il ne se fasse surprendre avec le pantalon sur les chevilles dans les années 1990. La merde, ça colle aux chaussures, pas vrai, comme disait mon père, et quand Keller a été découvert en compagnie d'un jeune garçon dans les toilettes publiques, Len s'est aperçu qu'il aurait du mal à trouver un autre poste, du moins avant que l'histoire ne retombe. Il n'avait qu'une seule chose à faire : se lancer à son compte. On a beaucoup voyagé à la recherche de l'endroit idéal. Et puis on est arrivés dans le comté de Sannah. Papa venait de mourir, j'avais hérité, et on a acheté le ranch. Je crois que Len avait vaguement l'intention de se faire fermier, en plus, mais qu'est-ce qu'il connaissait à l'agriculture ?

C'était un très bel homme. Ça l'est encore, sûrement. Il connaît les avantages d'une présentation soignée. Papa n'était pas content quand je l'ai ramené à la maison :

— Ouvre grandes tes oreilles : ce garçon-là va te briser le cœur, il m'a dit.

Papa se trompait. Len ne m'a pas brisé le cœur, mais on peut dire qu'il a essayé.

Des larmes coulent sur ses joues mais elle ne semble pas s'en rendre compte. Je lui tends un mouchoir en papier, avec lequel elle s'essuie machinalement les yeux.

Ne vous en faites pas pour moi. Je n'ai pas toujours été comme ça. Je croyais, je croyais sincèrement. Non. J'ai perdu la foi quand Dieu a jugé bon de ne pas m'accorder d'enfants. C'était tout ce que je voulais. Tout aurait pu être différent si on m'avait donné ça. Ce n'est pas beaucoup demander. Et Len refusait d'adopter.

— Les enfants ne font pas partie du dessein de Jésus pour nous, Kendra.

Mais j'ai un bébé, maintenant, non ? Eh oui. Un bébé qui a besoin de moi. Qui a besoin d'être aimé. Qui le mérite.

Elle caresse à nouveau Snookie ; la chienne réagit à peine.

Len n'est pas un méchant homme. Non. Je ne dirai jamais le contraire. C'est un homme déçu, empoisonné par son ambition frustrée. Il n'était ni assez malin ni assez charismatique pour réussir – pas avant que le feu et le soufre ne lui entrent dans les yeux. Pas avant que cette femme ne prononce son nom dans son message.

J'ai l'air amère, non ?

Je ne devrais pas en vouloir à Pamela. D'ailleurs, je ne lui en veux pas vraiment. Comme je le disais, c'était une brave femme. Len et moi… On stagnait depuis des années, il fallait que ça change. Il avait son émission de radio, ses groupes d'étude de la Bible et de thérapie, et il essayait depuis toujours de se faire remarquer par ceux qui jouaient dans ce qu'il appelait « la cour des grands ». Je ne l'ai jamais vu aussi excité que quand il a été invité à cette fichue convention. Une partie de moi – celle qui n'était pas encore morte – se disait que, peut-être, ça nous serait bénéfique. Mais il a laissé tout ça lui monter à la tête. Et il croyait vraiment à son message. Il y croit encore. On dit que c'est un charlatan, qu'il ne vaut pas mieux que les partisans des extraterrestres ou ces dingues de gourous, mais, de ce côté-là, en tout cas, ce n'est pas de la comédie.

Je n'ai pas supporté que tous ces gens arrivent au ranch. Ils dérangeaient Snookie. Len comptait sans doute amasser une fortune grâce à tous leurs dons. Et puis il a fait ça pour prouver au docteur Lund que lui aussi pouvait réunir de loyaux disciples. Mais aucun de ceux qui sont venus n'avait un sou. Monty pour commencer. Parfois, je sentais son regard sur moi. Ce type-là n'était pas net. Je passais beaucoup de temps dans ma chambre, à regarder la télévision. Len essayait de me faire venir à l'église le dimanche, mais, à cette époque-là, je n'en avais plus la force. De temps en temps, Snookie et moi, on prenait la voiture et on roulait, on roulait, sans se soucier d'où on se retrouvait.

Ça ne pouvait que tourner à l'aigre. J'avais déconseillé à Len de faire l'émission de radio avec ce beau parleur de New York. Mais il n'était pas du genre à écouter les conseils. Il détestait qu'on le contredise. Le pouvoir et la célébrité lui sont montés à la tête. Oui, c'est certain.

Je savais que Lund finirait par lui jouer un mauvais tour et ça n'a pas raté. Il a pris ses paroles et les a utilisées pour servir ses propres desseins. Len enrageait, il essayait sans arrêt de joindre Lund ou Flexible Sandy au téléphone mais, finalement, il n'a même plus réussi à contacter leurs attachés de presse. On voyait aux infos que de plus en plus de gens se faisaient sauver, et c'était le docteur Lund qui récoltait en grande partie les lauriers. Il avait les relations nécessaires, vous comprenez. Quand il s'est rangé derrière Mitch Reynard mais n'a pas invité Len à prendre la parole pendant le meeting pro-Israël, je n'ai jamais vu mon mari aussi bouleversé. Je ne suis pas restée pour voir sa tête après la sortie de l'article de *The Inquirer*. J'ai déménagé le jour de la publication. Il a tout nié, bien sûr, on aurait pu s'en douter. Mais se faire chasser de la cour des grands l'a davantage humilié que n'aurait pu le faire n'importe quel article, même à sensation. Je ne doute pas que le rejet de Lund l'ait bien plus blessé que mon départ.

C'était cruel. Le docteur Lund avait entrouvert la porte, lui avait montré le palais, puis lui avait claqué la porte au nez.

Elle soupire.

Snookie doit faire la sieste à présent. Il est temps que vous partiez. J'ai dit ce que j'avais à dire.

Avant de m'en aller, je lui demande ce qu'elle ressent à présent pour Len, et une étincelle de colère flamboie dans ses yeux.

Je n'ai plus de place pour Len dans mon cœur. Je n'ai plus de place pour personne.

Elle embrasse Snookie sur le sommet du crâne, j'ai l'impression qu'elle a oublié que je suis encore là.

Tu ne me ferais pas de mal, toi, Snookie, hein ? Non, pas toi.

Septième partie

Les Survivants : Avril

Lillian Small

Je menais une étrange demi-vie. Certains jours, Reuben s'exprimait aussi clairement que je vous parle à présent, mais, chaque fois que j'évoquais notre ancienne maison, ou un de nos anciens amis, ou un livre qu'il avait particulièrement apprécié, une expression inquiète emplissait ses yeux qui filaient en tous sens, comme s'il tentait d'accéder à l'information mais revenait bredouille. On aurait dit que la période ayant précédé son réveil n'était qu'un grand trou noir. J'ai décidé de ne pas le pousser. J'ai du mal à expliquer ça… mais qu'il ait oublié notre vie de couple et jusqu'à notre plaisanterie sur « Paris, Texas »… c'était presque aussi douloureux que les jours où Al revenait.

Parce que, certains jours, Al revenait, oui. Je savais dès le petit matin s'il allait s'agir d'un jour avec Reuben ou avec Al. Je le voyais dans ses yeux quand je lui apportais son café. Bobby n'y faisait pas attention, il se comportait avec lui de la même manière, qu'il soit ou non lui-même, mais, moi, ça me pesait énormément. Cette incertitude : ne pas savoir ce que j'allais affronter le lendemain matin. Je ne demandais l'aide de Betsy ou n'appelais le service d'assistance à domicile que lorsque j'étais sûre de la présence d'Al. J'avais confiance en Betsy, mais je n'oubliais pas la manière dont avait réagi le docteur Lomeier en entendant parler Reuben. Je ne supportais pas d'imaginer ce que diraient tous ces cinglés s'ils apprenaient que le grand-père de Bobby allait mieux. Ils nous laisseraient encore moins en paix. Je ne sais combien de fois j'ai raccroché le téléphone en me rendant compte que j'avais au bout du fil un de ces *putzes* religieux qui me suppliait de le laisser parler à mon petit-fils.

Et… même durant les jours avec Reuben, il n'était pas tout à fait lui-même. Pour une raison que j'ignore, il ne pouvait plus se passer de *The View,* une émission qu'il détestait avant de tomber malade, et Bobby et lui restaient des heures à regarder de vieux films, alors qu'il n'avait jamais été grand amateur de cinéma. Les chaînes d'actualités, en revanche, ne lui inspiraient plus aucun intérêt ; il s'y jouait pourtant énormément de débats politiques.

Un matin, dans la cuisine, je préparais le petit déjeuner en rassemblant mon courage pour aller réveiller Reuben, quand Bobby est arrivé en courant.

— Bubbe, Po Po veut aller se promener, aujourd'hui, m'a-t-il annoncé. Il veut sortir.

Il m'a pris la main et m'a entraînée jusqu'à la chambre. Mon mari, assis sur le lit, essayait d'enfiler ses chaussettes.

— Ça va, Reuben ? ai-je demandé.

— Est-ce qu'on peut aller en ville, Rita ?

Il s'était mis à m'appeler comme ça : Rita. À cause de Rita Hayworth. Les cheveux roux, vous comprenez ?

— Où voudrais-tu aller ?

Ils ont échangé un coup d'œil.

— Au musée d'histoire naturelle, Bubbe ! a dit Bobby.

Le film *La Nuit au musée* était passé à la télé la veille au soir, et Bobby avait été fasciné par les scènes où les pièces exposées prennent vie. Il s'agissait d'un jour avec Al, donc les images ne pénétraient sans doute pas la conscience de Reuben, ce qui m'avait soulagée quand, vers la moitié du film, Bobby avait dit :

— Le dinosaure est comme toi, Po Po. Il est revenu à la vie tout comme toi.

— Reuben ? ai-je demandé. Tu crois que tu vas assez bien pour sortir aujourd'hui ?

Il a hoché la tête, aussi enthousiaste qu'un enfant.

— Oui, Rita, s'il te plaît. Allons voir les dinosaures.

— Ouais, les dinosaures ! a renchéri Bobby. Bubbe ? Tu crois qu'ils ont vraiment existé ?

— Bien sûr.

— J'adore leurs crocs. Un jour, c'est moi qui les ramènerai à la vie.

Son enthousiasme était contagieux et, si quelqu'un méritait de passer un bon moment, c'était bien lui : le pauvre petit était enfermé depuis des jours. Mais il ne se plaignait pas, jamais. Une excursion à Manhattan, cependant, pouvait receler un tas de dangers. Et si nous étions reconnus ? Et si un fanatique religieux nous suivait pour essayer d'enlever Bobby ? Je craignais aussi que Reuben ne tienne pas le coup. Ses facultés mentales lui étaient en partie revenues, oui, mais, physiquement, il se fatiguait vite.

J'ai chassé toutes ces peurs et, avant de changer d'avis, j'ai appelé un taxi.

Nous avons croisé Betsy en sortant, et j'ai prié que Reuben ne dise rien. Bien sûr, j'avais déjà connu mille rencontres du même genre. D'une certaine manière, je brûlais d'envie de parler à quelqu'un – je n'avais partagé la nouvelle qu'avec le stérile docteur Lomeier. J'ai articulé « médecin », juste avec les lèvres, et Betsy a hoché la tête, mais elle n'est pas idiote : elle a compris que je lui cachais quelque chose.

Le taxi a trouvé une place juste devant la porte, ce qui nous a bien arrangés car, bien qu'il ne soit que 9 heures du matin, je voyais quelques-uns de ces *meshugeners* rassemblés dans le parc avec leurs pancartes révoltantes.

Par chance, le chauffeur – encore un immigré indien – ne nous a pas reconnus. Ou si c'était le cas, il ne l'a pas montré. Je lui ai demandé de nous faire passer sur le pont de Williamsburg, pour que Reuben profite de la vue et, oh, Elspeth, j'ai adoré ce trajet ! C'était une journée claire, superbe, avec le soleil qui se reflétait dans l'eau et les immeubles qui avaient l'air de poser pour une carte postale devant le ciel. J'ai désigné à Bobby tout ce qu'il y avait à voir pendant qu'on traversait Manhattan – le Chrysler Building, la place Rockefeller, la tour Trump – et il est resté le nez collé à la vitre, à me poser question sur question. La course a coûté une fortune, presque quarante dollars avec le pourboire, mais ça valait le coup. Avant d'entrer au musée, j'ai proposé à Bobby et Reuben un hot-dog comme petit déjeuner, qu'on est allés manger à Central Park, assis sur un banc, comme de vrais touristes. Lori nous avait emmenés ici, Bobby et moi, une fois – pas au musée mais au parc. Le petit était de mauvaise humeur, ce jour-là, et il gelait à pierre fendre, mais j'en garde tout de même un bon souvenir. Lori n'arrêtait pas de parler de toutes les commandes qu'elle recevait ; elle était vraiment enthousiasmée par son avenir, à ce moment-là.

Même en semaine, le musée était très fréquenté, et on a dû faire la queue un bon moment. J'ai commencé à craindre qu'on nous reconnaisse mais la plupart des gens alentour étaient des touristes – beaucoup de Chinois et d'Européens. Reuben avait l'air fatigué, des gouttes de sueur perlaient à son front. Bobby, en revanche, était bourré d'énergie ; il ne quittait pas des yeux le squelette de dinosaure du hall.

Le préposé aux tickets, un Afro-Américain bavard, a sursauté quand je me suis approchée de lui.

— Je vous connais, madame, non ?

— Non, ai-je répondu, sans doute un peu brutale.

Après avoir payé et m'être détournée, je l'ai entendu me rappeler :

— Attendez !

J'ai hésité, craignant qu'il ne claironne l'identité de Bobby à tout le musée. Mais, au lieu de ça, il a dit :

— Est-ce que je peux vous proposer un fauteuil roulant pour votre mari, madame ?

Je l'aurais embrassé. On prétend toujours les New-Yorkais mal élevés et égoïstes, mais c'est tout à fait faux.

Bobby me tirait par la main.

— Bubbe ! Les dinosaures.

L'employé s'est éclipsé quelques instants puis il est revenu avec un fauteuil roulant. Reuben s'y est laissé tomber aussitôt. Il paraissait désorienté, et j'ai craint qu'Al n'ait décidé de revenir nous ennuyer en douce.

L'employé nous a dirigés vers les ascenseurs.

— Vas-y, fiston, a-t-il dit à Bobby. Va montrer les dinosaures à tes grands-parents.

— Vous croyez qu'ils prennent vie la nuit, les dinosaures, monsieur le monsieur ? lui a demandé Bobby.

— Pourquoi pas ? Ça arrive, les miracles, non ?

Il m'a fait un clin d'œil et j'ai compris sans l'ombre d'un doute qu'il savait à qui il avait affaire.

— Ne vous en faites pas, madame, a-t-il repris, je serai discret. Allez-y, amusez-vous.

Nous sommes allés tout droit à l'étage des dinosaures. J'avais en tête d'y jeter un bref coup d'œil pour faire plaisir au petit, puis de rentrer tout droit à la maison.

J'ai dit à Bobby de ne pas s'éloigner de moi : il y avait foule, et nous avons eu un peu de mal à nous frayer un chemin dans la première salle.

— Qu'est-ce que je suis ? a demandé Reuben en levant les yeux vers moi. J'ai peur.

Puis il s'est mis à pleurer, ce qui ne lui était pas arrivé depuis son « retour à la vie », comme disait Bobby.

J'ai fait mon possible pour le réconforter : deux ou trois personnes le fixaient avec curiosité et je n'avais aucune envie d'attirer l'attention.

Quand j'ai relevé la tête, Bobby avait disparu.

— Bobby ? ai-je appelé. Bobby ?

J'ai cherché des yeux sa casquette de base-ball des Yankees et ne l'ai vue nulle part.

La panique m'a submergée comme un raz-de-marée. Laissant Reuben sur place, je me suis mise à courir.

Je bousculais les gens, ignorant leurs « Hé, faites attention, madame ».

— Bobby ! me suis-je mise à crier à pleins poumons.

Des images surgissaient en moi : Bobby kidnappé par un fanatique religieux, contraint de faire des choses horribles ; Bobby perdu à New York, errant dans les rues et…

Une gardienne s'est approchée de moi à grands pas.

— Calmez-vous, madame, a-t-elle dit. Vous n'avez pas le droit de crier ici.

Elle me croyait à l'évidence dérangée et je ne pouvais pas lui en vouloir. J'avais l'impression d'être en train de perdre la tête.

— Mon petit-fils ! Je ne trouve pas mon petit-fils.

— Calmez-vous, madame. Comment est-il ?

Il ne m'est pas venu à l'idée de lui dire qui était Bobby – *le* Bobby Small, un des Trois, le miraculé et toutes ces bêtises. Ça m'est sorti de la tête et je suis contente de n'en avoir pas parlé – sinon on aurait aussitôt appelé les flics et l'histoire se serait retrouvée à la une des journaux dès le lendemain. La gardienne m'a assuré qu'elle allait informer le personnel posté aux différentes issues du musée, au cas où, mais j'ai alors entendu le plus beau mot du monde.

— Bubbe ?

J'ai failli m'évanouir de soulagement quand j'ai vu Bobby venir vers moi en sautillant.

— Où étais-tu ? Tu as failli me faire mourir de peur.

— J'étais avec le gros. Il a des crocs énormes, comme un loup. Mais viens, Bubbe, Po Po a besoin de nous.

Vous n'allez pas le croire, mais j'avais oublié Reuben. Nous nous sommes hâtés de regagner la salle où je l'avais laissé. Dieu merci, il s'était endormi dans son fauteuil.

Je ne me suis sentie en sécurité qu'une fois dans le taxi qui nous ramenait à la maison. Reuben s'était par bonheur calmé après sa sieste et, s'il n'était pas tout à fait lui-même, je n'avais cependant pas à gérer une crise de panique d'Al en plus du reste.

— Ils ne sont pas revenus à la vie, Bubbe, a dit Bobby. Les dinosaures ne sont pas revenus à la vie.

— C'est parce qu'ils ne prennent vie que la nuit, a dit Reuben.

Il était revenu. Il m'a pris la main et l'a pressée.

— Tu as bien agi, Lily, a-t-il repris.

Lily. Il m'avait appelée Lily, pas Rita.

— Qu'est-ce que tu veux dire ? ai-je demandé.

— Tu n'as pas perdu l'espoir pour moi. Pas capitulé.

Là, je me suis mise à pleurer. Je n'ai pas pu m'en empêcher, mes larmes ont coulé toutes seules.

— Ça va, Bubbe ? a interrogé Bobby. Tu es triste ?

— Ça va, ai-je assuré. Je me suis inquiétée pour toi, c'est tout. J'ai cru que je t'avais perdu au musée.

— Tu ne peux pas me perdre, a-t-il répondu. Bubbe, c'est impossible.

Ceci est la dernière conversation en *chat* entre Ryu et Chiyoko.

Message envoyé @ 20 : 46 03/04/2012

CHIYOKO : JE TE CROYAIS MON AMI !!!! Comment as-tu pu me faire ça ????????? www.hirotalksthroughandroid/tokyoherald J'espère qu'on t'a bien payé. J'espère que ça valait le coup.

RYU : Chiyoko ! Je te jure que c'est pas moi.

CHIYOKO : La CM est furieuse. L'Oncle Androïde menace de ramener Hiro à Osaka. Il y a des journalistes partout. Je mourrai si je le perds. Comment as-tu pu faire ça ?

RYU : C'est pas moi !

CHIYOKO : Tu as foutu ma vie en l'air. NE ME CONTACTE PLUS JAMAIS.

RYU : Yoko ? Yoko ? S'il te plaît. S'il te plaît ! C'EST PAS MOI.

Bouleversé après que Chiyoko lui eut interdit de la recontacter, Ryu s'inscrivit sur le forum pour hommes célibataires « Cœurs Brisés » du réseau social 2-channel, sous le pseudonyme Orz Man, et il créa le fil de discussion : « Geek minable a besoin d'aide ». Presque aussitôt, son histoire se répandit comme une traînée de poudre, frappant l'imagination des usagers du réseau et attirant au bout du compte des millions de visites.
(Traduction par Eric Kushan – des équivalences ont été utilisées pour rendre compte du jargon d'Internet japonais employé sur les forums.)

Nom : Orz Man Date : 05/04/2012 01 : 32 : 39.32

J'ai besoin de vos conseils, cybercitoyens, s'il vous plaît !! Il faut que je me reconnecte avec une fille qui m'empêche de la contacter.

Nom : Anonyme111

Pourquoi elle t'a largué, Orz ?

Nom : Orz Man

Elle croit que j'ai trahi sa confiance, mais c'est pas moi. |7O

Nom : Anonyme275

Ça m'est arrivé aussi, mec, mais il me faut plus de détails.

Nom : Orz Man

OK... Ça risque de prendre un moment. Depuis quelque temps, je discutais *online* avec une fille que j'appellerai la princesse de glace. Elle est largement au-dessus de mon niveau, alors vous imaginez ma stupéfaction que quelqu'un comme elle s'intéresse à un nul comme moi. On s'entendait bien, on parlait tous les jours, on partageait des trucs. Et puis... il s'est passé quelque chose. Un... Appelons ça une info. Une info qui met sa famille dans l'embarras a été publiée, elle a cru que c'était ma faute et, maintenant, elle bloque tous mes messages.

Je ne veux pas que vous me preniez pour un minable, mais ça m'a fait mal. J'ai eu l'impression que mes entrailles étaient en verre et qu'elles volaient en éclats.

Nom : Anonyme111

« L'impression que mes entrailles étaient en verre ». C'est super beau, Orz.

Nom : Anonyme28

J'en ai les larmes aux yeux.

Nom : Orz Man

Merci. Je suis dans un sale état. Ça fait aussi mal qu'une douleur physique. Je ne mange pas, je ne dors pas. Je n'arrête pas de relire nos messages. Aujourd'hui, j'ai passé des heures à analyser le moindre de nos échanges.

Nom : Anonyme23

Aïe !!! Tu dois apprendre que les femmes ne sont là que pour nous faire souffrir, mon pote Orz. Qu'elles aillent se faire foutre.

Nom : Anonyme111

Ignore 23.

J'ai connu ça, Orz. Tu as le moindre espoir de reprendre le contact ?

Nom : Orz Man

Je ne sais pas. Je ne peux pas vivre sans elle.

Nom : Anonyme278

De quoi elle a l'air ? Elle est canon ????

Nom : Anonyme99

<SOUPIR> T'es vraiment nul 23.

Nom : Orz Man

Je ne l'ai vue qu'une fois. Et pas en personne. Elle ressemble un peu à Hazuki Hitori.

Nom : Anonyme678

Hazuki Hitori, des Sunny Juniors ? Va-Va-Voum ! T'as bon goût, Orz. Je craque sur elle aussi.

Nom : Anonyme709

Hazuki ???? Aaaaaaooooooouuuuuuuuuuuuuu !

Nom : Anonyme111

Maîtrisez un peu votre libido, les cybercitoyens.

Orz, tu dois aller la voir en personne, lui parler. Lui dire ce que tu ressens.

Nom : Orz Man

Ce n'est pas si simple. C'est un peu gênant. Euh… J'habite encore chez mes parents et je suis plus ou moins reclus à la maison.

Nom : Anonyme987

C'est cool. Moi aussi, j'habite chez mes parents.

Nom : Anonyme 55
Moi aussi. On s'en fout.

Nom : Orz Man
Pas ce que je voulais dire. Je ne suis pas sorti de la maison depuis… un moment. Je ne suis même pas sorti de ma chambre.

Nom : Anonyme111
C'est quoi « un moment », Orz ?

Nom : Orz Man
Vous allez vous foutre de moi !!!
Plus d'un an. _|7O

Nom : Anonyme87
La vraie vie est parfois pénible. Un conseil, Orz. Si tu veux pas aller aux chiottes, garde des vieilles bouteilles en plastique sous ton bureau pour les urgences. C'est ce que je fais quand j'ai un marathon de jeu.

Nom : Anonyme786
MDR !!!
Bon conseil, 87 !

Nom : Anonyme23
Hé, les cybercitoyens, Orz est un hikikomori.

Nom : Anonyme111
Orz a des rapports sociaux sur le Net, il est donc capable de contact humain. C'est un reclus, pas un véritable hikikomori.
[Le fil de discussion est brièvement parasité par un débat sur la véritable nature du hikikomori.]

Nom : Anonyme111
Orz ? Toujours là ?

Nom : Orz Man

Je suis là. Écoutez... Désolé de vous faire perdre votre temps. Écrire ça, ça m'a fait réaliser... Qu'est-ce qu'elle verrait en moi, de toute façon ? Pourquoi est-ce qu'elle regarderait seulement un nul pareil ?

Sans blague... Pas de boulot, pas de fric, pas d'espoir.

Nom : Anonyme111

Elle est morte, ta princesse ? Non. Alors il y a de l'espoir. Cybercitoyens, cet homme a besoin de notre aide. Il est temps de partir au combat.

Nom : Anonyme85

Canonniers, à vos pièces.

Nom : Anonyme337

Mettez-moi cette princesse en joue.

Nom : Anonyme23

Canons chargés et cible acquise, commandant !

Nom : Anonyme111

D'abord, il faut aider Orz à sortir de sa chambre.

Nom : Anonyme 47

Orz. Quelques bons conseils.

1. Lave-toi et rends-toi aussi présentable que possible. Pas de cheveux en bataille ni de boutons.
2. Va chez Uniqlo et achète-toi de bonnes fringues. Rien de voyant.
3. Va voir la princesse.
4. Invite-la à dîner.
5. Pendant le dîner, dis-lui ce que tu ressens.

Comme ça, même si elle te repousse, tu n'auras pas de regrets.

Nom : Anonyme 23

Orz ne sait peut-être pas où elle habite, s'ils n'ont parlé qu'*online*. Il dit qu'il n'a pas d'argent, alors comment peut-il acheter des fringues ?

Nom : Orz Man

Merci des conseils. Je n'ai pas son adresse mais je sais qu'elle habite près de la gare de Yoyogi.

Nom : Anonyme414

Y a un bon restau italien pas loin.

Nom : Anonyme23

Des pâtes pour un premier rancard ? Choisis Yakitori, français ou exotique, là tu as un sujet de conversation.

[Le fil de discussion bifurque sur le meilleur restaurant où aller dîner un soir de premier rendez-vous.]

Nom : Anonyme111

Ce n'est pas un premier rendez-vous. Orz et sa princesse sont des âmes sœurs cybernétiques.

Cybercitoyens, vous ne saisissez pas le problème. D'abord, Orz doit se laver et sortir de sa chambre.

Nom : Orz Man

Tu crois vraiment que je dois essayer de la voir en personne ?

[S'ensuit un chœur de « oui », « vas-y », « qu'est-ce que t'as à perdre », etc.]

Nom : Orz Man

D'accord. Vous m'avez presque convaincu. Maintenant, le côté pratique...

Je crois que je peux trouver de l'argent mais pas beaucoup. La princesse habite dans un autre arrondissement, donc il me faut un endroit où dormir pendant que je chercherai son adresse. Je ne peux pas me payer l'hôtel. Des suggestions ? Vous avez déjà passé la nuit dans un cybercafé[1] ? C'est possible ?

Nom : Anonyme89
Pas idéal, mais je l'ai fait une fois dans la banlieue de Shinjuku. C'est pas cher et puis y a des distributeurs de bouffe.

[Les cybercitoyens bombardent Orz de conseils, rivalisent d'idées d'endroits où passer la nuit et de manières d'attirer l'attention de la princesse.]

Nom : Orz Man
Il faut que je dorme. Ça fait vingt heures que je suis debout. Merci, les gars. Vous m'avez vraiment aidé. Je ne me sens plus aussi seul.

Nom : Anonyme789
Tu vas y arriver, Orz.

Nom : Anonyme122
Fais-le pour tous les geeks.

Nom : Anonyme20
Bonne chance !!!! On est tous avec toi, Orz. Vas-y, mon pote, c'est dans la pooooooooooche.

Nom : Anonyme23
Vas-y, mec, putain !

Nom : Anonyme111
Tiens-nous au courant !!!!!

[Deux jours plus tard, Ryu alias Orz Man

---

1. Au Japon, certains cybercafés louent des espaces minuscules en guise de chambres, à un tarif inférieur à celui des locations classiques.

réapparut sur le fil de discussion où s'étaient échangées maintes spéculations entretemps.]

Nom : Orz Man Date : 07/04/2012 01 : 37 : 19.30

Je sais pas s'il y a du monde pour suivre le fil de discussion que j'ai lancé l'autre jour. J'ai lu tout ce que vous avez écrit. Je suis vraiment bouleversé par le soutien que je reçois sur ce site !

Je voulais juste vous dire que j'ai suivi vos conseils. J'ai quitté la maison.

Nom : Anonyme111

Orz ! Où es-tu maintenant ?

Nom : Orz Man

Dans une piaule de cybercafé.

Nom : Anonyme111

Alors, qu'est-ce que ça t'a fait de te retrouver dans le grand méchant monde ? On veut des détails. Commence par le commencement.

Nom : Orz Man

Comme je disais, j'ai suivi tes conseils. D'abord, je me suis lavé. Je me suis brossé les dents, que j'avais jaunes à force de fumer. Ensuite, les cheveux. Je n'avais pas de sous pour me les faire couper, donc j'ai officié moi-même. Je crois que je ne m'en suis pas trop mal tiré.

Maintenant, le plus dur. Vous allez sérieusement me juger pour ça, les gars. Mes parents étaient au travail quand je suis parti, et j'ai pris l'argent que ma mère laisse dans la cuisine. Pas grand-chose, mais quand même de quoi tenir deux semaines si je fais gaffe. Même si j'ai laissé un mot, je me sens mal à l'aise. J'ai dit que j'avais décidé de chercher du travail pour ne plus être à la charge de la famille.

Nom : Anonyme111

Tu as fait ce qu'il fallait, Orz. Tu les rembourseras quand tu seras installé.

Nom : Anonyme28

Ouais, Orz. Dans ta situation, tu pouvais pas faire autrement. Continue, raconte-nous tout.

Nom : Orz Man

Merci, les gars. Plus de détails… d'accord.

Mes chaussures étaient encore dans le placard près de la porte d'entrée, là où je les avais laissées il y a un an. Couvertes de poussière.

Sortir de la maison est un des trucs les plus difficiles que j'aie jamais faits. Je cherche un moyen d'expliquer ça… Quand j'ai mis le pied dehors, j'ai eu l'impression d'être une allumette dans l'océan. Tout me paraissait trop lumineux, trop grand. Les voisins étaient à leur poste derrière leurs rideaux. Je sais qu'ils cancanent à mon sujet depuis des mois, ce qui angoisse terriblement ma mère.

Je suis parti en début d'après-midi, mais même mon quartier abritait pour moi une activité insupportable. Je ressentais sans arrêt l'attraction de ma chambre, comme si j'étais tiré en arrière. J'ai combattu ça, je me suis forcé à rejoindre la gare à petites foulées, et j'ai acheté un billet pour Shinjuku avant d'avoir le temps de changer d'avis. Il me semblait que tout le monde me montrait du doigt et riait de moi.

Je ne vais pas m'appesantir sur les crises d'angoisse que j'ai traversées quand je suis arrivé à Shinjuku. Je suis entré dans un Yoshinoya, alors que je n'avais pas faim du tout. Je me suis forcé à demander au mec au comptoir s'il savait où trouver une piaule pas chère. Il a été cool et il m'a envoyé dans ce cybercafé.

Bon, je vais être franc, là... je pète un peu les plombs...

Nom : Anonyme179

Pète pas les plombs, mec. On est là pour toi. Alors, ensuite ? Comment vas-tu trouver où elle habite ?

Nom : Orz Man

J'ai fait quelques recherches. Sa famille... disons juste que ce ne sont pas des inconnus, et j'ai trouvé son adresse.

Nom : Anonyme.

Tu veux dire qu'elle est célèbre ???

[Les heures qui suivent sont consacrées à d'autres sages paroles et à des spéculations sur la famille de la princesse.]

Nom : Orz Man

Je me dis que, si je trouve le courage d'aller la voir, le mieux est d'attendre que ses parents sortent.

Nom : Anonyme902

T'as pensé à ce que tu vas dire ?

Nom : Anonyme865

Les entrailles en verre brisé d'Orz tintent. Il allume une clope, debout sous un lampadaire, tout en observant la maison de la princesse. Enfin, il écrase le mégot sous sa botte, marche jusqu'à la porte d'entrée et frappe.

Elle ouvre. Il se retrouve incapable de respirer. Elle est encore plus belle que dans son souvenir.

— C'est moi, Orz, dit-il en ôtant ses lunettes.

— Emmène-moi loin de tout ça, implore-t-elle en tombant à genoux devant lui. Prends-moi, prends-moi tout de suite !

Nom : Anonyme 761
Beau boulot 865, MDR !!!

Nom : Orz Man
J'ai réfléchi… J'ai peut-être une idée pour attirer son attention…

Nom : Anonyme111
Ne nous fais pas languir.

Nom : Anonyme2
Ouais, Orz. On est dans ton équipe, mec !!!!

Nom : Orz Man
Je vous dirai demain si ça marche. Sinon, je serai roulé en boule en train de sangloter et de me trancher les veines.

Nom : Anonyme286
Tu vas forcément y arriver, Orz !
[L'échange suivant se déroula sur le forum après le départ de Ryu.]

Nom : Anonyme111
Cybercitoyens… Je crois que je sais qui est la princesse.

Nom : Anonyme874
Qui ça ?

Nom : Anonyme111
Orz dit que sa famille est très connue. Et aussi qu'elle habite près de la gare de Yoyogi.
Hiro habite à Yoyogi.

Nom : Anonyme23
Hiro ????????? Hiro, l'enfant miracle ? Le petit androïde ?

Nom : Anonyme111

Ouais. Hiro vit chez son oncle et sa tante. Ils ont une fille. J'ai visionné les images de la cérémonie du souvenir. Dans la foule, près de la famille, j'ai repéré une nana qui ressemble carrément à Hazuki et une autre qui n'est pas aussi mignonne.

Nom : Anonyme23

Notre humble Orz est amoureux de la cousine du petit androïde ??? VAS-Y ORZ !

Transcription de l'enregistrement de la voix de Paul Craddock. Avril 2012.

17 avril, 00 h 30

Eh bien, ça faisait un moment… Comment va, Mandi ? Vous savez que je déblatère dans ce putain d'appareil comme si vous étiez ma meilleure amie ou un substitut du docteur K, et je me suis rendu compte l'autre jour que je n'arrivais même pas à me rappeler votre visage. Je suis allé voir sur Facebook la photo de votre profil, afin de me remémorer à quoi vous ressemblez. Je vous ai dit que je détestais Facebook, hein ? C'est ma faute. J'ai bêtement accepté des « requêtes d'amitié » d'un paquet de gens sans me renseigner sur eux avant. Des enfoirés ont bombardé mon mur et mon compte Twitter de messages haineux à cause de l'histoire avec Marilyn.

Mandi, je vous présente mes excuses pour avoir ignoré vos appels. C'est juste que je… j'ai eu une ou deux mauvaises journées, d'accord ? Pas seulement une ou deux, à dire vrai. Une ou deux semaines, oui, ah ah, je n'en voyais pas la fin. Stephen… Bon, vous savez. Je ne veux pas parler de ça. Et je n'ai pas trop avancé dans le tri de ce qu'on peut garder au milieu de toutes ces merdes. Je n'ai pas fait grand-chose, pour être franc.

C'était trop tôt. Tout ça. Trop tôt après l'accident, je le vois à présent. Mais je me dis que, peut-être, on pourra retravailler ensuite, quand je... quand je me sentirai plus moi-même. Je ne vais vraiment pas bien, en ce moment.

Certains jours, je me surprends à regarder des photos de Jess et à essayer de repérer la différence. L'autre jour, elle m'a surpris.

— Qu'est-ce que tu fais, oncle Paul ? elle a demandé, tout sucre, tout miel, la garce.

Elle a une de ces façons de s'approcher de moi sans bruit. Je lui ai répondu sèchement.

— Rien !

Je me sentais tellement coupable que, le lendemain, je suis allé à Toys R Us et, avec ce que j'ai dépensé en jouets vus à la télé et autres saletés, j'aurais pu verser un acompte pour acheter une voiture. Jess a désormais toute la série des *My little pony* – c'est tellement cher, un vrai racket –, et aussi une brouette de Barbie. Ça, je sais que ça ferait se retourner dans sa tombe Shelly la féministe.

Mais je fais de mon mieux, Seigneur, je fais de mon mieux. C'est juste que... ce n'est pas elle. Jess et Polly adoraient les histoires que Stephen leur inventait – des variations amusantes sur les fables d'Ésope. J'ai essayé d'en inventer une l'autre jour, une version du *Garçon qui criait au loup,* mais elle m'a regardé comme si j'étais devenu fou.

Ah ! C'est peut-être vrai.

Parce qu'il y a autre chose. La nuit dernière, je me suis encore livré à un marathon sur Google, pour essayer d'aller au fond de ce que m'inspire Jess. Il y a une maladie très rare qui s'appelle l'Illusion de Capgras. Ceux qui en souffrent sont convaincus que leurs proches ont été remplacés par des doubles. Comme les enfants échangés à la naissance avec les trolls des légendes. Je sais que le simple fait de réfléchir comme ça est délirant. Et même dangereux… Mais il est tout de même rassurant de savoir qu'il existe un syndrome susceptible de tout expliquer. Cela dit, il peut aussi s'agir du stress et de rien d'autre. C'est l'espoir auquel je m'accroche en ce moment.

(Il se racle la gorge.)

Et, bon Dieu, je ne m'ennuie pas. Comment s'est passé le premier jour d'école de Jess. Ça, on pourra s'en servir, je crois. C'est pile le genre de trucs que veulent les lecteurs, non ? J'ai dû vous dire que le docteur K et Darren ont décidé qu'il serait bon pour elle de retourner à l'école après les vacances de Pâques. Ce n'était pas l'idéal, les cours à la maison. Je ne suis pas un très bon professeur et… ça m'obligeait à la côtoyer pendant des heures.

La presse était venue en masse, comme d'habitude, alors j'ai donné la représentation de ma vie : tout sourire, j'aurais gagné un BAFTA[1] pour mon interprétation du « Tuteur scrupuleux ». Pendant que les pisse-copie hurlaient derrière les grilles, j'ai escorté ma nièce à sa classe. L'institutrice, Mme Wallbank, l'avait fait redécorer par les enfants ; une grande banderole « Bienvenue Jess » pendait devant le tableau noir. Mme Wallbank est une femme bien charpentée et trop joviale qui a l'air de sortir tout droit d'un roman d'Enid Blyton. Le genre qui, le week-end, visite des sites du patrimoine culturel ou emmène ses jambes poilues en randonnée jusqu'au sommet de collines battues par les vents. À sa seule vue, j'ai eu envie de me

1. Équivalent anglais des Oscars.

bourrer la gueule et de griller un paquet de Rothman. (Oui, oui, Mandi, vingt par jour désormais. Jamais à la maison, cela dit. Encore un vice à cacher, ah ah, quoique j'aie découvert que Mme E.-B. n'a rien contre une petite cibiche de temps en temps.)

Je me suis vite rendu compte que Mme Wallbank parlait aux enfants comme à des adultes et traitait les grandes personnes comme des attardés.

— Bonjour, oncle de Jess ! Ne vous inquiétez de rien, Jess et moi nous entendrons très bien, n'est-ce pas ?

— Tu es sûre que tu es prête pour ça, Jess ? ai-je minaudé.

— Bien sûr, tonton Paul, a-t-elle répondu avec le sourire suffisant que j'en suis venu à détester. Rentre à la maison, fume une clope et jette-toi une vodka.

Comme l'institutrice me regardait en clignant des yeux, j'ai essayé de faire passer ça pour une plaisanterie.

Puis, avec le soulagement que j'éprouve toujours quand je ne suis pas avec elle, je me suis enfui.

Dehors, j'ai tenté d'ignorer les questions habituelles des journaleux : « Quand laisserez-vous Marilyn voir sa petite-fille ? » J'ai marmonné les conneries habituelles, « quand Jess s'en sentira la force », etc. Ensuite, j'ai sauté dans l'Audi de Stephen et j'ai roulé un peu sans but. Je me suis retrouvé au cœur de Bromley. Après m'être garé, je suis allé au Marks & Spencer, acheter quelque chose de spécial pour le dîner, en ce premier jour d'école de Jess. Et, pendant tout ce temps, je savais que je jouais un rôle. Que je me faisais passer pour un oncle aimant. Mais je ne peux pas… Je ne peux pas m'empêcher de penser à Stephen et Shelly – les véritables Stephen et Shelly, pas le Stephen qui me rend visite la nuit – et c'est le seul désir de ne pas les décevoir qui me permet de continuer. Je me répète sans arrêt que, si je me jette à corps perdu dans ce rôle, il finira par devenir la réalité. Je finirai par retrouver mon équilibre.

Quoi qu'il en soit, je faisais la queue avec un panier rempli des plats de pâtes tout prêts dégueulasses qu'adore Jess quand mon regard a dérivé vers le rayon Vins du monde. Je me suis vu assis par terre, ici même, à descendre bouteille sur bouteille de rouge chilien jusqu'à me faire péter l'estomac.

— Allez-y, m'a dit une vieille, derrière moi. Il y a une caisse libre.

Ça m'a fait sortir de ma rêverie. La caissière m'a reconnu du premier coup d'œil et adressé ce que j'en suis venu à considérer comme un « sourire encourageant » typique.

— Comment va-t-elle ? elle m'a demandé sur un ton de conspiratrice – et, moi, j'ai bien failli répondre :

— Pourquoi est-ce qu'il n'y en a que pour elle ?

Je me suis forcé à articuler plutôt quelque chose comme : « Elle va très bien, merci de vous en préoccuper », et j'ai réussi à m'en aller sans lui balancer mon poing dans la gueule ni dévaliser le rayon Alcool.

24 avril, 23 h 28

Je me sens plutôt bien cette semaine, Mandi. Ça va mieux, à présent qu'elle retourne à l'école. On a même passé une soirée ensemble, devant une série d'épisodes de *The Only Way is Essex.* Elle adore cette navrante émission de téléréalité, elle ne semble pas se lasser de voir des crétins bronzés à la bombe dire des conneries dans des boîtes de nuit, ce qui devrait m'inquiéter un peu. Mais je suppose que toutes ses copines sont branchées sur ce genre de merde, donc c'est sans doute un comportement normal et rassurant. Elle est toujours invariablement de bonne humeur et bien élevée (j'aimerais que, juste une fois, elle fasse un caprice ou refuse d'aller se coucher). Je me répète que le docteur K a raison, bien sûr, que son comportement changera une fois qu'elle aura évacué le traumatisme. Il va juste lui falloir du temps pour s'adapter.

— Jess, ai-je demandé pendant un flash de pub, un régal par rapport aux lieux communs de l'émission, on est bien, tous les deux, hein ?

— Bien sûr, tonton Paul.

Et, pour la première fois depuis une éternité, je me suis dit que ça irait, que je m'en sortirais.

J'ai même appelé Gerry pour lui annoncer que j'étais prêt à retravailler. Il m'a donc parlé des enregistrements, il m'a dit que vos éditeurs le harcelaient, qu'ils désespéraient de me voir vous envoyer de quoi travailler, et j'ai présenté mes excuses habituelles. Ils auraient un orgasme si je vous envoyais mes confidences sans rien couper.

Mais je vais trier tout ça, ouais.

25 avril, 16 h 00

Pfou. Sacrée journée, Mandi. Darren venait de partir (il peut se comporter en vrai connard : il a fouillé tous les placards et le frigo pour vérifier ce que mange Jess, et je suis sûr que ça ne fait pas partie de la procédure standard) quand le téléphone a sonné. Dans ces cas-là, comme vous le savez, je tombe en général sur un journaliste ou un fanatique religieux têtu qui s'est débrouillé pour pirater ou acheter mon nouveau numéro. Mais aujourd'hui, surprise surprise, c'était un des partisans de l'enlèvement par les extraterrestres. Ils se tenaient tranquilles depuis que je leur avais collé les flics au cul juste après la sortie de Jess de l'hôpital. J'ai failli raccrocher sans discuter mais quelque chose m'a retenu. Le type qui appelait – Simon quelque chose – avait l'air à peu près raisonnable. Il a dit téléphoner pour savoir comment j'allais. Pas Jess, *moi.* Il faut que je fasse attention, je parie dix contre un que mon téléphone est sur écoute, donc je l'ai surtout laissé parler – et, d'ailleurs, je n'avais pas grand-chose à dire. Pendant que je l'écoutais, j'ai quasiment eu l'impression de me trouver de l'autre côté de la pièce et de m'observer moi-même. Je savais que le seul fait de lui répondre était complètement dingue. Selon lui, les extraterrestres – il les appelle « les Autres », comme dans une série B écrite par un flemmard –, enlèvent les êtres humains, leur implantent une micro-puce et utilisent leur « technologie extraterrestre » pour les contrôler. Ils sont en outre de mèche avec nos gouvernements. Ça m'a… Pourquoi mentir ? Personne d'autre n'entendra ça. Bon, merde… Écoutez, dans une certaine mesure, ça n'était pas complètement délirant.

Je veux dire… Et si le Jeudi Noir était une expérience de nos dirigeants, après tout ? Un tas de gens croient qu'aucun passager n'aurait pu survivre aux crashes. Et je ne parle pas des cinglés avec leur Bible à la main, ni de ceux qui pensent les enfants possédés par le démon. Même l'expert venu demander à Jess si elle se rappelait l'accident la regardait comme s'il n'arrivait pas à la croire vivante. Bien sûr, au cours de la catastrophe japonaise, d'autres personnes ont survécu à l'impact, mais elles ont succombé rapidement. Et comment Jess s'en est-elle tirée au juste ? La plupart des autres cadavres… ils étaient en morceaux, non ? Et l'avion de Maiden Airlines avait l'air passé au mixeur quand on l'a sorti des Everglades.

Bon… Respire à fond, Paul. Calme-toi, bordel. Le manque de sommeil, ça peut faire déconner le cerveau, hein ?

29 avril, 03 h 37

Il est revenu. Trois nuits de suite maintenant.

Ça paraît dingue mais je commence à m'y habituer. Je n'ai plus peur quand je me réveille et que je le trouve assis là.

La nuit dernière, j'ai encore voulu lui parler.

— Qu'est-ce que tu essaies de me dire, Stephen ?

Mais il a juste répété ce qu'il dit toujours, puis il a disparu. L'odeur empire. Je la sens encore sur les draps. Du poisson pourri. De la… viande pourrie. Merde. Je ne peux pas imaginer ça, hein ? *Je peux ?*

Et… J'ai un aveu à faire. Je n'en suis pas fier.

La nuit dernière, j'ai craqué. J'ai quitté la maison à 4 heures du matin – oui, parfaitement, en laissant Jess seule – et je suis allé jusqu'au Tesco d'Orpington qui est ouvert toute la nuit. Je me suis acheté une petite bouteille de Bells.

Quand je suis rentré à la maison, elle était vide.

Je l'ai cachée sous le lit avec les autres. Mme E.-B. a beau avoir rejoint mon camp depuis peu en ce qui concerne les cigarettes fumées en douce, elle serait horrifiée du nombre de bouteilles vides que j'entasse. Je ne me maîtrise plus. Il faut que je réduise à nouveau. Il faut que j'arrête les conneries.

30 avril

Au temps pour ma résolution de me reprendre.

Je viens de fouiller la chambre de Jess. Je ne sais pas ce que je m'attendais à trouver. Un manuel « Comment servir l'homme », comme dans le vieil épisode de *La Quatrième dimension*, ah ah.

(Le rire de Paul se transforme en sanglots.)

Ça va. Moi, ça va.

Mais elle, elle est différente. Vraiment. Je ne sors

pas de là. Elle a même viré tous ses vieux posters Missy K. Peut-être que les extraterrestres ont bon goût.

(Encore un rire qui se change en sanglots.)

Mais… comment pourrait-elle ne pas être elle-même ?

Ça vient forcément de moi.

Mais…

J'ai de plus en plus de mal à cacher ça à Darren. Je ne peux pas me permettre de péter les plombs. Pas maintenant. Je dois me battre sur tous les fronts. J'ai même envisagé de capituler et de l'emmener voir sa grand-mère, mais cette grosse vache serait-elle seulement capable de dire si elle a changé ? Shelly détestait aller là-bas, donc Marilyn voyait moins les filles que moi. Cela dit, ça vaut sans doute le coup d'essayer. Elle est du même sang que Jess, après tout, non ?

En attendant, j'ai demandé à Petra, une des jolies mamans, à l'école de Jess, d'emmener sa fille Summer jouer à la maison cette après-midi. Petra n'arrête pas de m'envoyer des e-mails et de me téléphoner pour me demander si elle peut se rendre utile, du coup elle a sauté sur l'occasion. Elle a même proposé de prendre les filles à la sortie de l'école et de les conduire jusqu'ici.

Donc… Je laisse l'enregistreur dans la chambre de Jess. Juste pour vérifier. Pour être sûr. Savoir de quoi elle parle quand je ne suis pas là. C'est ce que doit faire un oncle attentionné, n'est-ce pas ? Peut-être Jess va-t-elle avouer à Summer qu'elle souffre, ainsi, je saurai que son comportement est dû à ce que le docteur K appelle « le traumatisme inexploré ». Elles seront là dans cinq minutes.

(Bruit d'enfants qui approchent, leurs voix deviennent de plus en plus fortes.)

— … Toi, tu peux être Rainbow Dash et, moi, je serai la princesse Luna. À moins que tu veuilles être Rarity ?

— T'as vraiment tous les poneys, Jess ?

— Ouais. Paul me les achetés. Il m'a aussi acheté Barbie princesse. Regarde.

— Oh, génial ! Qu'est-ce qu'elle est belle ! Mais c'est même pas ton anniversaire.

— Je sais. Je te la donne, si tu veux. Paul m'en rachètera une.

— C'est vrai ? T'es la meilleure ! Jess… qu'est-ce que tu vas faire de tous les jouets de Polly ?

— Rien.

— Et, Jess… ça t'a fait mal ? Quand t'as été brûlée ?

— Oui.

— Les cicatrices vont partir ?

— C'est pas important.

— Quoi ?

— Qu'elles partent ou pas.

— Maman dit que c'est un miracle que tu sois sortie de l'avion. Elle dit que je ne dois pas te poser de questions là-dessus, au cas où ça te ferait pleurer.

— Je ne vais pas pleurer !

— Maman dit que, plus tard, tu pourras couvrir les cicatrices avec du fond de teint pour que les gens ne te dévisagent pas.

— Viens ! On joue ?

(Pendant un quart d'heure, les filles jouent à « My little pony et Barbie en Essex ».)

(Écho lointain de la voix de Paul qui les appelle, leur dit de descendre goûter.)

— Tu viens pas, Jess ?

— Vas-y d'abord. Je vais prendre les poneys. Ils peuvent manger avec nous.

— D'accord. C'est vrai que tu me donnes la Barbie princesse ?

— Oui.

— T'es la meilleure amie que j'ai jamais eue, Jess.

— Je sais. Allez, vas-y.

— D'accord.

Le dictaphone enregistre le bruit de Summer quittant la chambre. Après une pause de plusieurs secondes, des pas et une respiration s'approchent de l'appareil. Ensuite, trois secondes plus tard :

— Coucou, tonton Paul.

Quand je me rendis à Londres en juillet, pour rencontrer mes éditeurs anglais, quelques jours après les obsèques de Jess, Marilyn Adams m'invita à l'interviewer chez elle, un logement social de quatre pièces, bien entretenu, équipé d'appareils ménagers modernes.

Marilyn m'attend sur son canapé, sa bouteille d'oxygène à portée de main. Alors que je m'apprête à commencer l'interview, elle sort un paquet de cigarettes, en allume une et inhale une longue bouffée.

Ne le dites pas aux garçons, vous voulez bien ? Je sais que je ne devrais pas mais, après toutes ces histoires… quel mal ça peut faire ? Une petite clope, c'est mon seul réconfort, ces temps-ci.

Je sais ce que vous avez lu dans les journaux, mais on n'avait vraiment rien contre Paul, autrefois, à part qu'il voulait nous empêcher de voir Jess. J'ai eu un cousin comme ça. Gay, je veux dire. On a les idées larges, je le jure devant Dieu. Il y en a un paquet, de ces gens-là, hein ? Et j'adore Graham Norton. Mais les journalistes… ils déforment tout ce qu'on dit. Est-ce que j'en veux à Shelly d'avoir choisi Paul comme tuteur ? Pas vraiment. Elle voulait une vie plus facile pour les filles et elle. Comment lui en vouloir ? Elle n'a pas eu grand-chose en grandissant. Je sais qu'on nous prend pour des parasites, mais on a le droit de vivre comme on veut, non ? Essayez donc de trouver du boulot, en ce moment, bordel.

Il y en a qui croient qu'on voulait Jess parce qu'on guettait la maison de Paul et Shelly, et l'argent de l'assurance. Je mentirais en disant que ça ne nous aurait pas été utile, mais c'était le cadet de nos soucis, je le jure devant Dieu. On voulait juste voir la petite Jess. Ça traînait, ça traînait. Certains soirs, j'étais stressée au point d'avoir du mal à dormir. Les garçons n'arrêtaient pas de me répéter : « Tu vas faire une attaque à force de t'inquiéter, maman. » Donc, finalement, quand je suis tombée malade pour de bon, j'ai décidé d'abandonner la partie, de ne pas faire appel à un avocat. Je me suis dit que ce serait sans doute mieux. Jessie pourrait toujours nous rendre visite quand elle serait plus grande.

Alors, quand Paul a appelé pour demander si on voulait la voir, vous auriez pu me foutre par terre rien qu'en me soufflant dessus. Les services sociaux promettaient depuis une éternité de faire leur possible, mais je ne leur accordais aucune confiance. On était tous excités comme des puces. On a pensé qu'il valait mieux ne pas la submerger – ça peut être très chaotique, ici, quand on se retrouve tous –, donc j'ai décidé qu'il y aurait juste moi, les garçons et Jordan, qui était à peu près de son âge. Quand j'ai dit au petit que sa cousine venait lui rendre visite, il a répondu :

— C'est pas une extraterrestre ?

Son père lui a collé une taloche sur l'oreille, mais Jordie ne faisait que répéter ce qu'il avait entendu à l'école.

— Comment ils peuvent croire à ces conneries ?

répétait toujours Keith quand ces putain d'Américains ont commencé à raconter que les Trois sortaient de la Bible ou je ne sais quoi.

D'après lui, il aurait fallu attaquer ces salopards en diffamation, mais ce n'était pas à nous de faire ça, hein ?

J'ai eu un choc quand l'éducateur l'a déposée chez nous. Elle avait poussé comme un arbre depuis la dernière fois que je l'avais vue. Aucune de ses photos dans les journaux ne lui rendait justice. Les cicatrices, sur son visage, n'étaient pas trop laides : elles faisaient paraître sa peau un peu plus tendue et lustrée, voilà tout.

J'ai donné un coup de coude à Jordan et je lui ai dit d'aller embrasser sa cousine. Il a obéi, le brave petit, mais j'ai vu qu'il ne débordait pas d'enthousiasme.

Jase est sorti acheter des trucs au McDo pour tout le monde, et j'ai posé des questions à Jess sur l'école, ses copines, tout ça. Elle ne se faisait pas prier pour parler, elle était toute joyeuse, et elle n'avait pas du tout l'air mal à l'aise avec nous. Ça m'a un peu surprise, pour être franche. La dernière fois que je l'avais vue, elle était affreusement timide, et sa sœur Polly aussi. Quand Shelly les emmenait ici, elles ne quittaient pas ses jupes. Deux vraies petites princesses, on disait, avec les garçons, pour rire. Pas turbulentes comme les autres gosses. On ne les voyait pas souvent, les jumelles, cela dit. Shelly ne les emmenait que pour Noël et leurs anniversaires. Une année, on a eu une bonne prise de bec quand Brooklyn a mordu Polly. Mais Brooklyn était bébé, à l'époque ; elle ne savait pas ce qu'elle faisait.

— Tu devrais montrer ta chambre à Jessie, Jordan. Elle aura peut-être envie de jouer à la Wii.

Et voilà que le gamin me répond :

— Elle est bizarre. Elle a une tête bizarre.

Je lui ai collé une gifle et j'ai dit à Jess de ne pas faire attention.

— C'est pas grave, elle m'a lâché. C'est vrai que j'ai une tête bizarre. C'était pas censé arriver. C'est un accident. (Elle a secoué la tête comme si elle avait mille ans.) Parfois, on fait des erreurs.

— Qui ça, « on », ma chérie ? j'ai demandé.

— Oh, on, c'est tout. Viens, Jordan. Je vais te raconter une histoire. J'en connais un tas.

Ils sont partis tous les deux, Jess et Jordan. Ça m'a réchauffé le cœur de les voir ensemble. C'est important, la famille, non ?

J'ai un peu de mal à monter l'escalier, ces temps-ci, avec mes poumons dans l'état où ils sont, alors j'ai demandé à Jase d'aller jeter un œil. Apparemment, nos deux gamins s'entendaient comme larrons en foire, et Jessie n'arrêtait pas de parler. L'heure de la renvoyer à la maison est arrivée en un clin d'œil.

— Ça te ferait plaisir de revenir, Jess ? Pour jouer encore avec tes cousins ?

— Oui, Nana, s'il te plaît, elle a dit. C'était intéressant.

Après que l'éducateur du service social est passé la prendre, j'ai demandé à Jordan ce qu'il pensait d'elle, s'il trouvait qu'elle avait changé et tout ça, mais il a secoué la tête. Il n'avait pas très envie d'en parler. J'ai voulu savoir de quoi ils avaient discuté toute la matinée, mais il a répondu qu'il ne se rappelait pas. Je ne l'ai pas forcé. Après ce qui est arrivé à Jessie ensuite, le pauvre petit a eu des cauchemars comme c'est pas permis.

Paul m'a appelée, ce soir-là, et j'ai encore eu un choc en entendant sa voix ! Il a même été poli. Il m'a demandé si j'avais remarqué quelque chose d'étrange à propos de Jess. Ce sont ses mots exacts. Il m'a dit qu'il s'inquiétait pour elle.

Je lui ai répondu ce que je vous ai dit, que c'était une petite fille adorable, qu'on avait plaisir à être avec elle.

Il a paru trouver ça très drôle. Son rire m'a fait penser à une canalisation qui se débouche. Il a raccroché avant que j'aie pu lui demander ce qui l'amusait.

Bien sûr, pas très longtemps après, on a appris ce qu'il avait fait à la petite. Ça a bien failli m'achever. Ça a bien failli nous achever tous. Mourir comme ça… Pas étonnant que Jordan ait fait des cauchemars, hein ?

Lillian Small

Le téléphone a sonné à 6 heures, ce matin-là, et je me suis hâtée de répondre avant qu'il ne réveille Reuben. Je ne dormais pas bien depuis la visite du musée, et j'avais l'habitude de me lever vers 5 heures pour passer quelques minutes seule et me préparer les nerfs avant de découvrir quel mari j'allais trouver ce jour-là.

— Qui est à l'appareil ? ai-je aboyé dans le téléphone.

Quand un journaliste ou un *meshugener* tentait sa chance aussi tôt le matin, je n'étais pas d'humeur à prendre des gants.

Après une hésitation, mon correspondant s'est présenté comme Paul Craddock, l'oncle de Jessica. Son accent anglais raffiné m'a rappelé un personnage de la série *Cavendish Hall* dont Betsy n'arrêtait pas de parler. Alors que nous aurions dû avoir beaucoup de choses à nous dire, notre conversation a été curieuse, pleine de longs silences gênés. Je me rappelle avoir trouvé étrange que nous n'ayons pensé ni l'un ni l'autre à nous contacter plus tôt. Les trois enfants étaient toujours liés dans les articles de journaux et, de temps à autre, les producteurs de *talk-show* se mettaient en tête de les inviter tous ensemble, mais je refusais leurs propositions systématiquement. Bien que j'aie senti aussitôt que quelque chose ne tournait pas rond chez Paul, j'ai mis ça sur le compte du décalage horaire ou de parasites sur la ligne. Quand il a enfin réussi à s'exprimer clairement, il a voulu savoir si j'avais remarqué quelque chose de différent en Bobby, si sa personnalité ou son comportement avaient changé depuis l'accident.

C'étaient les mêmes questions que posaient toujours ces fichus journalistes, donc je lui ai répondu sèchement. Il s'est excusé de m'avoir dérangée et il a raccroché sans dire au revoir.

Après cette conversation, j'étais agitée, je n'arrivais pas à me calmer. Pourquoi une telle question ? Paul, comme moi et la famille du petit Japonais, souffrait fatalement de la pression des médias. En outre, je me sentais coupable d'avoir été aussi sèche avec lui. Il paraissait troublé, comme s'il avait besoin de parler.

Et j'en avais assez de me sentir coupable. De ne pas renvoyer Bobby à l'école ; de ne pas ramener Reuben chez le docteur Lomeier pour qu'il soit examiné par le spécialiste ; de cacher son état à Betsy. Comme Charmaine, qui m'appelait encore chaque semaine pour prendre de nos nouvelles, Betsy m'épaulait depuis le début, mais je ne pouvais m'empêcher de penser que la rémission de Reuben était mon miracle personnel. Ainsi que mon fardeau personnel. Je savais ce qui arriverait si la nouvelle se répandait. La ridicule histoire du petit Japonais communiquant par l'intermédiaire du robot de son père est passée aux infos pendant des jours.

Je me suis fait un café, assise dans la cuisine, et j'ai regardé par la fenêtre. C'était une superbe journée de printemps, et je me rappelle avoir pensé qu'il serait bien agréable d'aller faire une promenade, de m'installer dans un bar quelque part. D'avoir un peu de temps à moi.

Reuben était réveillé, à ce moment-là, et c'était bien lui, ce jour-là, pas Al. J'ai pensé que je pouvais bien m'éclipser dix minutes, m'asseoir dans le parc au soleil. Respirer.

J'ai préparé son petit déjeuner à Bobby, nettoyé la cuisine, puis demandé à Reuben si cela l'ennuyait que je sorte quelques minutes.

— Vas-y, Rita, a-t-il dit. Va, amuse-toi.

J'ai fait promettre à Bobby de ne pas quitter l'appartement, puis je suis partie. J'ai marché jusqu'au parc, je me suis assise sur le banc en face du centre sportif et j'ai offert mon visage au soleil. Je n'arrêtais pas de me dire : *Allez, encore cinq minutes et puis je rentre, je change les draps du lit, et j'emmène Bobby à l'épicerie pour acheter du lait.* Un groupe de jeunes hommes qui poussaient des landaus sont passés devant moi, et nous avons échangé des sourires. Quand j'ai enfin consulté ma montre, j'ai réalisé que j'étais partie depuis près de trois quarts d'heure – où était passé ce temps ? Je me trouvais à moins de cinq minutes de mon immeuble mais il suffit de quelques secondes pour avoir un accident. Une vague de panique m'a submergée, et je me suis dépêchée de rentrer.

Et j'avais raison de m'inquiéter. J'ai poussé un cri quand je suis entrée au pas de course dans l'appartement et que j'ai vu les deux hommes au milieu de ma cuisine, avec leurs costumes identiques. L'un tenait la main de Bobby contre sa poitrine, les yeux fermés. L'autre avait la sienne levée au-dessus de la tête et marmonnait dans sa barbe.

— Laissez-le ! ai-je hurlé à pleins poumons. (J'ai

tout de suite vu qui ils étaient. Ils irradiaient le fanatisme.) Foutez le camp de chez moi !

— C'est toi, Rita ? a appelé Reuben, dans le salon où il regardait la télévision.

— Les messieurs ont demandé à entrer et à regarder *The View* avec nous, Bubbe, m'a dit Bobby. C'est ceux-là que Betsy appelle des *bupkes*[1] ?

— Va dans ta chambre, Bobby.

Je me suis retournée vers les deux hommes, toute vibrante de fureur. On aurait dit des jumeaux, les mêmes cheveux blonds, la même raie sur le côté, la même expression suffisante et sûre de son bon droit, ce qui rendait la situation encore plus troublante. Bobby m'a dit plus tard qu'ils n'étaient arrivés que cinq minutes avant moi et n'avaient rien fait d'autre que ce que j'avais observé à la cuisine. Ils avaient dû me voir partir et décider de tenter leur chance.

— Tout ce que nous vous demandons, c'est de laisser l'esprit de Bobby nous recouvrir, a dit l'un d'eux. Vous nous le devez, madame Small.

— Elle ne vous doit rien du tout, a lâché Betsy derrière moi – Dieu merci, elle m'avait entendue crier. J'ai appelé les flics, alors virez de là vos *tuches*[2] de bigots.

Les deux hommes ont échangé un regard puis ils ont gagné la porte. Ils avaient l'air disposés à nous assener encore un peu de leurs bêtises, mais le regard de ma voisine leur a cloué le bec.

Betsy s'est portée volontaire pour garder Bobby pendant que je ferais ma déposition. Je savais qu'il m'était désormais impossible de lui cacher la vérité à propos de Reuben. Le commissaire de police s'est déplacé en

1. En yiddish : idiots.
2. Arrière-trains.

personne un peu plus tard dans la journée. Selon lui, je devais envisager une protection vingt-quatre heures sur vingt-quatre, le mieux serait d'engager un garde du corps privé, mais je ne voulais pas d'un étranger chez moi.

Quand j'en ai eu terminé avec la police, je me suis rendu compte que Betsy avait découvert la transformation de Reuben et désirait en parler. Que pouvais-je faire, sinon tout lui dire ? Et je n'avais à m'en prendre qu'à moi-même.

La voisine de Lillian Small, Betsy Katz, accepta de me parler fin juin.

Ce qui me fait le plus enrager, c'est que j'avais été très prudente avec les journalistes. Ils peuvent être malins, ces fouinards. Ils déployaient des trésors d'astuce, m'appelaient et me posaient des questions suggérant la réponse, comme si j'étais née de la dernière pluie et que je ne voyais pas clair dans leur jeu.

— Madame Katz, disaient-ils, Bobby se conduit de manière un peu étrange, n'est-ce pas ?

— Étranges vous-mêmes, je leur répondais. C'est douloureux d'être aussi bête ?

Sans Bobby, je ne sais pas si Lily aurait trouvé la force de tenir le coup après la mort de Lori. Elle était gentille, Lori. Un peu artiste, c'est sûr, mais c'était une bonne fille. Moi, je ne sais pas si j'aurais pu encaisser un coup pareil. Et ce Bobby ! Quel adorable petit ! Soulager Lily de sa présence n'a jamais été une corvée. Il venait dans ma cuisine et m'aidait à faire des cookies, il entrait à la maison comme s'il faisait partie de la famille. Des fois, on regardait *Jeopardy* ensemble. Il était d'une compagnie agréable : un bon garçon, toujours content, toujours le sourire aux lèvres.

Je m'inquiétais qu'il ne fréquente pas assez d'autres enfants. Quel gamin a envie de passer tout son temps libre avec des vieilles dames ? Mais ça n'avait pas l'air de l'inquiéter, lui. J'avais dit très souvent à Lily que la famille du rabbin Toba tenait une bonne *yeshivah* dans Bedford-Stuyvesant, mais elle refusait d'en entendre parler. Je ne pouvais pas lui reprocher de vouloir le garder près d'elle. Je n'ai pas eu la chance d'avoir des enfants mais, quand Ben, mon mari, a succombé à son cancer il y aura dix ans en septembre, le chagrin m'a planté un couteau dans le cœur. Lily avait déjà trop perdu. D'abord Reuben puis sa fille.

Je savais qu'elle tentait de me cacher quelque chose mais, sur ma vie, j'aurais été incapable de deviner quoi. Lily ne savait pas mentir, on lisait en elle à livre ouvert. Je ne l'ai pas harcelée pour savoir de quoi il retournait, je me disais qu'elle finirait par me raconter de toute façon.

Je nettoyais ma cuisine quand j'ai entendu Lily crier, ce jour-là. J'ai cru qu'il était arrivé quelque chose à Reuben et j'ai couru jusqu'à leur appartement. Quand j'ai vu par la porte ouverte les deux types avec leurs costumes et leurs regards de fanatiques, je suis retournée tout droit chez moi et j'ai appelé les flics. Je savais ce qu'ils étaient. Moi, quand ils ont commencé à envahir le quartier, je suis devenue capable de sentir ces bigots à des kilomètres. Ils se croyaient malins de s'habiller en hommes d'affaires, mais ce n'était pas suffisant. Ils ont choisi la sagesse et fichu le camp avant l'arrivée des flics. Pendant que Lily faisait sa déposition, je suis allée surveiller Bobby et Reuben au salon.

— Bonjour, Betsy, a lancé Bobby. Po Po et moi, on regarde *Tant qu'il y aura des hommes*. C'est un vieux film où tout le monde est en noir et blanc.

Et puis Reuben a ajouté, clair comme de l'eau de roche :

— C'est les plus vieux les meilleurs.

Et comment croyez-vous que j'ai réagi ? J'ai fait un bond de deux mètres.

— Qu'est-ce que vous dites, Reuben ?

— Je dis qu'on ne fait plus de films comme ça maintenant. Vous devenez sourde ou quoi, Betsy ?

J'ai été obligée de m'asseoir. J'aidais Lily à s'occuper de Reuben depuis que Bobby était sorti de l'hôpital et, durant tout ce temps, je ne l'avais pas entendu prononcer un mot sensé.

Quand Lily est revenue, elle a vu tout de suite que je savais. Nous sommes allées à la cuisine et elle nous a servi un cognac, avant de tout m'expliquer. Comment il s'était remis à parler d'un coup, un soir.

— C'est un miracle, ai-je déclaré.

Rentrée chez moi, je n'ai réussi à m'intéresser à rien. Il fallait que je parle à quelqu'un. J'ai téléphoné au rabbin Toba mais il n'était pas chez lui et j'avais besoin de me livrer. Alors j'ai appelé ma belle-sœur. Eliott, le neveu de sa meilleure amie, un brave garçon – du moins je le croyais –, était médecin, et elle m'a conseillé de lui parler. J'essayais juste de me rendre utile. J'ai cru obtenir une deuxième opinion sur Reuben pour Lily.

En disant ça, je me rends compte que j'ai été très bête.

Je ne sais pas si on l'a payé, mais je sais que c'est lui qui a prévenu la presse. Le lendemain, en sortant – pour acheter du pain car je faisais de la soupe ce soir-là –, j'ai vu tous les journalistes qui campaient devant l'immeuble, mais ce n'était pas nouveau. Quand ils ont voulu m'interroger, je les ai envoyés se faire cuire un œuf.

C'est devant la boulangerie que j'ai vu le gros titre

sur une affiche : « Miracle ! Le grand-père sénile de Bobby recommence à parler. » J'ai failli vomir sur place. Que Dieu me pardonne, il m'a traversé l'esprit que je pouvais me défausser sur les *putzes* religieux qui s'étaient insinués dans l'appartement. Sauf que l'article disait clairement la nouvelle issue d'une « source proche de Lillian Small ».

J'étais catastrophée. Je savais ce que cela signifiait pour Lily. Tous ces malades mentaux, menés par le plus dangereux de tous, je savais qu'ils allaient bondir là-dessus comme des mouches sur un étron.

J'ai couru à la maison et j'ai dit à Lily :

— Je ne voulais pas que ça se répande.

Elle a blêmi. Pouvais-je lui en vouloir ?

— Oh, non, a-t-elle dit. Encore ! Pourquoi est-ce qu'on ne nous fiche pas la paix ?

Lily ne m'a jamais pardonné ça. Elle ne m'a pas chassée de sa vie, mais elle a toujours été très vigilante, ensuite, en ma présence.

Je me demande vraiment si ça n'a pas en partie provoqué toute la suite. Puisse Dieu m'absoudre.

Huitième partie

Le Complot : Avril – Juin

L'article suivant parut le 19 avril 2012 sur makimashup.com – un site consacré à « l'étrange et au merveilleux dans le monde entier ».

La Reine de l'étrange du Japon

La première vidéo montre une très belle Japonaise agenouillée sur un tatami au centre d'une pièce élégante, à l'éclairage tamisé. Elle remet de l'ordre dans son kimono rouge vif, cligne des paupières puis commence à réciter un passage de *Volé,* d'Aki Kimura, la femme qui a subi les assauts sexuels de trois marines américains sur l'île d'Okinawa dans les années 1990. Elle consacre les vingt minutes de la deuxième vidéo à décrire en détail un enlèvement par des extraterrestres. La troisième la montre en train de donner une conférence pour expliquer que Hiro Yanagida, le survivant du vol Sun Air, est un trésor national, le symbole de l'endurance et de l'identité du Japon.

Ces vidéos, d'abord postées sur le site de partage japonais Nico Nico Douga, ont été visionnées plus que n'importe quelle autre vidéo dans l'histoire du site, et sont désormais diffusées partout. Ce qui rend ces monologues si fascinants, ce n'est pas tant l'éclectisme de leurs sujets que l'identité de la comédienne. Il s'agit d'un substibot – le double androïde d'Aikao Uri, ex-idole de la pop, qui a dominé les hit-parades dans les années 1990, avant de mettre fin à sa carrière pour épouser l'homme politique Masamara Uri. Aikao ne plaisante pas quand il s'agit de faire parler d'elle. Rarement à l'écart de l'actualité, elle a lancé la mode des sourcils rasés au début des années 2000, elle fait preuve d'un antiaméricanisme fervent (la rumeur veut qu'une carrière ratée à Hollywood au milieu des années 1990 en soit la cause), porte toujours le costume japonais traditionnel en signe de refus des idéaux occidentaux, et affirme depuis peu avoir été plusieurs fois enlevée par des extraterrestres depuis son enfance, ce qui lui vaut sa plus belle polémique à ce jour.

Regarder parler le substibot d'Aikao Uri s'avère déconcertant. Il faut plusieurs secondes au cerveau pour s'adapter et réaliser que cette femme éloquente a quelque chose… d'anormal. Sa diction est dépourvue d'émotion, ses mouvements faciaux un peu trop lents pour être convaincants. Et ses yeux sont morts.

Aikao admet volontiers avoir commandé son substibot après avoir appris que le petit Hiro Yanagida n'acceptait de s'exprimer que par l'intermédiaire du double androïde fabriqué par son père, un célèbre expert en robotique. Aiko estime que parler à travers des substibots télécommandés, munis de caméras et de dispositifs de captation de la voix à la pointe de la technologie, « nous rapprochera d'une certaine manière de la pureté ».

Et Aikao n'est pas seule à avoir adopté cette « pureté ». Mondialement célèbres pour leurs modes délirantes, les jeunes faiseurs de tendance japonais sont en train de rejoindre la vague des amateurs de substibots. Ceux qui ne peuvent pas s'en offrir un (les doubles androïdes les moins chers coûtent dans les quarante-cinq mille dollars américains) achètent des mannequins ou des poupées gonflables réalistes et les modifient. Les rues du quartier Harajuku – où les amateurs de *cosplay* se rassemblent traditionnellement pour exhiber leur style – bouillonnent de jeunes fashionistas, garçons et filles, impatients de mettre en valeur leur version de cette substibotmania – baptisée « Le Culte de Hiro ».

On raconte même que des groupes pop féminins en vogue, tels que AKB 48 ou les Sunny Juniors, sont en train de créer leur propre ligne de substibots dansants et chantant en play-back.

Mi-avril, je pris l'avion pour Le Cap, en Afrique du Sud, afin de rencontrer Vincent Xhati, un détective privé employé à plein temps pour retrouver le mystérieux Kenneth Oduah – censément le « Quatrième Cavalier ».

Le hall des Arrivées de l'aéroport international du Cap regorge de guides pour touristes qui crient « Taxi, madame ? » et m'agitent sous le nez des prospectus vantant une « visite de Khayelitsha tout compris ». Malgré le chaos, je n'ai aucun mal à repérer Vincent Xhati, le détective privé qui a accepté de m'escorter dans la ville pendant deux jours. Un mètre quatre-vingt-dix, cent trente-cinq kilos, il domine les chauffeurs de taxi et *tour operators*. Il m'accueille avec un large sourire et se charge aussitôt de mes bagages. Nous discutons de tout et de rien tandis que nous fendons la foule en direction du parking. Deux flics à l'air désabusé, en uniforme bleu, marchent d'un pas nonchalant en regardant tout le monde avec suspicion, mais ni eux ni les pancartes avertissant de ne pas « partir avec des inconnus » ne semblent décourager les vendeurs de visites guidées. Mon compagnon chasse les plus tenaces d'un « *Voetsek* » peu amène.

Épuisée après seize heures de vol, je meurs d'envie de boire un café et de me doucher, mais, quand Vincent me demande si je veux voir le site de la catastrophe du vol Dalu Air avant de descendre à mon hôtel, je réponds oui. Il a un hochement de tête approbateur et me guide jusqu'à sa voiture, une BMW noire lustrée, aux vitres teintées.

— Personne ne nous emmerdera là-dedans, me dit-il. On croira que c'est un politicien.

Il s'interrompt, me jette un coup d'œil, puis explose de rire.

Je m'enfonce dans le siège du passager et remarque aussitôt la photo granuleuse de Kenneth Oduah âgé de 4 ans affichée sur le tableau de bord.

Comme nous laissons l'aéroport derrière nous et filons sur une bretelle d'accès à l'autoroute, j'aperçois la montagne de la Table festonnée de nuages dans le lointain. L'hiver approche mais le ciel est d'un bleu clair uniforme. Quand Vincent prend l'autoroute, je suis frappée par les signes de pauvreté évidents qui nous entourent. Si l'aéroport était très moderne, la route, elle, est bordée de cahutes délabrées, et Vincent doit freiner sec quand un gamin tenant un chien au bout d'une ficelle se met à zigzaguer entre les voitures.

— Ce n'est pas loin, dit mon guide en faisant claquer sa langue quand il se voit contraint de ralentir derrière un minibus rouillé, bourré de gens qui partent travailler, sur la voie de circulation rapide.

Je lui demande qui l'a engagé pour chercher Kenneth, mais il sourit et secoue la tête. Le journaliste qui m'a parlé de lui m'a assuré qu'il était digne de confiance, toutefois je ne peux m'empêcher de ressentir un léger malaise. Je m'enquiers des rapports sur les « chasseurs de Kenneth » qui se sont fait détrousser.

— La presse a exagéré, soupire-t-il. Il n'y a que

ceux qui se sont conduits comme de vrais cons qui ont eu des ennuis.

Je lui demande s'il croit que Kenneth se trouve bel et bien quelque part dans la nature.

— Ce que je crois n'a pas d'importance. Il est possible qu'il y soit ou qu'il n'y soit pas. S'il y est, je le trouverai.

Nous quittons l'autoroute et, sur la droite, je distingue l'orée d'une grande zone urbaine où s'entassent de petites maisons en brique, des cabanes en bois et en tôle, ainsi que des toilettes extérieures qui ressemblent à des guérites.

— Est-ce que c'est Khayelitsha ?

— *Ja.*

— Depuis combien de temps cherchez-vous Kenneth ?

— Depuis le début. Ça n'a pas été de tout repos. Premier problème : la communauté musulmane a fait en sorte d'empêcher les gens de nous parler du gamin.

— Pourquoi ?

— Vous n'avez pas eu ça en Amérique ? Ah ! Les musulmans partaient du principe que Kenneth était des leurs, et ils étaient furieux de voir les Américains venir ici en prétendant que c'était un messager à eux. Ensuite, on a su qu'il venait d'une famille chrétienne, alors maintenant, ils s'en foutent.

Autre explosion de rire.

— J'en déduis que vous n'êtes pas croyant ?

— Non, répond-il, redevenu sérieux. J'en ai trop vu.

Il tourne à droite et, quelques minutes plus tard, nous arrivons au cœur du quartier. Les chemins de terre qui séparent d'interminables rangées de cahutes sont dépourvus de panneaux indicateurs. Je remarque une profusion de logos Coca-Cola, la plupart attachés à de vieilles cantines qui sont, en fait, des boutiques de fortune. Un groupe de jeunes enfants en shorts sales agitent les bras, sourient à la voiture, puis la poursuivent en poussant des cris aigus. Vincent se gare au bord de la route, donne dix rands à un des gamins et lui demande de surveiller la BMW. Le garçon hoche la tête et bombe le torse.

Quelques centaines de mètres plus loin, un car de touristes est garé le long d'une rangée de marchands ambulants. Sous mes yeux, un couple d'Américains ramasse une sculpture d'avion en fil de fer et commence à marchander.

— À partir de là, on va à pied, dit Vincent. Restez près de moi et ne regardez aucun autochtone dans les yeux.

— D'accord.

Nouveau rire.

— Vous faites pas de connerie et vous risquez rien, ici.

— C'est là que vous habitez ?

— Non. J'habite à Gugs. Gugulethu.

J'ai observé les photos aériennes de l'accident, la tranchée déchiquetée percée par l'avion dans la ville, mais les gens d'ici sont à l'évidence tenaces car on ne voit, déjà, presque plus trace de la dévastation. Une nouvelle église est en construction ; des cabanes ont poussé sur tous les sites ravagés par l'incendie. Une étincelante pyramide en verre noir, sur laquelle sont gravés les noms des victimes de la catastrophe (dont Kenneth Oduah) est posée en plein milieu, vision incongrue.

Vincent s'accroupit et fouille la poussière de ses doigts.

— On trouve encore des morceaux. D'os ou de métal. Tout finit par remonter à la surface. Comme quand on se blesse, vous savez, quand on a une écharde ? La terre les rejette.

C'est sans un mot que nous retournons sur nos pas puis reprenons l'autoroute. D'autres minibus nous croisent à toute vitesse, bourrés de touristes qui vont en ville. La montagne de la Table se rue à notre rencontre, des nuages masquent désormais son sommet plat.

— Je vous emmène à votre hôtel et, ce soir, nous partons à la chasse, d'accord ?

Le quartier Waterfront, où se trouve mon hôtel au squelette d'acier recouvert de verre, ne pourrait contraster plus avec celui d'où je viens. J'ai l'impression d'avoir changé de pays. Difficile de croire que ces boutiques de haute couture et ces restaurants cinq étoiles ne se trouvent qu'à une brève course en taxi de la pauvreté des quartiers défavorisés.

Je prends une douche puis gagne le bar pour passer quelques coups de téléphone en attendant Vincent. Plusieurs hommes entre deux âges sont installés là par petits groupes, et je m'efforce d'entendre leurs propos. Beaucoup sont américains.

J'ai tenté d'obtenir une interview de l'enquêteur en chef du bureau de l'aviation civile sud-africaine, mais il refuse de parler à la presse. Je compose cependant le numéro. La secrétaire qui décroche me paraît lasse.

— Tout est dans le rapport. Il n'y a pas eu de survivants.

Je me heurte aussi à un mur dans mes efforts pour joindre les premiers bénévoles arrivés sur les lieux de l'accident.

Vincent s'avance dans l'hôtel comme s'il était chez lui. Aussi à l'aise au milieu de ce luxe extravagant qu'au cœur de Khayelitsha.

Je lui raconte mes démêlés avec la CAA.

— Eux, vous pouvez les oublier. Mais je vais voir ce que je peux faire pour que d'autres vous parlent.

On l'appelle sur son portable. La conversation est brève, en xhosa.

— Mon associé a rassemblé les gars de ce soir. (Il soupire.) Ça ne donnera rien. Mais je dois vérifier. Mon patron veut un rapport complet tous les jours.

Nous nous dirigeons vers les docks et ralentissons aux abords d'un tunnel. Le coin est sinistre, mal éclairé, et j'éprouve un nouveau malaise.

L'associé de Vincent, un petit homme sec du nom d'Eric Malenga, nous attend près d'un pont routier en construction. Il est entouré par trois gamins dépenaillés dont aucun n'a l'air très solide sur ses jambes. J'apprendrai plus tard qu'énormément de ces enfants des rues sniffent de la colle : le solvant détruit leur coordination. Vincent m'informe qu'ils survivent en mendiant et en chapardant en centre-ville.

— Des fois, ils convainquent les touristes de leur offrir des céréales et du lait, qu'ils refourguent aux routards, ajoute-t-il. D'autres vendent leur corps.

Comme nous approchons, je remarque un quatrième enfant, assis sur une caisse retournée, à l'écart des autres. Il frissonne, mais je ne saurais dire si c'est à cause de la fraîcheur de l'air ou parce qu'il a peur.

Le plus grand des garçons – émacié, la goutte au nez – se redresse en nous voyant arriver et désigne le gamin assis sur la caisse.

— Le voilà, patron. C'est Kenneth. J'ai ma récompense maintenant, patron ?

Mon guide me murmure que ce dernier « Kenneth » en date n'est même pas nigérian. Il est de la catégorie raciale dite « de couleur », une expression qui me fait grimacer.

Vincent adresse un signe de tête las à Eric, lequel entraîne le petit jusqu'à sa voiture.

— Où l'emmène-t-il ?

— Dans un foyer. Loin de cette bande de *skebengas*.

— Mais il dit qu'il est Kenneth, patron, geint le garçon au nez qui coule. Je te jure.

Je lui demande :

— Tu sais pourquoi tant de gens cherchent Kenneth ?

— *Ja*, madame. Ils croient que c'est le diable.

— C'est pas vrai, intervient un autre enfant. Il faut qu'il aille voir un *sangoma* ; il est possédé par l'esprit d'une sorcière. Si tu le rencontres, tu n'en as plus pour très longtemps à vivre.

— Il ne sort que la nuit, renchérit le troisième. S'il te touche, cette partie de ton corps mourra. Il peut même répandre le sida.

— *Ja*. Moi aussi, j'ai entendu ça, dit le plus grand – visiblement le chef. Je connais quelqu'un qui l'a vu, madame. Si vous me donnez cent rands, je vous emmène.

— Ils ne savent rien du tout, affirme Vincent – qui leur donne tout de même vingt rands à chacun avant de les envoyer vaquer à leurs occupations.

Ils poussent des cris de joie et s'enfuient dans la nuit d'un pas mal assuré.

— C'est comme ça tout le temps. Mais je dois tout vérifier pour rédiger mon rapport tous les jours. En général, je fais un tour à la morgue, au cas où il y arriverait, mais je ne vais pas vous imposer ça.

Le lendemain, Vincent me retrouve à mon hôtel et m'annonce qu'il part pour la côte ouest afin de « suivre une piste ». Il me met en rapport avec un policier du poste de Khayelitsha, qui se dit prêt à me parler, me donne le nom d'un infirmier arrivé sur les lieux quelques minutes après l'accident et le numéro de portable d'une femme ayant perdu son foyer dans la dévastation.

— Elle sait quelque chose, assure-t-il. Peut-être qu'elle vous parlera à vous, une étrangère.

Puis, avec un autre large sourire et une étrange poignée de main, il s'en va.

(Dix jours plus tard, chez moi, à Manhattan, je reçois un SMS de Vincent qui dit simplement : « Ils l'ont eu. »)

La déposition suivante fut prise au poste de police de Buitenkant, Le Cap, le 2 mai 2012.

SERVICE DE POLICE D'AFRIQUE DU SUD

EK/I : Brian van der Merwe
OUDERDOM/ÂGE : 37
WOONAGTIG/ADRESSE : ▬ Street, Bellville, Le Cap
TÉLÉPHONE : ▬
WERKSAAM TE/EMPLOYÉ PAR : Assurances Kugel, Pinelands
TÉLÉPHONE : ▬
VERKLAAR IN AFRIKAANS ONDER EEF :
DÉCLARE EN ANGLAIS SOUS SERMENT :

La nuit du 2 mai 2012, aux alentours de 22 h 30, j'ai été apréhendé (*sic*) au bas de Long Street, Le Cap, CDB (City Bowl District) devant le magasin de meubles Beares. Je m'étais arrêté pour faire monter un enfant dans ma voiture quand j'ai réalisé que des policiers avaient rangé leur véhicule près du mien.

J'ai dit aux policiers m'être arrêté car je me souciais de la sécurité de l'enfant. Ce dernier, âgé de 8 ou

9 ans, n'aurait pas dû se trouver dehors à une heure pareille, et je voulais lui proposer de le redéposer chez lui.

Je nie avoir sollicité des faveurs sexuelles de ce garçon, et je nie qu'au moment où les policiers m'ont trouvé dans la voiture, mon pantalon était baissé et le garçon en train de se livrer à un acte sexuel sur ma personne.

Le sergent Manjit Kumar m'a tiré hors de mon véhicule et m'a frappé au visage, et j'insiste pour que cela soit mis par écrit. Ensuite, il a demandé au garçon son nom. Le garçon n'a pas répondu. Un des autres policiers, l'agent Lucy Pastorius, a demandé au garçon : Es-tu Kenneth ? Le garçon a dit oui.

Je n'ai pas résisté à l'arrestation.

BvdMerwe

HANDTEKENING / SIGNATURE

Andiswa Matébélé (nom changé) est responsable d'un centre d'accueil pour enfants abandonnés ou maltraités au Cap (l'adresse exacte ne peut être dévoilée pour des raisons évidentes). Andiswa accepta de me parler au téléphone à la condition que je ne révèle ni son nom ni son lieu de travail.

Ça faisait peine à voir. Quand on nous l'a amené, l'enfant souffrait de malnutrition et, avant même de lui faire prendre un bain, j'ai veillé à ce qu'il mange un grand bol de *putu* et de ragoût d'agneau. J'étais très inquiète pour lui, et pas seulement parce que les écorchures de ses bras et de ses jambes étaient infectées. Le médecin qui l'avait examiné lui avait prescrit des antibiotiques et une injection d'antirétroviraux, certains indices suggérant qu'il avait pu se prostituer. Ce n'est pas rare chez les enfants des rues. Beaucoup ont été violés par leurs parents, et ils ne connaissent aucun autre moyen de survivre.

Que puis-je vous dire sur le garçon ? Pour autant que j'aie pu en juger, il n'avait pas l'accent nigérian, mais il parlait si peu qu'il est difficile d'en jurer. Il faisait plus vieux que 7 ans, l'âge de Kenneth Oduah. Pendant qu'il mangeait, je lui ai demandé :

— Est-ce que tu t'appelles Kenneth ?

Il a répondu :

— Oui, je m'appelle Kenneth.

Plus tard, cependant, je me suis aperçue que je pouvais lui demander n'importe quoi et qu'il disait toujours oui.

Le lendemain, une équipe de la police scientifique est venue au foyer et a prélevé un échantillon de sa salive afin de procéder à un test ADN. On m'a informée qu'il resterait ici jusqu'à ce qu'on soit sûr que c'était bien Kenneth. Selon moi, si ce gosse se révélait être le garçon qu'on cherchait, il fallait le rendre le plus vite possible à sa tante et à sa famille.

Je ne suis pas de Khayelitsha mais je suis allée sur le site du monument aux morts, j'ai vu l'endroit où l'avion s'est écrasé. J'ai peine à croire que quiconque ait pu survivre à un accident pareil, mais c'était la même chose pour la catastrophe américaine et pour celles d'Asie et d'Europe, donc je ne savais pas trop quoi en penser. Petit à petit, en posant des questions, j'ai réussi à lui soutirer son histoire. Il m'a dit avoir vécu un moment sur la plage de Blouberg, puis à Kalk Bay, avant de décider de reprendre le chemin du CBD.

Je veillais tout spécialement à ce que les autres enfants ne le brutalisent pas – cela arrive – mais la plupart l'évitaient. Je ne leur ai pas dit de qui il pouvait s'agir. Cela, j'étais seule à le savoir. Certains des employés sont superstitieux et on murmurait déjà que, si un enfant avait survécu à la catastrophe, c'était sans aucun doute un sorcier.

Quinze jours plus tard, on a appris que l'ADN correspondait bien à celui de la tante de Kenneth Oduah, et il n'a pas fallu longtemps aux autorités pour organiser une grande conférence de presse. Je pensais que le garçon serait emmené aussitôt après, mais la police a téléphoné pour dire que sa tante était tombée malade (peut-être à cause du choc subi en apprenant la survie de son neveu) et qu'elle ne pouvait donc pas venir de Lagos pour identifier l'enfant et le prendre en charge. Un autre membre de la famille, plus éloigné, était en route à sa place.

Il est arrivé le lendemain et s'est présenté comme le cousin du père de Kenneth. J'ai voulu savoir s'il était sûr que le garçon était bien Kenneth, et il a affirmé que c'était le cas.

— Tu connais ce monsieur, Kenneth ? j'ai demandé à mon pensionnaire.

— Oui, je connais ce monsieur.

— Est-ce que tu veux aller avec lui ou rester ici avec nous ?

Il n'a pas su répondre. Si j'avais dit « veux-tu rester ? », il aurait répondu « je veux rester », mais, si j'avais dit « veux-tu partir avec le monsieur ? », il aurait répondu « je veux partir ».

Il ne semblait même pas savoir ce qui se passait.

Le soir même, on l'a emmené.

L'article suivant fut publié dans l'édition *en ligne* du journal anglais *Evening Standard*, le 18 mai 2012

La Fièvre du Ravissement déferle sur les États-Unis

Un pasteur entreprenant a ouvert le premier centre de baptême drive-in à San Antonio, Texas. Pour le prix d'un repas dans un fast-food, on s'y assure une place au paradis.

— On peut aller se faire sauver pendant sa pause déjeuner ! nous déclare en souriant le pasteur Vincent Galbraith (48 ans). Il n'y a qu'à passer en voiture, prendre Jésus dans son cœur et retourner travailler en sachant que, le Ravissement venu, on fera partie des élus de Dieu.

Le pasteur Galbraith, adepte du Mouvement de la Fin des Temps du docteur Theodore Lund, a eu cette idée en voyant son église envahie de gens affolés, décidés à devenir chrétiens après avoir adopté la bizarre théorie selon laquelle les Trois, ainsi que Kenneth Oduah, seraient les hérauts de l'Apocalypse. Quoique ce nouvel établissement soit ouvert depuis moins d'une semaine, les files d'attente font le tour du pâté d'immeubles.

— Les gens commencent à désespérer et ils ont de bonnes raisons pour ça, affirme cet ancien agent d'assurances devenu pasteur. Les signes ne peuvent être ignorés et je savais nécessaire de trouver une solution. On n'est pas bégueules. Je me fiche de la religion que vous pratiquiez avant. Musulmans, juifs, athées, tous sont les bienvenus. On ne sait jamais quand le Seigneur va nous appeler à lui. (Il ricane.) À ce rythme-là, j'envisage de créer une franchise.

L'entreprise du pasteur Galbraith est un signe parmi d'autres que des milliers de gens, dans la *Bible Belt* et au-delà, prennent au sérieux la théorie des Cavaliers de l'Apocalypse. D'après un sondage récent mené par CNN en partenariat avec le magazine *Time,* 69 % des Américains croient que les événements du Jeudi Noir pourraient être le signe que la fin du monde est imminente.

Au Kentucky, Hannigan Lexis (52 ans) a créé le mouvement « À bas les machines ».

— Le Ravissement peut se produire n'importe quand, affirme cet ex-conducteur d'engins. Si vous pilotez un avion ou conduisez un bus et que vous faites partie des élus, vous imaginez le carnage quand vous serez emporté au ciel d'un seul coup ?

Empruntant une phrase à une campagne impopulaire du parti conservateur anglais, il encourage ceux qui partagent sa conviction à « retrouver leurs valeurs de base » et à abandonner toute technologie susceptible de blesser ceux qui resteront sur Terre une fois les fidèles enlevés par Dieu.

Tous les croyants américains n'adhèrent cependant pas à cette doctrine. Le pasteur Kennedy Olas, qui dirige l'association Chrétiens pour le Changement, d'Austin, déclare :

— Nous conseillons aux gens de ne pas se laisser gagner par l'hystérie qui balaie le pays. Il n'y a aucune raison de s'affoler. Cette théorie ridicule des Cavaliers de l'Apocalypse, que rien ne vient étayer, n'est qu'un épouvantail destiné à gagner les voix de la droite religieuse et à faire élire Reynard à la Maison Blanche lors des prochaines élections.

D'autres groupes s'inquiètent des changements politiques et sociaux que pourrait engendrer cette hystérie religieuse. À présent que le docteur Lund, et son Mouvement de la Fin des Temps qui compte de plus en plus d'adeptes, ont officiellement déclaré leur soutien à Mitch Reynard, le candidat républicain le plus radical parmi les présidentiables, leurs inquiétudes semblent tout à fait légitimes.

— Nous sommes inquiets, confie Poppy Abrams (37 ans), porte-parole de la Ligue Gay & Lesbienne. Nous savons que le docteur Lund travaille à rassembler les groupes évangéliques et fondamentalistes épars qui forment la droite religieuse, et Mitch Reynard s'appuie sur un programme anti-mariage gay et anti-avortement. Il n'est pas encore favori dans les sondages, mais sa cote augmente tous les jours.

L'imam Arif Hamid de la Coalition islamique américaine est plus philosophe :

— Nous ne craignons pas des conséquences néfastes pour les musulmans comme après le 11 Septembre. La plus grande partie du vitriol semble viser la communauté homosexuelle et les cliniques où se pratique l'avortement. Pour l'instant, on ne nous a rapporté aucun cas de citoyens musulmans pris à parti.

Quoique la théorie des Cavaliers n'ait pas encore provoqué la même panique au Royaume-Uni, nombre de religieux britanniques de toutes les mouvances, des catholiques aux anglicans, ont vu la fréquentation de leur église augmenter. À présent que le prétendu Quatrième Cavalier a été retrouvé, peut-être ne tarderons-nous pas non plus à vendre nos propres menus *Maxi Best Of* Baptême de ce côté-ci de l'Atlantique.

Reba Louise Neilson

Ça me fait mal de parler de ça, Elspeth. Mais j'éprouve le besoin de donner ma vision des événements. Les gens doivent savoir qu'il y a, dans le comté de Sannah, de bons chrétiens qui n'ont jamais voulu le moindre mal à ces enfants.

Je crois que le pasteur Len a vraiment laissé entrer le diable dans son cœur juste après que Kendra a fait ses valises et que le docteur Lund a rompu avec lui pour de bon. Ensuite, il y a eu tous les journalistes qui se sont moqués de lui. (Stephenie dit qu'il y a même eu un sketch sur lui au *Saturday Night Live,* alors que, d'habitude, elle ne regarde pas ce genre d'émission.) Et puis tous ces gens, les loustics, ils n'étaient d'aucune aide. Il en est arrivé une nouvelle vague lorsqu'ils ont découvert Kenneth Oduah en Afrique et qu'on a su que le grand-père de Bobby Small s'était remis à parler, alors qu'il avait l'Alzheimer. À ce qu'on m'a raconté, ils étaient si nombreux que le pasteur a dû louer des toilettes chimiques et que, avec toutes les Winnebago et tous les pick-up garés devant, on voyait à peine le ranch de la route. Je ne dis pas que certains n'étaient pas de bons chrétiens, mais j'en croisais parfois en ville qui avaient dans le regard une lueur égarée, comme si leur âme était brisée. Monty, par exemple.

À mon avis, toutefois, le facteur décisif a été Jim.

Seigneur, quelle affreuse journée ! Je me la rappelle jusqu'au plus petit détail. J'étais dans la cuisine, à préparer le sandwich préféré de Lorne, saucisson et fromage. J'avais allumé la télé. Mitch Reynard, interviewé par Miranda Stewart, expliquait que les États-Unis se dirigeaient peu à peu vers l'enfer, et qu'il était plus que temps de rendre au pays sa moralité. (Stephenie trouve qu'il ressemble un peu à George Clooney ; moi pas tant que ça.) On n'arrêtait pas de les voir aux infos, le docteur Lund et lui, à ce moment-là. Ils se faisaient attaquer de tous les côtés par les gauchistes, mais ils ne cédaient pas de terrain, à raison d'ailleurs. Le téléphone a sonné alors que je m'apprêtais à porter son déjeuner à Lorne. Quand j'ai entendu la voix de Len à l'autre bout du fil, je dois admettre que je me suis sentie mal à l'aise. J'ai cru qu'il allait me demander pourquoi je ne venais plus à l'église ni à ses réunions d'étude de la Bible, mais il voulait seulement savoir si j'avais vu Jim. Il préparait une de ses séances de prière spéciales en début de matinée, et Jim avait accepté de venir au ranch, dire aux nouveaux loustics quelle femme exceptionnelle avait été Pamela. J'ai répondu que je n'avais pas vu Jim depuis une semaine mais que je comptais lui porter des lasagnes le soir même. Le pasteur m'a demandé si cela ne me dérangerait pas d'y aller tôt pour voir comment il allait, étant donné qu'il ne répondait pas au téléphone. Il a ajouté qu'il espérait me voir à l'église le dimanche suivant, puis il a raccroché.

Je suis restée agitée une bonne demi-heure – je me sentais en partie coupable d'avoir tourné le dos à l'église comme ça –, puis j'ai appelé tous les membres du cercle intérieur pour savoir si quelqu'un avait des nouvelles de Jim. À ce moment-là, la plupart des gens avaient cessé de lui porter à manger et de s'informer de sa santé. Stephenie, Lena et moi étions les seules à passer chez lui de temps en temps, même s'il ne paraissait jamais nous en être reconnaissant. Ensuite, j'ai composé deux ou trois fois son numéro, mais sans résultat. Lorne était dans le jardin. Je lui ai demandé de me conduire chez Jim pour vérifier qu'il n'était pas tombé, totalement soûl, et qu'il ne s'était pas cogné la tête.

Je remercie chaque jour le Seigneur que Lorne ait été en congé ce jour-là ; je n'aurais jamais pu affronter ça toute seule. J'ai su qu'il s'était produit quelque chose de fâcheux à la seconde même où nous nous sommes garés. Je l'ai vu au nombre de mouches qui se pressaient à l'intérieur de la porte-moustiquaire. Le battant en était recouvert.

Lorne a appelé Manny Beaumont aussitôt, et nous sommes restés dans le camion pendant que son adjoint et lui entraient. Le shérif a dit que c'était à l'évidence un suicide. Jim avait mis le canon de son fusil de chasse dans sa bouche et il s'était fait sauter la cervelle. Il avait laissé une note adressée au pasteur Len. Nous n'avons pas su de quoi il retournait avant que Len ne la lise pendant les obsèques. Ç'a été le véritable tournant.

Jim avait péché contre Dieu en prenant sa propre vie, mais Stephenie, quelques autres dames du cercle intérieur et moi avons tout de même accepté de nous occuper des fleurs pour la cérémonie. L'église était bondée, emplie des loustics du pasteur, des étrangers qui ne connaissaient même pas le défunt. D'après Lorne, Len mettait ça en scène pour les caméras de télévision, en espérant que le docteur Lund le verrait aux infos.

— Jim est un martyr, a-t-il déclaré. Un des témoins, comme sa femme, Pamela. Le temps est proche. Des milliers de gens ont encore besoin d'être sauvés avant qu'il ne soit trop tard. Nous avons besoin de plus de temps, et Jésus ne va pas attendre éternellement.

Lorne dit qu'on aurait dû l'arrêter sur-le-champ. Mais qu'y pouvait le shérif Beaumont ? On est en Amérique, les gens ont le droit de faire ce qu'ils veulent chez eux, et le pasteur ne violait aucune loi. Pas à ce moment-là. Il n'a pas dit clairement qu'il fallait tuer les enfants.

Len avait été ma lumière, mon guide, pendant si longtemps ! J'avais eu confiance en ses paroles, tenu compte de ses sermons, je l'avais toujours admiré. Mais ce qu'il disait, que Pamela était une prophétesse et que le suicide de Jim n'était pas un péché mais sa manière de nous montrer que le cinquième sceau était ouvert, ça ne me convenait pas, non, pas du tout. Je crois que Jésus m'a parlé et qu'il m'a dit : Reba, coupe les ponts. Coupe les ponts tout de suite. Pour de bon. Alors, c'est ce que j'ai fait. Et je sais au fond de mon cœur que je ne me suis pas trompée.

Quoique le soldat de première classe Jake Wallace eût tenté de détruire le disque dur de son ordinateur portable avant de fuir sa base sur l'île d'Okinawa, la correspondance suivante fut retrouvée par un hacker anonyme et publiée sur le fameux blog de démystification VigilanteHacks, afin de prouver que le pasteur Len Vorhees joua un rôle dans l'assassinat de Hiro Yanagida.

Pour : bearingthecross@aol.com
De : messenger778@moxy.com
Date : 25/04/2012

Cher monsieur,

Merci du lien vers votre dernier sermon sur YouTube. C'était génial d'entendre votre voix et de savoir que vous pensez à vos Messagers dans le monde entier. Mais les commentaires irrespectueux en dessous m'ont mis en colère. J'ai fait comme vous m'avez dit, je ne leur ai pas répondu, alors que j'en avais envie de tout mon cœur !!!!! J'ai aussi ouvert une adresse e-mail sous un autre nom, comme vous m'avez dit de le faire, d'ailleurs vous pouvez le voir !!!!!

J'ai beaucoup de choses à vous dire, monsieur.

Vous m'avez demandé de vous prévenir si j'avais encore des rêves sur Mme Pamela May Donald. J'en ai fait un la nuit dernière. Cette fois, je sortais de ma tente et je partais dans la saignée créée en plein cœur de la forêt par l'accident. Mme Donald était allongée sur le dos, le visage couvert d'un fin voile blanc. Quand elle a respiré, le voile est tombé dans sa bouche ouverte et j'ai dû l'en retirer pour qu'elle ne suffaque (*sic*) pas. Le voile était gras il me glissait des mains et ensuite elle a disparu et ma sœur Cassie était là et elle avait aussi un voile et elle m'a dit Jake je peux pas respirer non plus et là je me suis réveillé. J'avais aussi froid que dans la forêt et il a fallu que je me morde le poing pour m'empêcher de hurler encore.

Monsieur, sans vos messages, je me sentirais tellement seul. Même les marines chrétiens font des plaisanteries sur l'enfant et le robot à travers lequel il parle, ils ne voient pas du tout qu'il n'y a rien de drôle. Il existe un groupe de gens qui copient ce que fait le petit, qui ne s'expriment que par l'intermédiaire de robots et de fausses idoles, et j'ai peur que l'influence de l'Antéchrist ne se répande jusque sur cette île. Comme vous me l'avez conseillé, je n'attire pas l'attention, je me contente de faire mon devoir, de suivre mon entraînement, mais c'est difficile. Si on peut sauver quelqu'un, est-ce qu'on ne doit pas le faire ? Il y a ici des familles américaines avec des enfants, et d'autres innocents. En tant que Messager, est-ce qu'il n'est pas de mon devoir de les sauver avant qu'il soit trop tard ?

Fidèlement vôtre,

J

Pour : messenger778@moxy.com
De : bearingthecross@aol.com
Date : 26/04/2012

Véritable Messager,

Notre lot et notre fardeau est d'être entourés par ceux qui refusent de voir la vérité. Prenez garde qu'ils ne se fraient un chemin dans votre cœur avec leurs mensonges et leur charme qui provoquent le Doute. Le Doute est le démon contre lequel vous devez vous prémunir. Voilà pourquoi je vous conseille de ne pas vous faire remarquer. Je comprends votre souci des innocents et je n'y songe pas moins que vous, mais le temps viendra où nous livrerons la dernière bataille. Ensuite, ceux qui auront accueilli la vérité dans leur cœur seront sauvés.

Comme je me réjouis de votre rêve ! C'est un autre SIGNE ! Telle notre prophétesse Pamela, vous avez reçu la preuve dans la forêt, en voyant ceux qui seront ravis et sauvés. Pamela May Donald vous montre la voie. Elle vous montre que, à l'instar de la bile crachée par les faux prophètes Flexible Sandy et Theodore Lund, les paroles sont vides de sens. Seuls les ACTES comptent quand sonne l'heure de l'épreuve.

L'épreuve est la vôtre, Jake. Le Seigneur notre Dieu vous met à l'épreuve pour savoir si vous allez vous écarter du chemin. VOUS et VOUS seul êtes notre voix et notre cœur en cette nation païenne. Je sais que vous vous sentez seul, mais votre récompense vous attendra. Les signes s'accumulent, Jake. Les signes S'ACCUMULENT. Les rangs de mes Messagers grossissent car de plus en plus d'élus viennent à moi. Mais vous, vous qui êtes seul dans un pays de païens, vous êtes le plus brave de tous.

En fait, celui qui sème peu moissonnera peu, et celui qui sème largement moissonnera largement.

Rappelez-vous que les Oreilles et les Yeux de l'Antéchrist aux multiples têtes observent tous nos Messagers, alors soyez vigilant.

Pour : bearingthecross@aol.com
De : messenger778@moxy.com
Date : 07/05/2012

Cher monsieur,

Vous êtes bien bon de m'écrire si souvent alors que je vous suppose très occupé à présent que vot (*sic*) véritables Messagers vous rejoignent en personne aussi bien qu'en esprit. J'aimerais de tout mon CŒUR être avec eux, mais je sais que cela ne fait pas partie du dessein de Dieu en ce qui me concerne.

Vox (*sic*) paroles m'apportent un véritable réconfort mais je vous comprent (*sic*) bien, ne vous en faites pas, monsieur, je suis très prudent et j'efface toujours vos messages comme vous dites qu'il le faut.

Il y a eu une autre manifestation contre la base américaine à Urima, hier. J'ai éprouvé l'impulsion d'aller parler aux païens, de leur dire qu'ils doivent se tourner vers Jésus avant qu'il soit trop tard. Dans l'évangile selon saint Luc, il est écrit que nous devons aimer nos ennemis, leur rendre le bien pour le mal et leur donner sans rien attendre en retour, mais je savais que, pour le Bien Commun, je ne devais pas agir ainsi.

Fidèlement vôtre,

J

Pour : bearingthecross@aol.com
De : messenger778@moxy.com
Date : 20/05/2012

Cher monsieur,

Je relève mes e-mails tous les jours. J'ai repassé dans ma tête tout ce que je vous ai dit, de peur de vous avoir vexé, puisque je n'ai pas eu de message de vous depuis un long moment, et puis j'ai appris la mort du mari de Pamela May Donald.

On dit qu'il a commis le péché de suicide. Est-ce possible ?

Je sais que vous devez être plongé tout au fond de votre deuil, mais, s'il vous plaît, essayez de m'écrire, ne serait-ce qu'une ligne : vous lire me donne de la force. J'ai cherché votre site web mais je n'arrive plus à y accéder ; je crains que vous et les autres Vrais Croyants n'ayez été vaincus par les suppôts de l'Antéchrist.

Votre aide m'est nécessaire, monsieur. Il y a des inondations aux Philippines, ce qui est forcément un autre signe du mal en train d'engloutir le monde. Certains des gars disent que notre unité va être envoyée pour aider les secours. Puis-je encore être votre Voix et votre Cœur, vos Yeux et vos Oreilles si je pars d'ici ?

Je me sens très seul.

J

Pour : bearingthecross@aol.com
De : messenger778@moxy.com
Date : 21/05/2012

Monsieur ? Êtes-vous là ? Mon unité part dans trois jours, qu'est-ce que je dois faire ?

Pour : messenger778@moxy.com
De : bearingthecross@aol.com
Date : 21/05/2012

Véritable Messager,

Vous n'êtes pas seul. Vous devez croire que, même dans mon silence, je suis à vos côtés. Nous sommes persécutés et humiliés par les Faux Prophètes et leurs Flagorneurs mais nous ne céderons pas.

Je vous ai envoyé copie du dernier article de mon blog, qui explique le geste de Jim Donald.

Jim, comme son épouse bien-aimée, s'est sacrifié pour nous apporter la Vérité, celle que je soupçonne depuis le début, depuis que Pamela May Donald a payé le prix suprême pour me communiquer en personne sa prophétie.

Vous êtes l'un des élus. Vous êtes différent. Nous livrons une Guerre Sainte, et le temps nous est compté. L'heure est venue pour les soldats de Dieu de s'avancer. Êtes-vous prêt à être l'un de ces soldats ?

Il nous faut parler, mais pas là où les yeux et les oreilles de l'Antéchrist et de ses Flagorneurs peuvent nous surprendre. Faites-moi savoir à quel moment je puis vous appeler sans que nous soyons dérangés.

Pour : bearingthecross@aol.com
De : messenger778@moxy.com
Date : 27/05/2012

Cher monsieur,

Je suis désolé d'aller contre vos désirs mais je souffre le martyre ! Je n'arrête pas de penser à mes proches qui n'ont pas été sauvés, en particulier à ma sœur. Que leur arrivera-t-il s'ils ne voient pas la Vérité avant qu'il soit trop tard ?

J'ai reçu votre don. J'ai pris contact avec un groupe qui, je pense, peut m'aider à partir, mais je n'en suis pas sûr.

Me trouvant à l'infirmerie, selon vos instructions, je ne peux pas écrire longtemps. Mon unité est partie. Pouvons-nous parler encore ? J'ai besoin d'entendre votre voix car j'ai des Doutes.

J.

Pour : messenger778@moxy.com
De : bearingthecross@aol.com
Date : 27/05/2012

NE ME CONTACTEZ PLUS. Je vous contacterai.

Bien que le site du pasteur Len, pamelaprophet.com, ne soit plus en ligne, l'article suivant y fut mis en mémoire cache le 19 mai 2012.

Les messages que j'ai reçus après le martyre de notre frère Jim Donald m'ont vraiment réchauffé le cœur.

Car, oui, c'est bien cela, Loyaux Messagers. Jim Donald était un martyr. Un martyr qui a donné sa vie pour nous tous, telle sa chère épouse Pamela. Je vous invite à n'accorder aucun crédit aux paroles du docteur Lund qui prétend qu'en prenant sa propre vie, Jim a péché. Jim est mort afin que nous sachions la vérité. Ce prophète s'est sacrifié pour nous apporter la Bonne Nouvelle que Dieu, dans sa Gloire, a choisi d'ouvrir le cinquième sceau.

Comme il est dit dans l'Apocalypse 6 : 9 : *Quand il ouvrit le cinquième sceau, je vis sous l'autel les âmes de ceux qui avaient été immolés à cause de la parole de Dieu et à cause du témoignage qu'ils avaient rendu.*

Loyaux Messagers, Jim Donald, comme Pamela May Donald, est devenu le martyr de ses convictions. J'étais présent lorsqu'il a été sauvé, après avoir porté le deuil de sa femme bien-aimée, et, au moment de sa mort, Dieu a choisi de lui envoyer une vision.

Quant à moi, je choisis de recopier ici ses dernières paroles afin que, vous tous, vous les entendiez :

Pourquoi ont-ils été sauvés et pas elle ? C'était une bonne personne et une bonne épouse, et je ne veux plus faire cela, ils ne sont pas bien dans leur tête, ils sont maléfiques. Ils ont apporté la mort de milliers d'êtres et apporteront celle de bien d'autres À MOINS QU'ON NE LES ARRÊTE.

Le sens des paroles de Jim, tout comme celui des paroles de Pamela, est clair. Le temps presse, et nous devons faire de notre mieux pour amener au plus vite d'autres brebis au sein de notre troupeau. Est-il plus noble tâche que sauver autant d'êtres que possible avant l'ouverture du sixième sceau ?

Pamela May Donald était l'intermédiaire du Seigneur. L'instrument par lequel Son message a été transmis. Le docteur Lund et autres charlatans ont voulu détourner ce message, Jim l'a prouvé. Lund ne croit pas que le cinquième sceau ait encore été ouvert, mais il se trompe.

— Le garçon, avertissez-les, m'a dit Pamela May Donald.

Ils crièrent d'une voix forte, en disant : Jusques à quand, Maître saint et véritable, tardes-tu à juger et à tirer vengeance de notre sang sur les habitants de la Terre ?

Lorne Neilson accepta sans enthousiasme une interview en juillet 2012. (Ce qui suit est une version abrégée de notre conversation.)

Je vais vous le dire carrément : je me suis jamais fié à Len Vorhees. Depuis le jour de son arrivée dans le comté de Sannah. C'était un beau parleur, on peut pas le nier, mais, pour moi, ce type n'avait de prédicateur que le nom.

Par contre, il a tout de suite séduit Reba, et je crois que, ce qui nous a sauvés, c'est d'aller à l'église tous les dimanches dans le comté de Denham. Aucun de nous n'a su quoi penser quand il s'est mis à raconter que les enfants étaient les Quatre Cavaliers. Reba était loyale envers son Église et je voulais pas la brusquer. Selon moi, Len utilisait les dernières paroles d'une morte à ses propres fins, pour s'insérer parmi les prêcheurs en vogue de Houston. Ensuite, il a mêlé Jim Donald à tout ça. Jim pouvait être méchant comme une teigne, mais la mort de Pam l'a touché profondément. Il a arrêté de travailler, de parler à ses amis. Len aurait dû le laisser en paix, le laisser se soûler jusqu'à ce que mort s'ensuive, si c'était ce qu'il voulait.

Vous savez qui je rends responsable de tout ça ? Pas Jim, et même pas les reporters qui ont diffusé ça dans les journaux et à la télé. Pour moi, les responsables, c'est le docteur Lund et cet auteur, là, Flexible Sandy. Ils ont encouragé Len depuis le début. Personne peut dire qu'ils sont pas coupables, même s'ils prétendent le contraire.

Une semaine après l'enterrement de Jim, Billy, le cousin de Stephenie, devait livrer du bois au ranch de Len. Il m'a demandé de l'accompagner : il voulait pas aller là-bas seul, et son assistant avait attrapé le virus qui faisait vomir, dont tout le comté était infesté. Reba m'a demandé d'emporter des bocaux de pêches en conserve.

— Pour les enfants qui sont là-bas, qu'elle m'a dit.

Ça faisait un moment que j'étais pas allé au ranch de Len, quelque chose comme Noël, par là. J'avais aperçu les nouveaux venus, bien sûr ; ils sillonnaient la région au volant de leurs pick-up ou de leurs 4×4 cabossés, et j'étais curieux de voir ce qui se passait là-bas. Billy disait qu'il se sentait mal à l'aise avec eux. La plupart étaient de l'État, mais d'autres venaient de plus loin, jusqu'à La Nouvelle-Orléans.

On est arrivés au portail, et on a vu deux types juste devant. Dont ce Monty que Reba ne pouvait pas voir en peinture. Ils nous ont fait signe de nous arrêter et nous ont demandé ce qu'on voulait, comme des sentinelles. Billy a répondu, et ils ont reculé pour nous laisser passer, mais ils nous ont vraiment regardés de travers.

Il n'y avait pas autant de caravanes et de tentes que je m'y attendais, mais il y en avait quand même pas mal. Des enfants couraient partout, des femmes étaient rassemblées par groupes. Pendant qu'on avançait, je les sentais nous fixer. J'ai dit à Billy que Grayson

Thatcher, l'ancien proprio avant l'arrivée de Len, aurait une attaque s'il voyait ce qu'était devenu son ranch.

Dès qu'on s'est arrêtés, le pasteur est sorti de la maison à grands pas, avec son sourire d'une oreille à l'autre, pendant que deux types venaient de la grange pour décharger le bois.

Je l'ai salué aussi poliment que possible et je lui ai donné les pêches de la part de Reba.

— Remerciez-la pour moi, Lorne, qu'il m'a dit. C'est une femme de cœur. Rappelez-lui que je serais ravi de la voir ici dimanche. J'ai regretté de fermer l'église en ville, mais Dieu m'a montré que mon chemin menait ici.

Il était bien sûr hors de question que je répète ça à Reba.

À ce moment-là, j'ai entendu tirer dans les champs derrière la maison. Même qu'on aurait dit des armes automatiques.

— Qu'est-ce que vous faites, là, Len ? La chasse est fermée.

— Il faut être prêt à tout, Lorne. L'œuvre de Dieu n'est pas faite que de prières.

Dieu donne à chacun le droit de se défendre. J'ai appris à tirer à mes filles, tout comme on les a encouragées, Reba et moi, à se préparer aux éruptions solaires qu'on nous prédit. Mais, là, ça m'avait l'air d'un tout autre rodéo – comme s'ils se préparaient à soutenir un siège. Plus je regardais autour de moi, plus je me sentais mal. Visiblement, une enceinte, une sorte de périmètre sécurisé était en train de se mettre en place. Des rouleaux de barbelés s'empilaient près de la vieille grange, et, d'après Billy, le bois qu'on avait livré servirait sans doute à bâtir une palissade.

On est repartis tous les deux sans demander notre reste.

— Tu crois qu'on devrait parler au shérif Beaumont de ce qu'ils font ici ? m'a demandé Billy.

On voyait que ç'allait faire du vilain, tout ça. Ça puait aussi fort qu'une carcasse écrasée sur la route depuis deux jours.

Alors on est allés voir Manny Beaumont. On lui a demandé s'il savait ce qui se passait au ranch. Il a répondu que, tant que les Pamélistes violaient aucune loi, il pouvait rien contre eux. On s'est posé un tas de questions depuis. Pourquoi est-ce que le FBI surveillait pas ses e-mails, comme ceux des Islamofascistes ? Je crois qu'ils ont pas pensé une seconde qu'un prêcheur de la campagne puisse étendre son influence sur le monde entier et provoquer autant de problèmes. Ou alors, ils avaient peur de se retrouver avec un nouveau Waco sur les bras s'ils essayaient de le faire taire.

Avant de quitter l'île d'Okinawa, le soldat de première classe Jake Wallace envoya l'e-mail suivant à ses parents en Virginie, le 11 juin 2012. Son contenu fut révélé à la presse après l'identification formelle de son cadavre.

Maman, papa,

C'est pour Cassie et vous que je fais ça.

Quelqu'un doit devenir le soldat de Dieu dans le Combat pour les Âmes, et je me suis avancé pour accomplir mon devoir. Les signes sont de plus en plus clairs : les inondations aux Philippines, la guerre sur le point d'éclater en Corée du Nord. Le Quatrième Cavalier retrouvé en Afrique…

Je dois travailler vite, à présent, car le temps nous est compté.

Je vous écris pour vous implorer de vous faire sauver, de prendre Jésus dans votre cœur avant qu'il ne soit trop tard.

Papa, je sais que tu n'y crois pas, et je t'implore, moi, ton fils, de regarder les preuves. Dieu ne nous mentirait pas. Tu disais toujours que le 11 Septembre était un complot du gouvernement, et tu te fâchais parce que personne n'était d'accord avec toi. S'il te plaît, papa. Emmène maman et Cassie à l'église, prenez le Seigneur dans votre cœur. LE TEMPS NOUS EST COMPTÉ.

Je vous verrai au ciel quand Jésus nous attirera contre son sein.

Votre fils,

Jake

Monty Sullivan, le seul Paméliste ayant accepté de me parler, est actuellement incarcéré dans la section Détention Protégée du bâtiment de l'Infirmerie Nord, sur Rikers Island, où il attend d'être jugé. Notre entretien a été réalisé par téléphone.

E.M. : Comment avez-vous entendu parler du pasteur Len Vorhees et de sa théorie des Quatre Cavaliers ?

Monty Sullivan : Je crois que c'était au tout début. J'étais routier, à l'époque, je livrais des poulets du comté de Shelby dans tout l'État. Comme la CB était plus calme que d'habitude, j'explorais la radio à la recherche d'une station qui passe du rock. À ce moment-là, j'écoutais pas du tout d'émissions religieuses. Merde, j'aimais même pas tellement la musique country. C'est quand je suis arrivé dans le comté de Sannah que je suis tombé sur l'émission du pasteur Len. Il y avait quelque chose, dans sa voix, qui a retenu mon attention.

E.M. : Pourriez-vous être plus précis ?

M.S. : Il avait vraiment l'air de croire à ce qu'il disait. Chez un tas de pasteurs et de prédicateurs qu'on entend à la radio ou qu'on voit à la télé, on se dit que, tout ce qu'ils veulent, c'est piquer l'argent rudement gagné des pauvres gens. Je m'étais jamais intéressé à la religion jusque-là. J'en avais été dégoûté plus jeune, à cause de ma mère. C'était une vraie croyante, elle envoyait tous les mois sa dîme à un prédicateur superstar de Houston, même quand on avait rien à bouffer à la maison. J'ai senti que Len était différent. Il n'a pas demandé une seule fois qu'on lui envoie de l'argent. Et ce qu'il disait a tout de suite retenu mon attention. Bien sûr, le Jeudi Noir, on ne parlait que de ça aux infos, et un paquet de prêcheurs, surtout les évangélistes, y voyaient le signe que l'Apocalypse approchait. Ils avaient dit la même chose après le 11 Septembre, donc ça n'avait rien de neuf. Mais le point de vue de Len était imparable. Ce qu'il disait des dernières paroles de Pamela May Donald… Les preuves étaient trop évidentes. Toutes ces couleurs, sur les avions, qui correspondent aux couleurs des Cavaliers vues par saint Jean dans l'Apocalypse ; le fait que ces enfants n'auraient pas dû s'en tirer indemnes. Quand j'ai terminé ma tournée, deux jours plus tard, je suis allé tout droit sur Internet et j'ai trouvé le site du pasteur Len, pamelaprophet.com. Toutes les preuves étaient là, noir sur blanc. J'ai tout lu, et puis j'ai ressorti la bible de ma mère, le seul souvenir que j'ai conservé d'elle. J'avais vendu le reste, le peu qu'elle m'avait laissé. On peut dire que j'étais turbulent, à l'époque. Je me droguais pas, je faisais rien de grave, mais j'aimais bien boire un coup, et c'est là-dedans que partait mon fric.

Après avoir entendu l'émission du pasteur et visité son site Internet, je crois que j'ai pas dormi pendant trois jours. Je sentais quelque chose grandir en moi. Len m'a expliqué ensuite que c'était l'Esprit saint.

Je lui ai envoyé un e-mail pour lui faire savoir que

ce qu'il disait m'impressionnait. Alors que je comptais pas tellement sur une réponse, je veux bien être pendu s'il m'a pas écrit au bout de même pas une heure. Et personnellement, c'était pas un de ces messages automatiques dont plein de gens se servent. Je le connais par cœur. J'ai dû le lire un million de fois : « Monty, je suis ravi que vous me contactiez. Votre foi et votre honnêteté prouvent que je suis sur le bon chemin, celui qui me permettra de sauver d'autres bonnes âmes comme la vôtre. »

J'ai attendu d'avoir un jour de congé et j'ai pris la voiture, roulé de nuit jusqu'au comté de Sannah, à l'église du pasteur Len. J'ai fait la queue pour être sauvé. Il devait y avoir cinquante personnes ce jour-là, l'atmosphère était vraiment festive. On savait tous qu'on faisait le bon choix. Quand je me suis présenté à Len, alors qu'il remontait la file pour nous remercier de venir en son église, je n'aurais jamais cru qu'il se rappellerait qui j'étais, mais il l'a su tout de suite.

« C'est vous qui m'avez écrit de Kendrick ! » il m'a dit.

Vu la clarté de ses explications, je me suis rendu compte que j'avais été aveugle pendant des années. Le fait que je tourne le dos à l'Église, quand j'étais plus jeune, avait brisé le cœur de ma mère, et j'aurais aimé qu'elle vive assez longtemps pour me voir retourner dans les bras de Jésus. Comment avais-je pu ne pas réaliser que la Fin des Temps approchait ? Comment le Seigneur aurait-il pu nous épargner son jugement avec tout ce qui arrivait dans le monde ? Plus je me posais la question, plus j'avais la tête qui tournait. Vous savez qu'il y a des enfants en Amérique qui sont obligés, *obligés,* de lire le Coran à l'école ? Mais pas la Bible, non, m'dame. Le dessein intelligent est interdit, pas le manuel des infidèles ? Ça veut dire quoi ? Ensuite, il y a les gays, les défenseurs de l'avortement et les gauchistes qui conspirent pour faire de l'Amérique une nation sans Dieu. Le docteur Theodore Lund avait raison sur ce plan-là, même s'il a ensuite tourné le dos à la vérité du pasteur Len. En fait, il ne s'intéressait qu'à la gloire personnelle qu'il pourrait retirer du message de Pamela. Il n'était pas dévoué au sauvetage des âmes. Pas comme Len.

E.M. : Quand avez-vous décidé de vous installer dans le comté de Sannah ?

M.S. : Après avoir été sauvé, je suis rentré chez moi et j'ai écrit au pasteur tous les jours pendant plusieurs semaines. J'ai éprouvé le besoin de m'installer plus près de son église et de devenir un de ses messagers, un Paméliste, vers le début mars. Ça n'a pas été difficile : le Seigneur me poussait. Quand Len m'a invité à m'installer au ranch, je n'ai pas pris le temps de réfléchir : j'ai donné ma démission, vendu mon camion, et j'ai fait du stop jusqu'au comté de Sannah. Il avait besoin de moi pour que je devienne son bras droit.

E.M. : Avez-vous des antécédents de violence ?

M.S. : Pas vraiment, m'dame. À part une ou deux bagarres dans la cour de récréation, et quelques grosses engueulades à l'époque où je picolais. Pas pour dire que j'étais un petit saint, mais j'ai jamais été violent. J'ai jamais eu de problème avec la justice.

E.M. : D'où venait l'arme avec laquelle vous avez tiré sur Bobby Small ?

M.S. : Elle appartenait à Jim Donald. Pas celle dont il s'est servi sur lui-même mais une qu'il nous avait donnée à garder. Je savais tirer. Mon père m'avait appris à me servir d'un flingue avant de se casser et de nous laisser, ma mère et moi, quand j'avais 12 ans.

E.M. : Connaissiez-vous Jim Donald ?

M.S. : Pas bien, m'dame. Je l'ai croisé une ou deux fois. Le pasteur disait qu'il faisait de son mieux pour accepter la mort de sa femme. Len l'aidait, mais on voyait que ça l'avait démonté complètement. C'était un vrai martyr, comme Pamela. Il voyait la vérité, la destruction que les Cavaliers provoquaient dans le monde, la manière dont ils avaient assassiné tous ces innocents dans les avions.

E.M. : Le pasteur Len vous a-t-il donné l'instruction d'aller à New York pour tuer Bobby Small ?

M.S. : J'ai fait ce qu'aurait fait n'importe qui décidé à sauver des âmes. J'agissais en tant que soldat de Dieu, je faisais ce que je pouvais pour éradiquer la menace et permettre à plus de gens d'être sauvés avant le Ravissement. Si on parvient à figer les signes, à interrompre le travail des Cavaliers, on aura plus de temps pour propager le message de Jésus et attirer d'autres fidèles dans le troupeau. Maintenant qu'on a trouvé le Quatrième Cavalier, maintenant que le feu et le soufre tombent sur la Terre avec toutes ces catastrophes naturelles – les inondations aux Philippines et en Europe, toutes ces alertes aux tsunamis en Asie… il n'y en a plus pour longtemps.

E.M. : Mais, si vous croyez que les Cavaliers sont les messagers de Dieu, n'aviez-vous pas peur que Dieu vous punisse d'assassiner Bobby Small ?

M.S. : Hé, attendez une petite minute, m'dame. On parle pas d'assassinat, là. Quand l'Antéchrist viendra, quand le sixième sceau sera brisé, il sera plus question de revenir en arrière. Il n'y a aucune garantie qu'on ait une deuxième chance pendant les Tribulations. Je suis du côté de Dieu ; il sait que le pasteur Len et les Pamélistes travaillent dur à guider toujours plus de brebis vers son troupeau. Et ces enfants-là n'étaient pas naturels. Ça se voyait. Au bout d'un moment, ils ont commencé à se servir de leurs pouvoirs, à s'en vanter. C'étaient peut-être des messagers de Dieu au début, mais je crois fermement ce que nous a dit Jim – qu'à la fin, ils sont devenus les instruments de l'Antéchrist.

E.M. : Le pasteur Len vous a-t-il demandé de tuer Bobby ?

M.S. : Je peux pas répondre à ça, m'dame.

E.M. : Beaucoup de gens estiment que vous avez agi sous l'influence du pasteur Len Vorhees et qu'il est aussi coupable que vous.

M.S. : Jésus a été puni pour avoir transmis la parole de Dieu. Je me fiche de tout ce qu'on peut dire, je serai bientôt dans les bras de Jésus. On peut m'enfermer, on peut me faire passer à la chaise, c'est du pareil au même pour moi. Et peut-être que tout ça fait partie du dessein de Jésus. Je suis en prison avec des pécheurs : c'est ma chance d'en sauver autant que je peux.

Neuvième partie

Les Survivants : Mai – Juin

[Durant les semaines qui suivirent l'apparition de Ryu sur 2-channel, les spéculations concernant sa princesse – était-elle vraiment la cousine de Hiro Yanagida ? – montèrent en flèche. Ryu finit par revenir sur le forum, sous son pseudonyme d'Orz Man.]

Nom : Orz Man Date : 01/05/2012 21 : 22 à 22.30

Salut. Je ne sais pas si ceux qui ont vu le fil de discussion que j'ai lancé y a un bout de temps sont connectés en ce moment. Ça m'éclate complètement, la manière dont vous vous êtes jetés sur mon histoire.

Je voulais encore vous dire merci.

Nom : Anonyme23

Orz ! Super de te revoir. Alors ????? Ça a marché ??? Tu l'as eue, ta princesse ?

Nom : Orz Man

Réponse simple : oui. On est ensemble maintenant.

[S'ensuivent au moins une centaine de variations sur « w00t », et « T'es vraiment le super méga chef/enfoiré/dieu etc. ». Ryu explique alors comment il a bombé un symbole orz devant la

maison de Chiyoko pour attirer son attention, à la grande joie des cybercitoyens.]

Nom : Anonyme557

Orz. Faut que je sache. Est-ce que la princesse est la cousine du petit androïde ?

Nom : Orz Man

J'attendais la question... J'ai suivi une partie des discussions. Je ne peux pas confirmer, pour des raisons évidentes.

Nom : Anonyme890

T'as déjà rencontré le petit androïde, Orz.

Nom : Orz Man

Voir plus haut. _|7O

Nom : Anonyme 330

Alors, elle est canon, la princesse, mec ?

Nom : Orz Man

Comment répondre à ça en étant honnête ?

Quand je l'ai vue pour la première fois... Ce n'était pas la personne que je croyais mais, je ne sais pas pourquoi, ça n'avait pas d'importance.

Nom : Anonyme765

Alors c'est la grosse qu'on a vue à la cérémonie du souvenir, pas celle qui ressemble à Hazuki ? Pas de pot, mec.

Nom : Anonyme111

Bienvenue, Orz. Fais pas gaffe à 765.

Nom : Anonyme762

Bon, ça vient, les passages juteux ? Tu te l'es faite ou pas ?

Nom : Anonyme111
Soyez pas grossiers. Laissez parler Orz Man.

Nom : Orz Man
Je vais avoir l'air cucul, là, mais, franchement, être avec elle ça a changé ma vie.
Même si c'est une princesse, nous avons plus en commun que je ne le croyais possible. Elle a connu des sales moments, tout comme moi. On a la même opinion sur tout : la société, la musique, les jeux, même la politique. Ouais, on a des conversations très soutenues, des fois.
J'ai même commencé à lui dire des trucs que je n'avais encore jamais dits à personne.
Elle m'a aidé à trouver un boulot dans une supérette Lawson, donc je gagne un peu d'argent maintenant. (Pas beaucoup mais assez pour éviter de mourir de faim.)
Vous allez trouver ça nul mais… parfois, je rêve qu'on est mariés, qu'on habite ensemble dans un appartement, et qu'on n'est jamais obligés de sortir.

Nom : Anonyme200
Ah ! Tu me rends jaloux, là, Orz.

Nom : Anonyme201
On dirait que c'est le grand amour.

Nom : Anonyme7889
Allez, Orz Man, parle-nous de Hiro. Tu as déjà rencontré son substibot ?

Nom : Anonyme1211
Qu'est-ce qu'il pense du Culte de Hiro ?

Nom : Orz Man
Je ne veux pas vous vexer, les gars, mais on est sur une messagerie publique et je ne peux donner aucun

détail. La princesse péterait les plombs si ce que je dis se retrouvait dans les magazines.

Nom : Anonyme111

Tu peux nous faire confiance, Orz, mais je vois ce que tu veux dire.

Nom : Orz Man

Disons juste qu'il est apaisant de se trouver en compagnie d'une certaine personne. C'est différent de tous les autres gens que j'ai jamais rencontrés.

Je n'en dirai pas plus.

Nom : Anonyme764

Tu la vois souvent, la princesse ?

Nom : Orz Man

Presque tous les soirs. Ses parents sont un peu stricts, ils ne seraient pas d'accord pour qu'elle fréquente quelqu'un comme moi, donc on est obligés de se cacher.

Il y a un petit terrain de jeux pour les enfants en face de chez elle, c'est là que je l'attends. Juste à côté, il y a un immeuble résidentiel, je me sens parfois surveillé, mais je fais avec.

Nom : Anonyme665

Orz fume encore une cigarette en attendant que sa princesse sorte le rejoindre. Il sait qu'il a l'air cool. Peut-être que cette nuit sera la grande nuit. Certains des voisins le regardent par leur fenêtre mais ils ne lui diront rien. Comme il carre les épaules, ils disparaissent.

Nom : Anonyme9883

La princesse de glace passe la porte en courant, seulement vêtue d'une courte robe transparente...

Anonyme210
La princesse tombe dans ses bras sans se soucier de qui peut les voir…
[Le fil de discussion est alors parasité par des descriptions sexuelles graphiques.]

Nom : Orz Man
rougit
Vous imaginez si elle lisait ça un jour.

Nom : Anonyme45
Allez, mec, dis-nous que tu l'as fait avec elle.

Nom : Orz Man
Il faut que j'y aille. Elle m'attend.

Nom : Anonyme887
Ne nous laisse pas en dehors du coup, Orz. On est avec toi jusqu'au bout. Un geek qui récolte une princesse ? Ça arrive souvent, ça, en dehors des jeux vidéo ?

Nom : Anonyme2008
Ouais. Orz, tu dois absolument nous raconter la suite.

Nom : Orz Man
Je sais. Savoir que vous êtes là, ça fait toute la différence, même si vous êtes une bande de sales obsédés.
C'est bon de se dire qu'on n'est pas tout seul.

Je m'entretins avec le graphiste Neil Mellancamp, résidant de Greenpoint, par Skype, en juin 2012.

Quand les cinglés ont commencé à débarquer, personne dans le quartier n'a exprimé clairement le souhait que Lillian et Bobby déménagent, mais on sentait que la plupart d'entre nous le souhaitaient.

J'habite à quelques rues de chez Lillian, de l'autre côté de McCarren Park, et le voisinage s'est changé en cirque le jour où l'adresse de Bobby a été révélée. Tout le quartier était en ébullition. Il y a d'abord eu les journalistes et les mecs qui voulaient quelque chose à se mettre sous la dent pour leur blog ou Twitter ou je ne sais quoi. « Qu'est-ce que ça fait de vivre aussi près de l'enfant miracle ? », etc.

Moi, je leur disais d'aller se faire foutre, mais il y avait plein de gens, dans le coin, qui voyaient ça comme la chance d'avoir un quart d'heure de célébrité. Connards. Après sont arrivés les fous des OVNIS. Ils étaient complètement jetés, mais la plupart étaient inoffensifs, ça se voyait. Ils se postaient devant l'immeuble des Small, ils criaient des conneries du genre « Je veux aller avec toi, Bobby ! », et les flics les dispersaient. Ils n'étaient pas aussi tenaces que les cinglés religieux. Ceux-là, ils arrivaient par vagues. Il y a eu des dizaines, des vingtaines de ces enculés qui ont débarqué quand on a appris la nouvelle pour le mari de Lillian, tout un contingent qui voulaient que Bobby les guérisse – on aurait dit qu'ils avaient affrété un bus et qu'ils arrivaient tout droit de Crétinville, en Caroline, ou quelque chose comme ça. On les entendait crier sans arrêt, même la nuit : « Bobby ! Bobby ! J'ai un cancer, touche-moi et guéris-moi. » Ceux-là étaient beaucoup moins pénibles et agressifs que ceux qui traînaient dans le parc pour harceler les passants. « Dieu n'aime pas les pédés », ils criaient. Si vous voyez le rapport avec un gamin de 6 ans, vous êtes plus forte que moi. Il y en avait d'autres qui paraissaient tout droit sortis d'une BD, avec « La Fin est proche » ou « Avez-VOUS été sauvé ? » sur leurs T-shirts et leurs pancartes. Très vite, il m'est devenu impossible de sortir de chez moi sans en croiser un. Vous connaissez le quartier, hein ? C'est très mélangé, comme presque tout Brooklyn, il y a les artistes, les branchés, les hassidiques, un tas de gens qui viennent de République dominicaine, mais les cinglés, on les reconnaissait à des kilomètres.

Comprenez-moi bien, même si c'est très vite devenu insupportable, j'étais désolé pour Lillian. On l'était presque tous. Ma copine a dénoncé un ou deux des plus agités pour incitation à la haine, mais que pouvaient faire les flics ? Ces cintrés s'en foutaient d'être arrêtés. Ils voulaient devenir des martyrs.

Ce matin-là, je partais travailler et, je ne sais pas pourquoi, j'ai décidé de prendre le train plutôt que le bus, si bien qu'il m'a fallu traverser le parc et passer devant l'immeuble de Lillian. Tôt le matin, beaucoup de « papas branchés », comme les appelle ma copine, font leur jogging dans le parc en poussant leurs landaus, mais le mec que j'ai vu traîner autour des bancs, près du centre sportif, n'était clairement pas du genre père au foyer qui tient un petit restau alternatif pendant son temps libre, ni rien de tel. Il ne faisait rien de spécial, il était juste assis là, mais je voyais que quelque chose ne tournait pas rond chez lui, et pas seulement à cause de ses fringues. C'était une matinée agréable – pas chaude et humide comme parfois –, et ce mec était habillé comme en hiver : un long trench-coat d'allure militaire et un bonnet en laine, le tout noir. Quand je l'ai salué de la tête, en passant devant lui, il a paru ne pas me voir. J'ai essayé de l'oublier mais, en atteignant Lorimer Street, j'ai eu la sensation très nette que je devais rester dans les environs pour savoir ce qu'il faisait là. Même si, pour ce que j'en savais, ça pouvait aussi bien être un SDF, quelque chose me poussait à m'en assurer. J'ai jeté un coup d'œil alentour, cherchant les flics qu'on voyait parfois autour de l'immeuble de Lillian, mais je ne les ai pas vus. Je ne suis pas du genre croyant ni rien, mais j'avais une voix dans la tête qui me disait : Neil, prends-toi un café et vérifie l'identité de ce mec avant d'aller bosser. C'est donc ce que j'ai fait. Je me suis offert un grand americano chez Orgasmic Organic et j'ai repris le chemin du parc.

Quand je suis repassé dans la rue de Lillian, j'ai vu le mec inquiétant venir dans ma direction d'un pas très lent. La sensation m'a repris et j'ai réalisé qu'il n'était franchement pas normal. La rue était animée, un tas de gens partaient travailler, mais je me suis concentré sur lui et j'ai pressé le pas. À ce moment-là, la porte de l'immeuble de Lillian s'est ouverte, et une vieille femme aux cheveux teints en roux, accompagnée d'un enfant coiffé d'une casquette de base-ball, sont sortis sur le trottoir. J'ai su aussitôt qui ils étaient : l'auteur du déguisement n'avait pas beaucoup d'imagination. J'ai crié :

— Attention !

La suite s'est déroulée très vite mais aussi comme au ralenti, si je me fais bien comprendre. Le mec bizarre a sorti un flingue – je n'y connais rien, donc je ne peux pas vous dire quel modèle c'était – et il s'est mis à traverser la rue sans s'occuper de la circulation. Je n'ai pas réfléchi. J'ai couru droit vers lui, j'ai fait sauter le couvercle de mon gobelet de café et j'en ai balancé le contenu sur cet enculé. En pleine face. Il a quand même eu le temps de tirer une fois, mais la balle s'est perdue ; elle a frappé une Chevrolet garée au bord du trottoir.

Tout le monde criait, hurlait à pleins poumons.

— Couchez-vous, couchez-vous nom de Dieu !

Et puis, aussitôt, un autre mec est sorti de nulle part – j'ai su plus tard que c'était un flic qui venait d'achever son service – et il a hurlé au tireur de « lâcher son putain de flingue ». L'autre a obtempéré mais, à ce moment-là, il ne constituait plus une menace. Il bredouillait en se frottant les yeux et les joues. Comme le café était bien chaud, il avait la peau toute rouge. Il s'est laissé tomber à genoux au milieu de la rue. Le flic a écarté le pistolet d'un coup de pied puis il a empoigné sa radio.

J'ai couru jusqu'à Lillian et Bobby. La vieille dame était blafarde, et j'ai eu peur qu'elle fasse une crise cardiaque ou un truc comme ça. Mais le petit, je ne sais pas si c'était le choc ou quoi, il s'est mis à rire. Sa grand-mère l'a pris par la main et l'a fait rentrer. Quelques secondes plus tard, m'a-t-il semblé, la rue s'est emplie de voitures de police. Le cinglé a été hissé sur ses pieds et emmené. J'espère que cet enculé va pourrir en enfer.

Un flic m'a appelé, plus tard, pour m'informer que j'étais un héros. Au bureau du maire, on m'a dit que j'allais recevoir la médaille civile du courage. Mais j'ai fait ce que tout le monde aurait fait, vous savez.

Ensuite, je n'ai plus revu Lillian et Bobby dans le quartier. Ils sont allés se mettre en lieu sûr, c'est ça ? C'est ce que m'a expliqué la vieille dame qui habitait le même immeuble. Lillian m'a envoyé un e-mail vraiment sympa, me disant qu'elle n'oublierait jamais ce que j'avais fait ce jour-là. J'ai fondu en larmes en le lisant. La fois où je les ai revus, c'était aux infos.

Voici le dernier e-mail que je reçus de Lillian Small, daté du 29 mai.

Nous faisons de notre mieux, Elspeth. Je suis encore secouée, comment ne pas l'être après un coup pareil ? Mais j'essaie d'être forte pour Reuben et Bobby. Le petit va très bien – je ne crois pas qu'il ait vraiment compris ce qui s'est passé.

Je pense vous avoir appris tout ce que vous vouliez savoir. Si vous pouviez dire, dans votre livre, que nous ignorons pourquoi Reuben a recommencé à parler, mais que ça n'a rien à voir avec Bobby, je vous en serais reconnaissante. J'ai pensé le nier, quand ces sales types ont déclaré que c'était un autre signe, mais Betsy connaît la vérité, et Bobby aussi. Je ne veux pas qu'il lise ce livre, plus grand, et se dise que sa Bubbe est une menteuse. Je crois au plus profond de moi que Reuben a effectué un suprême effort pour chasser Al de sa conscience, afin de passer du temps avec son petit-fils. C'est la force de son amour qui a rendu cela possible.

Ils insistent pour qu'on s'installe en lieu sûr, à présent. Je n'ai pas le choix, il faut que je le fasse pour Bobby. Il a été question de placer Reuben en maison de repos dans un autre État, mais j'ai refusé catégoriquement.

Non. Nous sommes une famille, et nous devons nous soutenir les uns les autres, quoi qu'il arrive.

Transcription du dernier enregistrement de la voix de Paul Craddock, mai/juin 2012

14 mai, 5 h 30

Je n'arrive pas à me débarrasser de l'odeur. Cette odeur de poisson. Celle que Stephen laisse quand il repart. J'ai tout essayé ; j'ai même frotté les murs au Domestos. Le chlore me piquait les yeux mais j'étais incapable d'arrêter.

Jess n'a rien remarqué, comme d'habitude. Elle était installée au salon en train de regarder *The X-Factor* pendant que son cinglé d'oncle passait de pièce en pièce avec un seau de nettoyant pour toilettes. Elle n'en avait rien à cirer, comme dirait Geoff. J'ai invité Mme E.-B. à passer ; j'espérais qu'elle connaîtrait une recette de bonne femme pour éliminer les odeurs persistantes. (J'ai menti et dit que j'avais fait brûler les bâtonnets de poisson pané de Jess.) Mais elle a assuré ne rien sentir du tout, à part la morsure de l'eau de Javel – à faire pleurer. Elle m'a emmené dans le jardin pour fumer une cigarette, m'a encore tapoté la main et dit que j'essayais peut-être de trop bien faire, surtout avec la pression des médias. Elle m'a conseillé de pleurer plus, de laisser sortir mon chagrin au lieu de l'emmagasiner. Elle n'a pas arrêté de répéter combien elle a été démolie quand son mari est mort, il y a dix ans : elle ne se croyait pas capable de continuer à vivre mais Dieu l'a aidée à trouver un moyen.

Allô, Dieu ? C'est moi, Paul. Pourquoi tu réponds pas, merde ?

C'est comme si j'étais coupé en deux. Le Paul rationnel et le Paul en train de devenir fou. C'est différent de l'autre fois. Ça, c'était juste une dépression. J'ai plus d'une fois décroché le téléphone pour appeler le docteur K ou Darren et les supplier de m'enlever Jess. Dans ces moments-là, j'ai la voix de Shelly qui me revient. « Elles n'ont besoin que d'amour et tu en as à revendre, Paul. »

Je ne peux pas la décevoir.

Est-ce que ça peut être le syndrome de Capgras ? Hein ?

J'ai même… Seigneur ! J'ai trouvé une excuse pour emmener Jess chez Mme E.-B. afin de voir comment le chien réagirait à sa présence. Dans les films, les animaux sentent toujours quand quelqu'un a quelque chose d'anormal. S'il est possédé ou je ne sais quoi. Mais le chien n'a pas réagi, il est resté couché tranquillement. Il faut que j'apprenne à prendre chaque jour comme il vient.

Il le faut.

Pourtant, ne rien laisser paraître alors que je hurle en mon for intérieur provoque en moi une tension qui… Oh, nom de Dieu. Discovery Channel veut m'interviewer sur ce que j'ai ressenti quand j'ai appris l'accident. Je ne peux pas. J'ai refusé tout net. Et j'ai complètement oublié une séance photos pour *The Sunday Times* organisée par Gerry il y a des semaines. Quand les photographes sont arrivés, je leur ai claqué la porte au nez.

Gerry s'arrache les cheveux, et mon excuse « Je suis abattu par le chagrin » ne prend plus. Selon lui, vos éditeurs vont nous attaquer en justice, Mandi. Qu'ils attaquent. Merde, qu'est-ce que j'en ai à taper ? Tout fout le camp.

Et les pilules ne marchent pas.

(Bruit de sanglots.)

« Coucou, tonton Paul », elle a dit. Putain, comment est-ce qu'elle savait que le dictaphone était dans sa chambre.

21 mai 2012, 14 h 30

Pendant que Jess était à l'école, j'ai fait d'autres recherches sur Google. J'ai étudié en long et en large les Pamélistes, les théoriciens des extraterrestres, et même ceux qui croient les enfants possédés par des démons. (Il y en a beaucoup, de ceux-là.)

Parce que les enfants… Les autres. Bobby Small et Hiro machin. Ils ne sont pas normaux non plus, hein ? J'ai compris que Lillian me cachait quelque chose quand je l'ai appelée, et je sais désormais ce que c'est. On ne guérit pas d'Alzheimer. C'est bien connu. Non. Il y a un rapport avec Bobby. Et l'autre qui parle à travers un androïde. Qu'est-ce que c'est que ces conneries ?

Je n'ai pas trouvé grand-chose sur Kenneth Oduah, en dehors de ce que je prévoyais – une flopée de sites religieux hystériques (« La dernière preuve dont nous avons besoin ! »), plusieurs articles satiriques et un entrefilet le disant logé à Lagos « pour sa sécurité ».

Et s'ils étaient vraiment les Cavaliers ? Je sais, je sais. Mel, surtout, monterait sur ses grands chevaux si elle m'entendait dire ça. Mais écoutez-moi juste un instant. Le Paul sain d'esprit n'y pense même pas, mais je crois qu'il faut garder les idées larges. Il y a sans conteste quelque chose d'anormal chez Jess. Et des trucs bizarres se produisent dans l'entourage des deux autres. Ou trois. On peut pas savoir ce qu'il fout, le dernier.

Des extraterrestres, les Cavaliers ou des démons – ô mon Dieu !

(Il éclate en sanglots.)

Est-ce que je devrais rappeler Lillian ? Je n'en sais rien du tout.

28 mai, 22 h 30

Je sais que je devrais plaindre Bobby, après l'attaque qu'il a subie, mais je plains seulement Lillian.

Bien sûr, on ne parle que de ça aux infos. Sur toutes les putain de chaînes. Autrefois, j'aurais essayé d'empêcher Jess de voir ça. Je l'en aurais protégée, mais à quoi bon à présent ? Ça n'a l'air de lui faire ni chaud ni froid.

L'émission de SKY montrait un collage de photos des accidents et d'agrandissements de photos des Trois. J'ai trouvé Jess assise devant la télé, le nez presque collé contre l'écran, ses *My little pony* éparpillés autour d'elle, à regarder une rétrospective des événements et les discussions *ad nauseam* des experts.

Je me suis forcé à m'approcher d'elle.

— Tu veux en parler, Jess ?

— Parler de quoi, tonton Paul ?

— De la raison pour laquelle ce petit garçon passe à la télé ? Et ta photo aussi.

— Non, merci.

Je suis resté encore quelques secondes, puis j'ai filé dehors fumer une clope.

D'après Darren, la police tient sûrement la maison à l'œil, au cas où les bigots fêlés décideraient de franchir l'Atlantique et de s'en prendre à Jess.

Ce soir, quand elle sera couchée, je tenterai une dernière fois de pousser Stephen à s'expliquer. « Comment as-tu pu laisser entrer ça ici ? » Il parle forcément d'elle, non ?

J'aurais dû faire ça depuis une éternité.

Je vais passer une nuit blanche, boire assez de café pour tuer un cheval, et, quand Stephen viendra, je le forcerai à me parler.

30 mai, 04 h 00

J'ai dû m'assoupir. Quand je me suis réveillé, il était là. La lumière était allumée, mais il donnait l'impression d'être dans le noir. Assis au milieu d'une poche d'ombre. Je ne voyais pas son visage.

Il a changé de position. L'odeur était tellement forte que j'ai eu un haut-le-cœur.

— Qu'est-ce que tu veux ? Dis-le-moi, s'il te plaît, l'ai-je supplié. S'il te plaît !

J'ai tendu la main pour l'empoigner mais il avait disparu.

Alors j'ai couru à la chambre de Jess, je l'ai secouée et je lui ai collé une photo de Polly devant les yeux.

— C'est ta sœur ! Pourquoi est-ce que tu n'en as rien à foutre, merde ?

Elle s'est retournée, étirée, et elle m'a souri.

— J'ai besoin de dormir, tonton Paul. J'ai école demain matin.

Merde. C'est elle, la plus rationnelle des deux, ou quoi ? Que Dieu me vienne en aide.

1er juin, 18 h 30

Deux flics sont venus me voir aujourd'hui, ils se sont pointés ce matin alors que je n'étais même pas encore habillé. En fait, ils ne sont pas de la police mais de la Special Branch[1]. Le Paul sain d'esprit,

1. Équivalent des RG en France.

celui d'avant toute cette merde à la con, poussait des petits cris excités au fond de moi. Calvin et Mason, ils s'appellent. Calvin et Mason ! On dirait un titre de série télé. Calvin est noir, on devine à sa diction qu'il a fréquenté les écoles privées, et il a des épaules de pilier de rugby. Tout à fait le type du Paul sain d'esprit. Mason est plus vieux : un renard argenté.

Je leur ai préparé du thé en m'excusant pour l'odeur tenace de l'eau de Javel. (Après la réaction de Mme E.-B., j'ai appris à ne plus mentionner celle du poisson pourri.) Ils voulaient savoir si j'avais reçu des coups de téléphone de menaces récemment, comme ceux du tout début, quand Jess était rentrée à la maison. Je leur ai répondu la vérité, que ce n'était pas le cas. Que les seuls à nous ennuyer, c'étaient les journalistes.

Jess a bien sûr montré ses bonnes manières. Souriante, rieuse, une adorable petite célébrité. Je n'ai pas beaucoup d'estime pour les talents de détectives de Calvin et Mason, si beaux soient-ils. Ils ont marché, bien sûr. Ils sont tombés dans le panneau. Mason a même eu le toupet de demander à être pris en photo avec elle pour montrer à sa fille.

Ils ont assuré qu'ils garderaient un œil sur la maison, et m'ont recommandé de les appeler si quoi que ce soit m'inquiétait. J'ai failli répondre : « Vous voulez bien donner un avertissement à mon frère et lui dire de me foutre la paix ? » Mon frère mort ! Et LA CHOSE, bien sûr. Vous imaginez l'effet que ça leur aurait fait ?

Il ne faut pas que j'appelle Jess « la chose ». Ce n'est pas bien. Ça ne fait que nourrir le monstre.

Quand ils sont partis, j'ai essayé de rappeler Lillian. Pas de réponse.

2 juin, 04 h 00

(Sanglots.)

Bon, d'accord.

Je me suis réveillé. J'ai senti le poids familier sur le lit. Mais ce n'était pas Stephen. C'était Jess, bien qu'elle ne soit pas assez lourde pour que le matelas s'enfonce sous elle, hein ?

Elle m'a demandé :

— Est-ce que tu aimes tes rêves ? Je te les ai donnés, tonton Paul. Pour que tu puisses voir Stephen quand tu veux.

— Qui es-tu ?

C'était la première fois que j'osais parler ainsi.

— Je suis Jess. Qui tu veux que je sois ? T'es vraiment bêta, tonton Paul.

— Va-t'en ! je lui ai hurlé. Va-t'en, va t'en, va-t'en !

J'en ai encore mal à la gorge.

Elle a éclaté de rire et elle a filé. J'ai fermé la porte à clé derrière elle.

Je commence à me sentir impuissant. Si on apprend ce que je crois, on m'enlèvera Jess. Certains jours, je me dis que ce serait une bonne chose. Sauf que, si la véritable Jess est toujours là-dedans, si elle essaie de sortir, si elle cherche de l'aide. Si elle a besoin de moi…

Il faut bouger un peu. Faire le tour des possibilités qui s'offrent à moi. Garder l'esprit ouvert. Effectuer d'autres recherches. Explorer toutes les pistes.

Je n'ai pas d'autre choix.

Gerhard Friedmann, « exorciste laïc » qui travaille dans toute l'Europe, accepta de s'entretenir avec moi par Skype fin juin, après que j'ai fait un don à son organisation.

Avant de répondre à vos questions, je souhaiterais clarifier un détail. Je n'aime pas tellement le mot exorcisme. Il est trop connoté. Non, je dispense « guérison intérieure et délivrance de l'esprit ». Tel est le service que je propose. Je désire aussi préciser que je ne demande pas d'honoraires, mais simplement à discrétion du sujet ou du client. Je ne suis affilié à aucune Église ou institution religieuse. Je pratique d'une manière légèrement différente. Et les affaires sont très bonnes en ce moment. Disons juste qu'il est rare que je ne prenne pas l'avion en première classe. À l'époque où M. Craddock m'a contacté, j'effectuais jusqu'à trois délivrances ou purifications de l'esprit par jour, dans toute l'Europe continentale et le Royaume-Uni.

Je demande à Gerhard comment Paul Craddock l'a contacté.

Les clients peuvent prendre contact avec moi par différents moyens. M. Craddock est passé par l'un de mes comptes Facebook. J'en ai plusieurs. Je suis aussi sur Twitter et j'ai un site Internet. Sa situation ne me permettant pas de venir chez lui, nous avons convenus de nous retrouver en un lieu que j'utilise parfois pour des délivrances spirituelles.

(Il refuse de révéler le lieu en question.)

Je lui demande s'il savait qui était Paul Craddock avant de le rencontrer.

Oui. M. Craddock a été tout à fait franc à ce sujet, mais je lui ai assuré que nos rapports seraient confidentiels – je m'estime lié par le secret professionnel comme un médecin. Je connaissais les théories concernant Jessica Craddock et les autres enfants, mais je ne les ai pas laissées influencer mon diagnostic. Si je m'entretiens avec vous aujourd'hui, c'est uniquement parce que les avocats de M. Craddock ont informé la presse qu'il avait eu recours à mes services.

Je lui dis être allée sur son site Internet, où il affirme qu'il existe un esprit se manifestant par l'homosexualité. Je lui demande s'il savait que Paul Craddock était gay.

Oui, je le savais. Mais je savais aussi que, dans son cas, ce n'était pas le fond du problème.

Il craignait que sa nièce ou lui ne soient contaminés par une énergie mauvaise. Possédés, si vous préférez. Quand on s'est vus, il était agité mais pas exagérément. Il n'a pas arrêté de me répéter qu'il m'avait contacté pour « éliminer cette possibilité », et il m'a demandé d'enquêter en ce sens. M. Craddock m'a avoué faire des rêves extrêmement troublants, dans lesquels son frère mort lui apparaissait. Par ailleurs, ses rapports avec sa nièce lui posaient problème. Ce sont là deux symptômes de possession par un esprit et/ou de mal induit par une surexposition à des énergies négatives.

Je lui demande s'il était au fait des problèmes psychiatriques de Paul Craddock.

Oui. Il s'est montré très honnête à ce sujet-là aussi. Je prends toujours soin de ne pas confondre, par exemple, une crise de schizophrénie et une possession, mais j'ai compris aussitôt qu'il n'était pas question de ça. Je suis extrêmement intuitif dans ce domaine.

Je m'enquiers de la manière dont il procède en général à la délivrance spirituelle.

En tout premier lieu, j'installe le sujet confortablement, bien à son aise. Puis, je lui oins le front d'huile. N'importe quelle huile fait l'affaire mais j'utilise si possible de l'huile d'olive extra-vierge car elle semble donner les meilleurs résultats.

Ensuite, je détermine si j'ai affaire à une intoxication énergétique ou à une possession. Dans le second cas, l'étape suivante consiste à découvrir quelle entité s'est attachée au client et à l'appeler par son nom. Ces entités sont des phénomènes troublants, puissants, qui se fraient un chemin jusqu'à la Terre depuis un autre plan. Elles s'attachent à des gens affaiblis par l'abus de diverses substances ou empoisonnés par la mauvaise énergie d'une autre personne qui a fragilisé leurs défenses. Il y a de nombreux types d'entités ; je me spécialise dans celles qui trouvent un passage vers cette dimension en des lieux emplis de négativité.

Je m'occupe aussi de purifier les objets, car eux aussi peuvent abriter de l'énergie négative. Voilà pourquoi je conseille toujours d'être prudent quand on manipule des antiquités ou des pièces de musée.

Je lui demande pourquoi, si Paul Craddock croyait Jessica possédée, il n'a pas demandé qu'elle aussi soit délivrée.

C'était impossible en raison de leur situation. Il disait être sous la surveillance constante de la presse, qui les suivait partout, Jess et lui.

Mais quand il m'a détaillé ses symptômes, et notamment la sensation tenace que sa nièce n'était pas la véritable Jess mais un fac-similé, j'ai eu la certitude que le problème venait d'une entité attachée à lui, non à l'enfant. Le chagrin et l'angoisse qu'il avait ressentis en perdant sa famille dans la catastrophe aérienne avaient affaibli ses défenses au point de faire de lui un candidat idéal à la possession. Il a aussi exprimé ses inquiétudes que Jess soit une extraterrestre, mais je lui ai assuré que les extraterrestres n'existaient pas et que nous avions sûrement affaire à un mauvais influx d'énergie.

Dès que je me suis mis en harmonie avec lui, j'ai en effet découvert qu'il souffrait d'un grave malaise dû à une quantité excessive d'énergie toxique. Je lui ai assuré qu'une fois le rituel de purification accompli – rituel qui consistait à l'oindre d'huile et à transférer par contact la mauvaise énergie –, il ne serait plus hanté par ses rêves ni par la crainte que sa nièce soit un double.

Ensuite, je l'ai averti que, quoique purifié, il était encore vulnérable, et que demeuraient en lui des traces d'énergie nocive susceptibles d'attirer une entité. Je lui ai conseillé d'éviter à tout prix le stress.

Il m'a remercié et, en partant, il m'a déclaré : « Il ne peut plus y avoir qu'une seule explication, maintenant. »

Savait-il ce que Paul Craddock voulait dire par là ?

Pas sur le moment.

Dixième partie

Fin de partie

Joe DeLesseps, représentant de commerce qui traverse régulièrement le Maryland, la Pennsylvanie et la Virginie, accepta fin juin de me parler par Skype.

Je suis actif dans trois États, où je vends à peu près tout ce qu'on peut imaginer dans le domaine de l'outillage ; il y a encore des gens qui préfèrent avoir affaire à un être humain qu'à un ordinateur. Autant que possible, j'évite les voies rapides. Je préfère les petites routes. Comme dirait Piper, mon petit-fils, c'est ce que je kiffe. Au fil des ans, je me suis concocté plusieurs routes, j'ai mes restaus préférés où boire un café et manger une part de tarte. Pour certains, je m'y arrête depuis des années – bien que de plus en plus de cafétérias tenues par des vieux couples soient frappées par la récession. Et je ne suis pas fana des nouvelles chaînes de motels, je préfère les entreprises familiales. On n'a peut-être pas de plats mexicains ni le câble, mais la compagnie et le café sont toujours meilleurs et les tarifs compétitifs.

Ce jour-là, j'étais en retard sur mon programme. Le grossiste que j'avais rencontré à Baltimore aimait causer et je n'avais pas vu passer le temps. Je me tâtais à prendre la voie rapide, mais il y a un restauroute juste avant la

Route de Miles Creek – une de mes préférées, elle va presque jusqu'à Green Ridge Forest – où le café est bon et les crêpes encore meilleures, donc j'ai décidé de faire le grand tour. Ma femme, Tammy, me tanne pour que je surveille mon cholestérol, mais je me suis dit que ce qu'elle ne saurait pas ne pourrait pas lui faire de mal.

Je suis arrivé sur les coups de 17 heures, une demi-heure avant la fermeture. Je me suis garé près d'un 4×4 Chevrolet neuf aux vitres teintées. Dès que je suis entré, j'ai compris qu'il appartenait au petit groupe qui buvait un café dans un box, près de la fenêtre. J'ai cru au premier coup d'œil qu'il s'agissait d'une famille tout ce qu'il y a de plus ordinaire, un couple et un enfant en excursion avec papy et mamy. En regardant mieux, toutefois, j'ai trouvé qu'ils n'allaient pas bien ensemble. Ils ne manifestaient pas cette décontraction qu'ont la plupart des familles en vacances. Le jeune couple, en particulier, semblait à cran. On voyait quasiment les plis de la chemise de l'homme, comme s'il venait de la sortir de son emballage.

Je savais que Suze, la cuisinière, avait envie de rentrer chez elle, donc j'ai très vite commandé mes crêpes et j'ai ajouté un peu de lait dans mon café pour le boire plus vite.

— Po Po a envie d'aller aux toilettes, a dit le petit en désignant le grand-père.

Sauf que le vieux monsieur n'avait pas dit un mot. On voyait qu'il avait quelque chose d'anormal. Le regard vide, comme mon père sur la fin.

La vieille dame l'a soutenu tandis qu'il gagnait les toilettes à pas traînants. Je l'ai saluée quand elle est passée près de ma table ; elle m'a lancé un sourire fatigué. Rousse, mais on voyait qu'elle se teignait : elle avait deux centimètres de racines grises. Tammy aurait dit que cette femme n'avait pas trouvé le temps de s'occuper d'elle depuis un moment. J'ai senti des yeux posés sur moi : le jeune homme m'observait. Je lui ai adressé un signe de tête et j'ai dit qu'un peu de pluie ne nous ferait pas de mal, mais il n'a pas réagi.

Ils sont sortis quelques minutes avant moi mais ils aidaient encore le vieux monsieur à monter dans le 4×4 quand je suis arrivé dehors. J'ai voulu me montrer amical, et j'ai demandé :

— Vous allez jusqu'où ?

Le jeune homme m'a jeté un de ces regards.

— En Pennsylvanie, il a dit.

Je voyais gros comme une maison qu'il venait de sortir cette réponse de sa manche.

— Très bien. Soyez prudents.

La vieille dame rousse m'a gratifié d'un sourire timide, avant de sursauter comme si on l'avait pincée quand la plus jeune lui a lancé :

— Allons, viens, maman.

Le gamin m'a fait coucou de la main et je lui ai répondu par un clin d'œil. Mignon, ce petit.

Ils sont partis en trombe, tournant le dos à la Pennsylvanie. Le 4×4 était sûrement équipé d'un GPS, donc le jeune homme savait ce qu'il faisait. J'ai dû me dire que ça ne me regardait pas.

Je n'ai pas vu l'accident. En sortant d'un virage, j'ai aperçu la lueur des phares. La Chevrolet était sur le toit, du mauvais côté de la route.

Je me suis arrêté et j'ai pris ma trousse de premiers secours sur le siège arrière. Quand on conduit autant que moi, on croise beaucoup d'accidents, donc ça fait des années que je garde une trousse dans la voiture. J'ai même fait un stage de secourisme il y a deux ans.

Ils avaient percuté un cerf. Je suppose que le jeune homme avait trop braqué les roues et qu'ils avaient fait un tête-à-queue. J'ai vu tout de suite que les deux passagers de devant – le chauffeur, le jeune homme donc, et la jeune femme au regard dur – étaient morts, et ç'avait dû être instantané. On ne distinguait pas bien ce qui appartenait au cerf de ce qui appartenait aux humains.

Le vieux monsieur à l'arrière était mort aussi. Pas de sang, mais il avait les yeux ouverts. L'air en paix.

La femme aux cheveux roux, c'était une autre histoire. Il n'y avait pas beaucoup de sang sur elle, mais je voyais qu'elle avait les jambes coincées. Ses yeux étaient ouverts, sidérés.

— Bobby, elle a murmuré.

J'ai compris qu'elle parlait du petit garçon.

— Je vais le chercher, madame, je lui ai assuré.

D'abord, je ne l'ai vu nulle part, puis j'ai compris qu'il avait dû être éjecté par la lunette arrière. J'ai trouvé son cadavre à trois cents mètres du véhicule. Dans le caniveau, allongé sur le dos, comme s'il regardait le ciel. Ça se voit quand l'âme est partie. Il y a un vide. En apparence, il n'avait pas une égratignure.

Je ne pouvais en aucune manière emmener la femme – il aurait fallu un équipement de désincarcération – et je craignais qu'elle n'ait des lésions à la colonne vertébrale. Elle avait cessé de pleurer, à ce moment-là, et je lui ai tenu les mains pendant qu'elle perdait doucement connaissance. J'ai attendu les flics en écoutant le moteur tourner au ralenti.

Je n'ai appris que le lendemain de qui il s'agissait. Tammy n'arrivait pas à croire que je n'aie pas deviné plus tôt : la tête du gamin était toujours étalée en une des magazines qu'elle recevait.

Ça paraissait injuste. Quelles probabilités avait ce pauvre gosse de connaître deux accidents mortels ? Je pensais travailler jusqu'à ce que Tammy me force à prendre ma retraite, mais cette histoire est peut-être le signe qu'il est temps d'arrêter. Le signe que trop c'est trop.

J'ai longtemps hésité à inclure le rapport d'autopsie de Bobby Small dans cet ouvrage. J'ai décidé d'en citer un extrait quand plusieurs sites conspirationnistes ont affirmé que sa mort était truquée. D'après la pathologiste Alison Blackburn, médecin légiste en chef de l'État du Maryland, aucune anomalie ne fut trouvée au terme d'un examen interne exhaustif.
Bobby Small fut formellement identifié par Mona Gladwell, qui refusa de s'entretenir de nouveau avec moi.
(Les lecteurs sensibles préféreront peut-être sauter ce passage. L'intégralité du rapport est cependant disponible à l'adresse qui suit : *http://pathologicallyfamous.com/*)

SERVICE DU MÉDECIN LÉGISTE EN CHEF
ÉTAT DU MARYLAND

Nom du défunt : Bobby Reuben Small
Autopsie numéro SM 2012 –001346
Âge : 6 ans **Date : 11/06/2012**
Sexe : Masculin **Heure : 09 : 30**
Examen et analyse sommaire réalisés par Dr Alison Blackburn, Médecin Légiste en Chef.

Examen initial : Dr Gary Lee Swartz, Assistant du Médecin Légiste en Chef
Examen Ostéologique : Dr Pauline May Swanson, ABFA
Examen toxicologique : Dr Michael Greenberg, DABFT

DONNÉES ANATOMIQUES

Jeune garçon avec griffures superficielles sur le front, le nez et le menton. Dislocation complète entre C6, C7 et C7, T1. Disque intervétébral et ligament antérieur C6, C7 sectionnés. Processus transverse C6 fracturé. Déchirure partielle des ganglions nerveux et multiples points d'hémorragie observés.

CAUSE DU DÉCÈS

Rupture traumatique de la moelle épinière.

TYPE DE DÉCÈS

Décès accidentel par éjection d'un véhicule à moteur.

RÉSUMÉ DES CIRCONSTANCES

Bobby Small, mâle, 6 ans, avait été six mois plus tôt le seul survivant d'une catastrophe aérienne ayant coûté la vie à sa mère. Il avait subi, lors de l'accident, des blessures sans gravité dont il s'était totalement remis. Puisqu'il était devenu la cible de groupes religieux, la décision avait été prise de l'emmener en lieu sûr avec ses grands-parents. Tous les trois étaient transportés à bord d'un 4×4 Chevrolet Suburban par deux agents du FBI. Bobby était assis entre ses grands-parents, à l'arrière, et maintenu par une ceinture de sécurité. À environ 17 heures, ils se sont arrêtés à la cafétéria *Duke's Roadside Diner*, dans le Maryland. Leur groupe y a été vu par M. Joseph DeLesseps, représentant de commerce. Ils ont suscité son intérêt car ils formaient selon lui un groupe étrange. Les adultes ont commandé du café, Bobby un milk-shake à la fraise et une part de frites. Ils ont repris la route aux alentours de 17 h 30, suivis peu après par M. DeLesseps, qui a vu le 4×4 partir à grande vitesse. Aux alentours de 17 h 50, M. DeLesseps a franchi un virage dans une portion boisée de la route et vu le 4×4 accidenté au bord de la chaussée. Il a trouvé le véhicule encastré contre un gros arbre, avec un cadavre de cerf sur le capot de la voiture, en partie passé à travers le pare-brise pulvérisé. Dans le véhicule se trouvaient deux personnes mortes à l'avant et un vieil homme décédé à l'arrière. Une vieille femme gravement blessée se trouvait aussi à l'arrière. Aucun signe, en revanche, du petit garçon qu'il avait vu à la cafétéria, aussi M. DeLesseps a-t-il cherché autour du véhicule. Ayant trouvé l'enfant dans un petit fossé, à deux mètres du 4×4 – ne présentant plus aucun signe de vie –, il a immédiatement appelé les secours.

DOCUMENTS ET INDICES EXAMINÉS

1. Rapport du centre d'examen des véhicules concernant la Chevrolet Suburban. Capot très endommagé et pare-brise brisé en raison de la collision avec un cerf. Arrière enfoncé contre un arbre. Lunette arrière

brisée et ceinture centrale endommagée. Aucun signe d'avaries pré-accident ni de défauts du véhicule.

2. Rapport de l'équipe des ponts et chaussées. Les traces de dérapage indiquent un probable freinage brutal consécutif à la collision avec le cerf à moyenne ou grande vitesse, ayant entraîné le retournement du véhicule et la collision avec un arbre à l'arrière. Les ceintures de sécurité des adultes sont restées en place, mais la ceinture centrale arrière, endommagée, s'est ouverte, d'où l'éjection de l'enfant par la lunette arrière pulvérisée.

IDENTIFICATION

Le 11/06/2012 à 9 h 45, un examen *post mortem* complet a été effectué sur le corps de Bobby Small, lequel a été identifié par les services du médecin légiste en chef du comté de Norfolk. L'assistant présent au cours de l'autopsie était David Michaels.

VÊTEMENTS ET OBJETS DE VALEUR

Bobby Small portait une casquette de base-ball rouge vif (retrouvée sur les lieux), un jean bleu, un T-shirt rouge *La Nuit au musée*, un sweat-shirt à capuche gris clair, et une paire de tennis Converse.

EXAMEN EXTERNE

Le corps est celui d'un jeune mâle de race blanche bien nourri qui peut parfaitement avoir les 6 ans qu'on lui prête.

Taille : 1,14 m **Poids :** 20,8 kg

Cheveux blond pâle, mi-longs, légèrement frisés. Pas de grains de beauté ni de tatouages. Une petite cicatrice sur le front. Éraflures sur le front, le nez et le menton. Pupilles égales et ne présentant pas de dilatation. Iris bleu clair. Dents de lait saines, deux incisives supérieures manquantes.

Bien que Paul Craddock ait tenté de détruire le disque dur de son ordinateur, plusieurs documents et e-mails furent récupérés, dont le suivant qui fut communiqué à la presse. (Les fautes de frappe ont été conservées pour illustrer son état d'esprit au moment de leur rédaction.)

Liste des trucs bizarres qu'a dits Jess aujourd'hui (8 juin)

(Encore des exemples de sa nouvelle obsession pour l'ennui.) Tonton Paul, est-ce que tu t'ennuies d'être toi ? Moi, je m'ennuie d'être moi. (Elle retourne regarder sa nouvelle émission favorite, cette merde de TOWIE [*The Only Way is Essex*].) Ces gens-là s'ennuient d'être eux. (Je lui demande ce qu'elle veut dire.) S'ennuyer, c'est être comme une tasse qu'on ne peut pas remplir. (Putain de merde, où est-ce qu'elle a entendu ça ?????? Sûrement pas à *Celeb Big Brother*.)

(10 juin)

Je lui sers son dîner, elle dit : « Tonton Paul, est-ce que Stephen sent aussi mauvais que ces bâtonnets de poisson maintenant ? » (Je hurle, elle rit.) Je sors, elle change de chaîne pour regarder les infos. Je l'entends qui rit de quelque chose d'autre. Je manque vomir quand je vois que c'est l'annonce de la mort de Bobby Small dans un accident de voiture. Je lui demande ce qu'il y a de drôle, elle répond qu'il n'est pas mort, qu'il se contente de faire l'idiot. Comme maman et papa et Polly.

(Je suis dans la cuisine, je pense encore aux pilules, à savoir combien il m'en faudrait pour être sûr.) Elle se glisse dans la pièce sans que je la voie. Elle s'approche trop près de mon visage. Elle dit, est-ce que je suis différente Paul ? Ils le disent à l'école. C'est si facile.

(Juin 14)

La chose me trouve en pleurs. Tu veux venir jouer encore à *My little pony* avec moi ? Tu peux être la princesse luna et stephen peut être la princesse célestia (rires).

1) POSSESSION : POUR : elle semble touhjours savoir ce que je pense, sait des choses qu'elle ne peut pas savoir sur l'ortienattion secuelle, et elle est au courant des revs avec Stephen et ddit que c'est elle qui les envoie

2) POSSESSION CONTRE : PAS RATIONNEL JE SAIS CECI QUE JE PENSE et elle n'a pas de crises ni quoi que ce soit dans la liste sur Internet, elle ne parle pas avec des voix bizarres et ce connard de gerhard a dit que c'était peu probable mais je fai pas confiance à son opnion.

3) THÉORIE CAVALIER POUR : couleurs des avions, tas de signes n'auraient pas du srvivre, pas question, autres enfants font des trucs bizarres aussi y a le grand-père

sénile de Bobby qui reparle et Hiro qui parle à travers un putain de robot et comment tant de gens pourraient-ils se tromper parce qu'il y en a plein qui le croient, et maintnant on a trouvé le quatrième enfant, quoiqu ça pourrait être aussi des conneries

4) THÉORIE CAVALIER CONTRE : c'est du vrai délire, même l'archevêque de canterbury et l'autre grand iman, là, ils disent que c'est des pures conneries et ils croient aussi aux fées du ciel et s'il y a un Cavalier en elle où est la vraie Hess et pourquoi est-ce qu'ell se ressemble. Les signes qu'on a mis sur le site internet auraient pu/arrver de toute manière et l'épidémie de fièvre aphteuse est terminée, de toute façon, et il y a tout le temps des aniomaux qui mordent les gens, pareils pour les inondations, etc etc

5) SYNDROME DE CAPGRAS POUR : mes antécédents de maladie mentale, quoique ça n'ait été que le stress, et ce serait sympa si une mpaladie pouuvait explique pourquoi je ne crois pas que c'esst Jess aklors même qu'elle ressemble à Jess ert parfois parle comme elle. J'espère que c'est ça

6) SYNDROME DE CAPGRAS CONTRE : jamais eu ça avant, pas de blessure à la tête (à moins de m'être cogné la tête en étant soûl et de ne pas m'en rappeler) et c'est une putain de maladie très très très rare.

7) EXTRATERRESTRES POUR : pareil que pour possession et expliquerait que parfouis elle a l'air de me regarder comme si j'étais un sujet d'expérience

8) EXTRAYTERRESTRES CONTRE : parce que c'est pas rationlel quoiqu les indces puissent être convaincants

et c'est la seule que j'aIt pas encore éliminé, il fait que je fasse d'aptres recherches d'accord paul

Pour : actorpc99@gmail.com
De : openyreyes.com
Sujet ; RE : Conseil en confiance
Date : 14 juin 2012

Paul, merci de votre e-mail, ravi de vous aider autant que je le puis.

Comme je vous l'ai dit au téléphone, leur méthode de travail la plus courante consiste à implanter une MICROPUCE au sujet. Je crois qu'au moment des accidents, les enfants ont été mis en stase, raison pour laquelle ils n'ont pas été blessés. Ensuite, ils ont reçu l'implantation. Par manipulation « voix-crâne », les Autres (EXTRATERRESTRES) peuvent contrôler et influencer ceux qu'ils ont choisis. C'est un nouveau type de technologie, à des ANNÉES-LUMIÈRE de ce que nous pouvons faire de nos jours dans notre monde.

Vous dites que vous avez étudié toutes les possibilités et prouvé qu'il ne s'agit PAS d'un cas de possession démoniaque. Je vous applaudis d'être aussi exhaustif.

Je ne suis pas du tout surpris que Jess montre des symptômes inquiétants ou un comportement renfermé qui ne lui ressemble pas – il fallait s'y attendre. Rappelez-vous qu'un changement de PERSONNALITÉ n'est PAS en soi un symptôme de TSPT. Comme vous le dites, regardez le petit Japonais (qui parle à travers un mécanisme, un ROBOT) et le petit Américain qui bricolait sans aucun doute le fonctionnement cognatif (*sic*) de son grand-père. Il est très improbable qu'il soit mort. C'est une ruse du gouvernement qui est de mèche avec les AUTRES. En échange de l'immunité contre l'expérimentation, nos dirigeants ont passé un traité avec les extraterrestres pour qu'ils puissent se gorger librement de nos énergies.

Vos questions sur la théorie paméliste sont très intéressantes. Je crois qu'il y a BEAUCOUP de similitudes avec la vérité. C'est très proche de ce que NOUS croyons. Ils se trompent mais, en même temps, ils NE CROIENT PAS SI BIEN DIRE.

Et ce que vous ressentez ne doit pas être confondu avec le syndrome de Capgras. C'est une anomolie (*sic*) psychologique.

Comment procéder ? Soyez prudent quand vous êtes avec Jess, il est peu probable qu'elle cherche à vous faire du mal. Vos rêves et vos visions proviennent sans doute d'interférences de la puce. Je vous conseille de l'observer avec attention et de prendre bien garde à ce que vous lui laissez voir. Dites-moi si mon aide peut encore vous être utile.

Cordialement,

Signature

Noriko Inada (nom changé) réside au cinquième étage de l'immeuble qui fait face à la maison de Chiyoko Kamamoto. Ce récit a été mis en forme par Daniel Mimura, le journaliste du *Tokyo Herald* qui l'interviewa deux jours après l'assassinat de Hiro Yanagida. (Traduction : Eric Kushan)

Je me réveille en général très tôt, vers 5 heures, et, pendant que j'attends le lever du jour, il m'arrive de regarder la pendule près de mon lit. C'est comme ça que j'ai su l'heure exacte du premier coup de feu. Même si mon immeuble ne se trouve qu'à deux cents mètres de la voie rapide Hatsudai, très fréquentée, il bénéficie d'une bonne isolation phonique, mais ce bruit-là s'est insinué dans ma chambre. Un bang étouffé qui m'a fait sursauter, puis un autre, et encore deux de plus. Je n'avais encore jamais entendu de coups de feu, sauf à la télévision, donc je ne savais trop quoi penser. Peut-être était-ce un feu d'artifice. Et je ne savais pas trop d'où ça venait.

Il m'a fallu plusieurs minutes pour me hisser dans mon fauteuil roulant, mais j'ai fini par arriver près de la fenêtre où je passe la plus grande partie de mes journées. Je ne sors pas très souvent. Il y a un ascenseur dans l'immeuble, mais j'ai du mal à en franchir la porte sans aide, et ma sœur ne trouve le temps de passer me voir qu'une fois par semaine, quand elle m'apporte mes provisions. J'ai vécu ici des années avec mon mari et, à sa mort, j'ai décidé de rester. C'est chez moi.

Il ne faisait pas encore jour, le soleil n'avait pas encore percé dans le ciel mais, grâce aux lampadaires de la rue, j'ai vu que la porte d'entrée des Kamamoto était ouverte. Il était trop tôt pour que Kamamoto-san parte travailler – il sortait tous les matins à 6 heures –, donc j'ai commencé à m'inquiéter. Personne d'autre n'avait bougé dans le quartier. Quand la police m'a interrogée, un peu plus tard dans la journée, on m'a dit que mes voisins avaient attribué les coups de feu à un pot d'échappement.

J'ai ouvert la fenêtre pour aérer un peu, puis attendu de voir si le bruit allait revenir ou si quelqu'un allait sortir de la maison. C'est alors que j'ai aperçu deux silhouettes qui venaient de la Hatsudai. Quand elles sont passées sous ma fenêtre, j'ai reconnu Chiyoko Kamamoto, et j'ai deviné à ses cheveux longs que le garçon était celui que je voyais souvent sur le terrain de jeux des enfants. Une fois, il avait peint à la bombe un message sur la chaussée, mais, comme il l'avait ensuite effacé, je n'avais pas porté plainte. Ces deux-là étaient très différents l'un de l'autre. Chiyoko marchait la tête haute, en maîtresse de la rue ; lui était voûté comme s'il tentait de se faire tout petit. J'avais très souvent vu la jeune fille quitter la maison le soir pour aller retrouver son ami, mais c'était la première fois que je la voyais revenir. Ils parlaient à voix basse, donc je n'entendais pas leur conversation. Chiyoko a éclaté de rire et donné un petit coup de coude au garçon, qui s'est penché pour l'embrasser. Ensuite, elle l'a repoussé avec bonne humeur et s'est préparée à rentrer chez elle.

La porte ouverte l'a fait hésiter. Après s'être retournée pour dire quelque chose à son compagnon, elle a franchi le seuil et, trente secondes plus tard, j'ai entendu un cri. Pas un simple cri : un vrai hurlement. Qui recelait une angoisse terrible.

Le garçon, qui attendait dehors, a sursauté, puis il a couru à l'intérieur.

Plusieurs voisins sont apparus sur le pas de leur porte, dérangés par les hurlements qui semblaient ne jamais devoir cesser.

Chiyoko est sortie dans la rue en titubant, l'enfant entre les bras. Je l'ai d'abord crue couverte de peinture noire, mais, quand elle est arrivée sous le lampadaire, tout est devenu rouge. Le petit garçon, Hiro, était inerte entre les bras de sa cousine et… et… je n'ai pas vu son visage. Juste un magma sanglant. Le jeune homme a tenté d'aider Chiyoko, de même que les voisins, mais elle leur a crié de la laisser tranquille. Elle hurlait à Hiro de se réveiller, d'arrêter de faire semblant.

C'était un si gentil petit garçon. Chaque fois qu'il sortait de chez lui, il levait la tête vers moi et agitait les bras. Ma sœur n'a pas voulu me croire, au début, quand je lui ai dit que l'enfant miracle habitait en face de chez moi. Tout le Japon avait pris cet enfant dans son cœur. Parfois, il y avait des photographes dans la rue ; un jour, l'un d'eux a frappé à ma porte et m'a demandé s'il pouvait filmer la maison depuis mon appartement, mais j'ai refusé.

Il ne s'était pas écoulé plus de trois minutes quand j'ai entendu arriver l'ambulance. Il a fallu trois infirmiers pour prendre Hiro à Chiyoko ; elle s'est battue, elle les a frappés, encore et encore. Les policiers ont voulu la traîner vers un de leurs véhicules, mais elle leur a échappé et, avant qu'ils ne puissent l'arrêter, elle s'est mise à courir, toujours couverte de sang. Le garçon aux cheveux longs s'est élancé derrière elle.

La foule de curieux et de journalistes a gonflé au fur et à mesure que la nouvelle se répandait. Il y a eu un grand silence quand on a sorti de la maison les cadavres, dans leurs linceuls de plastique noir. C'est à ce moment-là que je me suis détournée de la fenêtre.

Je n'ai pas du tout dormi la nuit suivante. J'avais l'impression que je ne dormirais plus jamais.

La messagerie instantanée 2-channel entra en éruption quelques minutes après l'annonce de l'assassinat de Hiro.

Nom : Anonyme111 Date : 22/06/2012 11 : 19 : 29.15

Putain ! Vous avez entendu, pour Hiro, les mecs ?

Nom : Anonyme356

Je le crois pas.

Le petit androïde est mort. Un putain d'enculé d'ancien marine s'est introduit chez eux et il a buté les parents de la princesse en plus de Hiro.

Nom : Anonyme23

Vous avez vu les trucs sur Reddit ? Ce marine, c'était un des fanatiques religieux. Comme le mec qui a essayé de tuer le petit garçon aux États-Unis.

Nom : Anonyme885

Orz était là. C'est Orz et la princesse qui ont trouvé le corps. J'en pleurerais pour lui. Vous avez vu les photos ? Il se battait pour rejoindre la princesse alors que les flics essayaient de l'en empêcher.

Je l'encourageais de toutes mes forces.

Nom : Anonyme987

On l'encourageait tous, mec. Trop content qu'ils se soient barrés à la fin. Vas-y, Orz !

Nom : Anonyme899

La princesse n'est pas aussi canon que j'aurais cru. Orz a l'air d'un *otaku* typique, exactement comme je l'imaginais.

Nom : Anonyme23

C'est carrément dégueulasse. Va chier 899.

Nom : Anonyme555

Où vous croyez qu'Orz et la princesse sont allés ? Les flics vont vouloir leur parler.

Nom : Anonyme6543

Vous croyez que ça va, Orz ?

Nom : Anonyme23

Sois pas aussi n00b, 6543 ! Bien sûr que ça va pas !!!!!

[s'ensuivirent de nombreuses spéculations sur ce que cela signifiait pour l'avenir d'orz et de la princesse. Trois heures plus tard, ryu apparut sur le forum.]

Nom : Orz Man Date : 22/06/2012 14 : 10 à 19.25

Salut tout le monde.

Nom : Anonyme111

Orz ??? C'est vraiment toi ?

Nom : Orz Man

C'est moi.

Nom : Anonyme23

Orz, tu vas bien ? Comment va la princesse ? Où êtes-vous ?

Nom : Orz Man

Je n'ai pas beaucoup de temps. La princesse m'attend.

Je lui ai montré vos messages et elle dit que ça n'a plus d'importance, maintenant, si vous savez qui on est. Elle dit que vous ne devez jamais oublier ce qu'ils ont fait.

Elle est brisée.

Je suis brisé aussi.

Mais je voulais vous dire merci de nous avoir tellement soutenus.

C'est pas facile…

Je voulais vous dire que vous n'aurez plus de nouvelles de moi.

On va être ensemble pour l'éternité, on part quelque part où ils ne pourront plus nous faire de mal.

J'aimerais pouvoir vous rencontrer tous. Je n'aurais pas eu les couilles de quitter ma chambre sans tous vos encouragements.

Au revoir.

Votre ami Ryu (alias Orz Man)

Nom : Anonyme23

Orz ?????

Nom : Anonyme 288

Orz !!!! Reviens, mon pote.

Nom : Anonyme90

Il est parti.

Nom : Anonyme111

Cybercitoyens, ça craint. Ça ressemblait à une note de suicide, je trouve.

Nom : Anonyme23

Orz ne ferait jamais un truc pareil… hein ?

Nom : Anonyme57890

Quand on y pense, si Orz et la princesse n'étaient pas sortis dans la nuit, alors le marine aurait pu la tuer, elle aussi.

Nom : Anonyme896

Orz lui a sauvé la vie.

Nom : Anonyme235

Ouais. Et si 111 a raison, ils vont se tuer ensemble. Un pacte de suicide.

Nom : Anonyme7689

Rien ne prouve que c'est ce qu'ils vont faire.

Nom : Anonyme111

Enculés d'Américains. Ils sont derrière tout ça. Ils ont assassiné Hiro et détruit le bonheur d'Orz. On ne peut pas les laisser s'en tirer comme ça.

Nom : Anonyme23

D'accord. Orz est des nôtres. Il faut qu'ils paient.

Nom : Anonyme111

Cybercitoyens, une fois dans nos vies, il est temps de faire quelque chose qui compte.

Melanie Moran accepta de me parler par Skype peu après les obsèques de Jessica Craddock, à la mi-juillet.

Je m'en veux. Geoff dit que je ne devrais pas mais, certains jours, je ne peux pas faire autrement.

— Tu as assez de soucis comme ça, pétale, me dit-il tout le temps. Qu'est-ce que tu aurais pu faire, de toute façon ?

En y réfléchissant, avec le recul et tout ça, je ne peux pas m'empêcher de penser que j'aurais dû le voir venir. Paul avait un comportement bizarre depuis un moment, au point que même Kelvin et certains autres s'en étaient rendu compte. Avant que ça se produise, il avait manqué les deux dernières réunions des 277 Ensemble et, depuis deux bonnes semaines, il n'avait demandé ni à Geoff ni à moi de garder Jess ou de passer la chercher à l'école. Pour être franche, on était soulagés de prendre une pause. On avait assez à faire de notre côté, avec nos propres petits-enfants, surtout une fois que Gavin est parti passer ses examens pour entrer dans la police. Et Paul avait tendance à se mettre en avant, à accaparer l'attention. Il pouvait être très égocentrique, très en demande d'affection. Cela dit, j'aurais dû faire plus, j'aurais dû me forcer à prendre de ses nouvelles.

J'ai entendu à la radio le travailleur social qui le suivait essayer de s'expliquer. Il disait que, si Paul avait trompé tout le monde, ça n'avait rien d'étonnant puisque c'était un acteur, un homme qui gagnait sa vie en jouant des rôles. Mais c'est juste une excuse. La vérité, c'est que les services sociaux ne faisaient pas leur boulot. Pareil pour le psychologue. Comme dit toujours Geoff, Paul n'était pas si bon acteur que ça, hein ?

Quand on a démarré les 277 Ensemble, quelques-uns d'entre nous – pas beaucoup, notez bien – estimaient que, comme Paul était le seul à avoir un membre de sa famille rescapé de l'accident, il aurait dû se mettre en retrait, laisser parler les autres. Geoff et moi, on n'était pas d'accord. Il avait perdu son frère, non ? Plus sa belle-sœur et une de ses nièces. La première fois qu'il a emmené Jess à une réunion, la plupart des gens ont eu du mal à la regarder ; comment se comporte-t-on devant un enfant miraculé ? Parce que c'était bien ce qu'elle était : une miraculée, mais pas dans le sens où l'entendent les fondamentalistes. Je voudrais que vous entendiez le père Jeremy en parler, de ceux-là. « Ils discréditent le christianisme. »

On a très souvent gardé Jess quand Paul sortait faire ce qu'il avait à faire. Une petite fille adorable, vraiment intelligente. J'ai été soulagée quand Paul a décidé de la renvoyer à l'école. De lui rendre une vie normale. L'école primaire où elle allait paraissait tout à fait capable de la soutenir – on y avait d'ailleurs organisé une très jolie cérémonie en souvenir de Polly. Je suppose que, d'un côté, c'était plus difficile pour Paul que pour nous. Un des membres de sa famille avait survécu, oui, mais ça lui rappelait constamment que les autres avaient disparu.

Vous sentez que je recule le moment d'en arriver

à la suite, hein ? Les seules personnes auxquelles j'en ai parlé en détail sont Geoff et le père Jeremy. C'est ce que ma Lorraine aurait appelé un vrai pète-neurones. Elle appelait un chat un chat. Elle tenait de moi.

Ne faites pas attention : les larmes ne sont jamais bien loin de la surface. Je sais qu'on me considère comme quelqu'un qui s'en sort toujours, une vieille garce à la peau dure, et c'est vrai… mais ça finit par toucher. Tout ce malheur, toute cette mort. C'est inutile. Jess n'aurait pas dû mourir, et Lorraine n'aurait pas dû mourir.

J'avais éteint mon téléphone, ce jour-là. Juste une ou deux heures. L'anniversaire de Lorraine approchait et je me sentais déprimée. J'ai décidé de me prendre un bon bain chaud. Quand j'ai rallumé le portable, j'avais un message de Paul. D'abord, il s'excusait d'avoir été absent, il disait qu'il avait eu beaucoup à faire et à penser durant les derniers jours. Sa voix était plate. Sans vie. Avec le recul, je suppose que j'aurais dû avoir un mauvais pressentiment à ce moment-là. Il m'a demandé si je pouvais passer chez lui pour bavarder. Il disait qu'il ne bougerait pas de la journée.

J'ai essayé de le rappeler, mais je suis tombée directement sur son répondeur. Même si je n'avais aucune envie d'aller voir Paul, je me sentais coupable de ne pas l'avoir appelé après son absence aux dernières réunions des 277. Geoff gardait les petits chez Gavin, donc j'y suis allée seule.

En arrivant, j'ai sonné mais personne n'a répondu. J'ai essayé encore, puis j'ai réalisé que la porte était entrouverte. Quelque chose ne tournait pas rond, c'était évident, mais je suis entrée quand même.

Je l'ai trouvée dans la cuisine. Étendue de tout son

long sur le dos, près du frigo. Il y avait du rouge partout. Étalé sur les murs, le frigo et les autres appareils électroménagers. Au début, je n'ai pas voulu croire que c'était du sang. Mais l'odeur. C'est un truc qu'on ne dit pas dans les séries télé, les séries policières. À quel point ça sent mauvais, le sang. J'ai su aussitôt qu'elle était morte. Il faisait chaud dehors, et quelques grosses mouches bleues bourdonnaient déjà autour d'elle, lui couraient sur le visage et… là où… où il l'avait frappée… des blessures profondes, certaines jusqu'à l'os. Une mare de sang s'élargissait sous elle. Elle avait les yeux ouverts, fixés sur le plafond, et pleins de sang eux aussi.

J'ai été malade. Directement. J'ai vomi sur moi. Ensuite, je me suis mise à prier. J'avais l'impression d'avoir des blocs de béton autour des jambes. Croyant qu'un malade s'était introduit dans la maison pour attaquer Jess, j'ai tiré mon téléphone et appelé la police. Je ne sais toujours pas comment j'ai réussi à me faire comprendre.

Je venais de raccrocher quand j'ai entendu un coup sourd à l'étage. Ce n'est pas moi qui ai fait avancer mon corps. Je sais que ça ne veut rien dire. C'était comme si on me poussait en avant. Pour ce que j'en savais, l'agresseur de Jess pouvait encore être là.

J'ai monté l'escalier comme un robot. Je me suis cogné les orteils contre la marche du haut, mais je l'ai à peine senti.

Il était allongé sur le lit, blanc comme un linge. Des bouteilles d'alcool vide étaient éparpillées sur le tapis.

Au début, je l'ai cru mort. Puis il a gémi, ce qui m'a fait sursauter, et j'ai vu la boîte de somnifères qu'il tenait à la main ; la bouteille de Bells vide à côté de lui.

Il avait laissé un message sur la table de chevet, écrit en grosses lettres furieuses. Je ne réussirai jamais à me sortir ces mots-là de la tête. « Je devais le faire. C'était le SEUL MOYEN. Je devais arracher la puce de son corps pour qu'elle soit LIBRE. »

Je n'ai pas perdu connaissance mais je n'ai aucun souvenir de ce qui s'est passé entre ce moment-là et l'arrivée de la police. La voisine, la snob, m'a fait entrer chez elle. On voyait qu'elle était choquée elle aussi, bouleversée. Elle a été gentille avec moi, ce jour-là. Elle m'a préparé un thé, elle m'a aidée à me nettoyer, elle a appelé Geoff pour moi.

On m'a dit que Jessie avait dû mettre très longtemps à se vider de son sang. C'est le genre de chose qui me tourne sans arrêt dans la tête. Si seulement j'étais allée chez Paul plus tôt. Si seulement, si seulement, si seulement.

Et maintenant... ce n'est pas de la colère que j'éprouve envers lui mais de la pitié. Le père Jeremy dit que le pardon est le seul moyen d'aller de l'avant. Mais je ne peux pas m'empêcher de penser qu'il aurait mieux valu qu'il meure. Enfermé comme ça, dans un de ces établissements, quel avenir peut-il espérer ?

L'article suivant, écrit par le journaliste Daniel Mimura, fut publié dans le *Tokyo Herald en ligne*, le 7 juillet 2012.

Des Touristes Occidentaux pris pour cible par le Mouvement Orz

Hier après-midi, un car empli de touristes américains a été bombardé de seaux de peinture rouge et d'œufs lorsqu'il est entré sur le parking du sanctuaire Meiji, à Shibuya. Les coupables se sont enfuis avant l'arrivée de la police, mais on les a entendus crier « C'est pour Orz » en quittant les lieux. Nul n'a été blessé durant cet attentat, quoique plusieurs touristes aient été, dit-on, profondément choqués.

On rapporte également le harcèlement de plusieurs étudiants américains dans une boutique d'électronique, hier soir, à Akihabara, et une agression verbale contre un touriste anglais dans le parc Inokashira, quoique ces deux faits divers restent à confirmer.

On attribue ces incidents au Mouvement Orz, un groupe protestant contre l'assassinat de Hiro Yanagida, responsable d'avoir vandalisé à coups de graffitis plusieurs boutiques ou institutions religieuses occidentales. Le 24 juin, deux jours après le crime, le personnel d'entretien est arrivé à l'église de Tokyo Union, à Ometsando, voisine de l'emblématique magasin Louis Vuitton, pour découvrir un tag représentant un sac à main dégoulinant de sang près de l'entrée. Le même soir, un autre tag d'un homme en train de vomir est apparu sur les murs des deux fast-foods Wendy's de Tokyo et sur un McDonald's de Shinjuku, provoquant dégoût et hilarité. Une semaine plus tard, un homme masqué a été surpris par une caméra de sécurité en train de dégrader la plaque posée devant l'ambassade américaine.

Ces actes de vandalisme sont toujours signés ORZ. ORZ est une émoticône ou *emoji*, qui évoque une silhouette se tapant la tête par terre, signifie dépression ou désespoir, et s'est répandue sur des forums de *chat* tels que 2-channel.

Jusqu'ici, la police est impuissante à juguler ce comportement de plus en plus radical. Avec des signes ORZ qui surgissent dans de nombreuses villes à travers le Japon – jusqu'à Osaka –, tout porte à croire qu'il se propage rapidement.

Un porte-parole de l'organisation nationale du tourisme japonaise a déclaré que le Japon n'était pas une nation connue pour ses « manifestations violentes », et qu'il ne devait pas être jugé sur les actes d'une « minorité mal inspirée ».

Le Mouvement Orz s'est attiré le soutien d'une personnalité en vue et qui sait se faire entendre. Aikao Uri, la fondatrice du Culte de Hiro, très controversé mais qui compte de plus en plus de membres, a fait la déclaration suivante : « L'impardonnable assassinat de Hiro et le fait que le gouvernement des États-Unis ne se préoccupe pas de traduire les responsables en justice montrent à l'évidence qu'il nous faut couper les ponts sans tarder. Le Japon n'est pas un enfant qui a besoin de sa nounou américaine pour le protéger. J'applaudis l'action du Mouvement Orz. Il est honteux que notre gouvernement soit trop timoré pour suivre son exemple. » Contrairement à nombre de nationalistes radicaux, elle appelle à resserrer les liens avec la Corée et la République populaire de Chine, allant jusqu'à insister pour que réparation soit apportée pour les crimes de guerre japonais contre ces deux nations pendant la Seconde Guerre mondiale. Elle milite au premier rang pour l'abrogation de l'historique Traité de Coopération Mutuelle et de Sécurité entre le Japon et les États-Unis et le départ des troupes américaines cantonnées sur l'île d'Okinawa. Aikao Uri est l'épouse du politicien Masamara Uri, grand favori pour devenir le prochain Premier ministre.

Postface à la première édition

L'article suivant fut publié dans le *Tokyo Herald* du 28 juillet 2012

Les Restes de « Orz Man » découverts dans la *Jukai*

Chaque année, les volontaires de la préfecture de police de Yamanashi et les Rangers de Fujisan effectuent un quadrillage complet de la tristement célèbre forêt Aokigahara pour chercher les corps de ceux qui choisissent de mourir dans cette « mer d'arbres ». Cette année, plus de quarante cadavres ont été trouvés, dont les restes d'un homme que la police soupçonne d'être Ryu Takami (22 ans), devenu célèbre quand son récit de dévotion et de déchirement a enflammé l'imagination de la messagerie instantanée 2-channel. On pense que Takami (dit Orz Man) était en rapport avec Chiyoko Kamamoto (18 ans), la cousine du rescapé du vol Sun Air 678, Hiro Yamagida. Les deux jeunes gens avaient disparu le 22 juin 2012, après que Hiro et les parents de Chiyoko eurent été abattus par Jake Wallace, un soldat américain cantonné au Camp Courtney sur l'île d'Okinawa. Wallace s'était donné la mort sur les lieux de son crime. Les chaussures, le téléphone portable et le portefeuille de Chiyoko Kamamoto ont été découverts près du corps décomposé. On estime qu'elle a elle aussi mis fin à ses jours dans la forêt, quoique son corps n'ait pas encore été retrouvé.

Par une étrange ironie du sort, le cadavre a été mis au jour par Yomijuri Miyajima (68 ans), le bénévole qui avait découvert Hiro Yanagida sur le site de la catastrophe le 12 janvier 2012. Miyajima, qui affirme avoir été bouleversé en apprenant le décès prématuré de l'enfant, est tombé sur le corps partiellement décomposé en fouillant les environs de la caverne de glace.

La disparition de Takami avait déclenché les manifestations antiaméricaines qui se poursuivent encore aujourd'hui, de plus en plus violentes, avec pour fers de lance le Mouvement Orz et le Culte de Hiro. Les autorités craignent que la découverte du cadavre n'enflamme une situation d'ores et déjà explosive.

Le journaliste Vuyo Molefe assistait à la conférence de presse donnée par la branche sud-africaine de la Ligue Rationaliste le 30 juillet 2012 à Johannesburg. Suivez-le sur @Vmtruthhurts

Vuyo Molefe @Vmtruthhurts
On a encore vérifié mes papiers à l'entrée du palais des congrès de Joburg. Ça fait trois fois. #chilloutwerenotterrorists

Vuyo Molefe @Vmtruthhurts
Beaucoup de spéculations dans l'air. La rumeur circule que Veronica Oduah va prendre la parole.

Vuyo Molefe @Vmtruthhurts
@melanichampa Sais pas. Suis là depuis une heure. Si tu viens, apporte du café et des beignets STP.

Vuyo Molefe @Vmtruthhurts
ENFIN. La porte-parole de la Ligue Rationaliste d'AS, Kelly Engels, apparaît. Elle attaque sur les élections américaines toutes proches.

Vuyo Molefe @Vmtruthhurts
KE s'inquiète du soutien croissant à la droite religieuse sur Internet – ça pourrait avoir des conséquences mondiales.

Vuyo Molefe @Vmtruthhurts
Rumeur exacte. Veronica Oduah est ici ! Elle fait plus que ses 57 ans. Il faut la soutenir jusqu'à la tribune.

Vuyo Molefe @Vmtruthhurts
VO très nerveuse. Sa voix vacille. Elle dit être là pour se confesser. Un hoquet monte de la foule. Cela ne peut vouloir dire qu'une seule chose.

Vuyo Molefe @Vmtruthhurts
VO : « Ce n'est pas mon neveu. Ils l'ont gardé en lieu sûr, loin de moi, pendant des semaines. Je le leur ai dit la première fois que je l'ai vu. »

Vuyo Molefe @Vmtruthhurts
VO : « Ils m'ont proposé de l'argent pour que je me taise mais je n'en ai pas voulu. » Elle dit que le cousin du père de K. a pris le fric, lui.

Vuyo Molefe @Vmtruthhurts
Journ. BBC : « Qui vous a proposé de l'argent ? » VO : « Des Américains. Je ne connais pas leur nom. »

Vuyo Molefe @Vmtruthhurts
Gros brouhaha dans la salle. Kelly Engels : « ... avons aussi la preuve, par une source dans le labo de Jozi[1], que l'ADN mitochondrial de Ken ne correspond pas. »

---

1. Comme Joburg ou J'burg, Jozi est un surnom populaire de Johannesburg.

Vuyo Molefe @Vmtruthhurts

Source elle aussi soudoyée pour se taire. Dit que le gouvernement d'AS et la droite religieuse sont de mèche. #surprisesurprisecorruptionagain

Vuyo Molefe @Vmtruthhurts

Et un autre invité surprise ! Un journ. du Zimbabwe, près de moi, dit qu'on s'amuse encore plus qu'au procès pour corruption de Mzobe, le ministre des Transports.

Vuyo Molefe @Vmtruthhurts

Nouvelle intervenante, une femme de Cap-Oriental – Lucy Inkatha. Elle affirme que « Kenneth » est son petit-fils, Mandla.

Vuyo Molefe @Vmtruthhurts

LI : « Mandla s'est enfui de la maison pour rejoindre son père au Cap. À 8 ans, il a de graves difficultés d'apprentissage. »

Vuyo Molefe @Vmtruthhurts

Kelly Engels : « Nous travaillons tous à ramener Mandla chez lui au plus vite. »

Vuyo Molefe @Vmtruthhurts

Veronica Oduah : « C'est difficile mais je dois accepter que Kenneth est mort. » Plusieurs journalistes bouleversés.

Vuyo Molefe @Vmtruthhurts

KE : « À présent qu'on sait la vérité, la duplicité des politiciens va éclater au grand jour. »

Vuyo Molefe @Vmtruthhurts

KE : « J'aimerais remercier tous ceux qui ont eu le courage de s'avancer et de dire la vérité. »

Vuyo Molefe @Vmtruthhurts

RT **@kellytankgrl** ENFIN un peu de bon sens dans ce bordel #dontletthebastardswin

Vuyo Molefe @Vmtruthhurts

RT **@brodiemermaid** Les communicants de la d. rel. vont avoir besoin d'un nouveau miracle pour s'en sortir #dontletthebastardswin

Vuyo Molefe @Vmtruthhurts

Ici, il y a un vrai tumulte. On attend la réaction des adeptes de la Fin des Temps. Est-ce que ça pourra influencer leur majorité ? #dontletthebastardswin

Note de l'éditeur : postface à l'édition spéciale anniversaire

Quand l'agente d'Elspeth Martins m'a proposé *Du Crash au Complot*, début 2012, j'ai été immédiatement intrigué. J'avais lu et aimé le premier livre d'Elspeth, *Brisés,* et je savais que, si quelqu'un pouvait porter un regard nouveau sur les événements entourant le Jeudi Noir et les Trois, c'était bien elle. Comme son travail prenait forme, il est devenu clair que nous tenions une œuvre remarquable. Nous avons donc décidé d'accélérer la sortie du livre, choisissant de le publier début octobre, avant l'élection majeure de 2012.

Au bout d'une semaine, il a fallu réimprimer, la semaine suivante aussi, et ainsi de suite. À ce jour, malgré la récession mondiale et la baisse massive des ventes de livres en général, plus de quinze millions d'exemplaires ont été vendus. Et personne – surtout pas Elspeth – n'aurait pu prévoir le tollé qu'allait provoquer cette publication.

Alors, pourquoi une édition anniversaire ? Pourquoi rendre à nouveau disponible, en ces temps profondément troublés, un livre que la Ligue Rationaliste a déclaré « incendiaire et dangereux » ?

En dehors de la raison la plus évidente – l'ouvrage présente un intérêt culturel et historique, puisqu'il a sans aucun doute influencé l'élection présidentielle américaine de 2012 –, nous avons obtenu les droits de reproduire des documents inédits passionnants qui composent l'appendice de cette édition. Nombre de lecteurs savent que, le jour du deuxième anniversaire du Jeudi Noir, Elspeth Martins a disparu. Voici les faits : après s'être rendue au Japon, elle a quitté son hôtel de Roppongi, Tokyo, le 12 janvier 2014 au matin. Nous ne pouvons que supputer la suite, car l'enquête sur ses derniers déplacements a été entravée par les tensions de plus en plus fortes dans la région. Il semble que ses cartes de crédit et son téléphone portable n'aient pas été utilisés après cette date. En revanche, un livre autopublié, *Histoires inédites du Jeudi Noir et au-delà,* signé E. Martins, est apparu sur Amazon en octobre 2013. Les spéculations vont bon train : l'auteur en est-il Elspeth en personne ou bien un imposteur désireux de capitaliser sur le succès de *DCAC* ?

Pour cette édition anniversaire, nous avons reçu la permission de l'ex-compagne d'Elspeth, Samantha Himmelman, de publier ci-dessous son dernier courrier connu.

Elspeth, si vous lisez ceci, contactez-nous, s'il vous plaît.

Jared Arthur
Directeur littéraire
Jameson & White, New York
(Janvier 2015)

POUR : <Samantha Himmelman> **samh56@ajbrooksideagency.com**
DE : <Elspeth Martins> **elliemartini@fctc.com**
SUJET : Lis, s'il te plaît
12 janvier 2014 07 : 14

Sam,

Je sais que tu m'as demandé de ne plus te contacter, mais il me semble important de t'envoyer ceci le jour du deuxième anniversaire du Jeudi Noir, d'autant plus que je dois me rendre demain dans la forêt Aokigahara. Daniel – mon contact à Tokyo – essaie désespérément de m'en empêcher, mais je suis déjà allée trop loin pour ne pas aller jusqu'au bout. Et, sans tomber dans le mélo, ceux qui vont dans cette forêt ont pour habitude de ne pas en ressortir, non ? Ne t'en fais pas : ceci n'est pas une note de suicide. Je ne sais pas trop ce que c'est. Je me dis sans doute que je mérite une chance de corriger mes erreurs et qu'il faut que quelqu'un sache pourquoi je suis ici.

Tu me juges sans doute folle de me trouver au Japon en ce moment, avec le spectre de la triple alliance asiatique à l'horizon, mais la situation ici est moins dramatique qu'on le dit. Je n'ai remarqué aucune hostilité de la part des douaniers ni des gens dans le hall des Arrivées de l'aéroport. Juste de l'indifférence. Cela dit, mon hôtel du « secteur occidental », naguère un palace Hyatt – hall de marbre immense, escaliers créés par des décorateurs –, a gravement périclité. D'après un Danois avec qui j'ai échangé quelques mots devant le guichet de l'immigration, les hôtels attribués aux Occidentaux sont désormais gérés par des Brésiliens qui ont un visa limité et gagnent un salaire de misère – donc aucune raison de s'intéresser le moins du monde au confort de leurs clients. Un seul des ascenseurs fonctionne, plusieurs ampoules électriques des couloirs sont grillées (j'ai franchement eu peur en gagnant ma chambre) et je crois qu'on ne s'est pas soucié d'aspirer la moquette depuis des mois. La chambre pue le tabac froid et il y a des moisissures noires sur les carreaux de la cabine de douche. Côté positif, les toilettes – un truc de SF, avec une lunette chauffante – fonctionnent comme un charme (merci la technologie japonaise).

Bref, je ne t'écris pas pour me plaindre de mon hôtel : passe à la pièce jointe. Je ne peux pas t'obliger à lire, je ne saurai jamais si tu n'as pas tout effacé après avoir vu le titre. Je sais que tu ne vas pas me croire mais, malgré tous les copier-coller et les transcriptions qu'il contient (tu me connais, je suis une femme d'habitudes), je te jure que je n'ai pas l'intention d'utiliser ça pour un autre livre – du moins plus maintenant. J'en ai terminé avec tout ça.

XX

Lettre à Sam.docx
50k Ouvrir Enregistrer sous

11 janvier, 18 heures Roppongi Hills, Tokyo

Sam, j'ai tant de choses à te dire que je ne sais par où commencer. Puisque je n'ai aucune chance de fermer l'œil cette nuit, je pense que je vais commencer par le début et voir jusqu'où je peux aller avant de tomber.

Écoute, tu crois que j'ai « fui » Londres l'année dernière pour échapper aux attaques qui me visaient depuis la sortie du bouquin, je le sais, et c'est en partie vrai. Les Rationalistes et tous ceux qui me haïssent m'envoient encore aujourd'hui des e-mails m'accusant d'être seule responsable de l'élection d'un dominioniste à la Maison Blanche – et tu es sans aucun doute persuadée que je mérite ce qui m'arrive. Ne t'en fais pas, je ne vais pas essayer de me défendre ni sortir ma vieille excuse selon laquelle l'intégralité de *Du Crash au Complot* (ou, comme tu insistais pour l'appeler, *Du Caca aux Fachos*) provenait d'archives publiques. Je tiens à ce que tu saches que je me sens coupable de ne pas t'avoir montré le manuscrit définitif ; qu'il ait été envoyé à l'imprimerie dès la fin des interviews avec Kendra

Vorhees, Geoffrey et Mel Moran ne constitue pas une excuse.

Incidemment, en août, il y a eu une nouvelle salve de commentaires à une étoile sur Amazon. Tu devrais aller voir – je sais le plaisir que tu prends à les lire. Celui-ci m'a attiré l'œil, sans doute parce qu'il fait preuve d'une retenue inhabituelle et que sa syntaxe est correcte.

44 internautes sur 65 ont trouvé ce commentaire utile

1.0 étoiles sur 5 **Pour qui se prend Elspeth Martins ????**, 22 août 2013

Par zizekstears (Londres, GB) – Voir tous mes commentaires

Ce commentaire fait référence à cette édition : Du Crash au Complot (Format Kindle)

J'avais entendu parler de la controverse provoquée l'année dernière par ce livre soi-disant « documentaire » mais je l'avais supposée exagérée. Il semble que la droite religieuse en ait cité des passages à la fin de sa campagne électorale afin de « prouver » que les Trois n'étaient pas simplement des enfants normaux souffrant de TSPT.

Je ne m'étonne pas que la Ligue Rationaliste américaine soit tombée à bras raccourcis sur l'auteur. Ms Martins a encadré et découpé chaque interview ou extrait d'une manière délibérément manipulatrice et sensationnaliste. (Des yeux qui saignent ?????? Et ces atroces mièvreries sur le vieux monsieur sénile.) Elle n'a aucun respect pour les familles des enfants ni des passagers morts tragiquement lors du Jeudi Noir.

AMHA Ms Martins n'est qu'une minable émule de Studs Terkel. Elle devrait avoir honte de publier un torchon pareil. Je n'achèterai plus jamais aucun de ses livres.

Aïe !

Mais les retombés du livre ne sont pas la seule raison de mon départ. En fait, j'ai décidé de foutre le camp des États-Unis le jour du massacre du comté de Sannah – quarante-huit heures après que tu m'as jetée dehors en me disant de ne plus te contacter. J'ai d'abord vu les films aériens du ranch – les corps éparpillés partout, noirs de mouches, le sang dans la poussière – dans l'anonymat d'un Comfort Inn, qui me paraissait assez indiqué pour me terrer et lécher mes blessures. Je zappais en faisant le tour des mignonnettes du minibar quand la nouvelle est tombée. Comme j'étais bourrée, je n'ai pas compris tout de suite ce que je voyais sur CNN. J'ai carrément vomi quand j'ai lu le commentaire qui défilait en bas de l'écran : « Suicide collectif dans le comté de Sannah. 33 victimes dont cinq enfants. »

Je suis restée figée des heures, à regarder les journalistes se bousculer pour mieux voir derrière le portail de l'enceinte, et lancer à la caméra des variations sur le thème : « Libéré sous caution alors qu'il attendait d'être jugé pour incitation à la violence, le pasteur Len Vorhees a rejoint ses fidèles, et tous ont tourné contre eux-mêmes les armes qu'ils avaient amassées... » Tu as vu l'interview de Reba, la meilleure ennemie de Pamela May Donald ? Je ne l'avais jamais rencontrée en personne, comme tu le sais, mais, à sa voix, je l'avais toujours imaginée grosse et permanentée. Ça m'a fait un drôle d'effet de la découvrir en fait maigrichonne, avec une natte grise sur l'épaule. Interviewer Reba avait été un cauchemar – elle n'arrêtait pas de digresser à propos des « Islamofascistes » et de ses activités de préparation à la catastrophe –, mais je l'ai vraiment plainte à ce moment-là. Comme les autres membres de l'ex-cercle intérieur du pasteur Len, elle pense que ce dernier et ses Pamélistes estimaient devenir des martyrs en marchant sur les traces de Jim Donald. « Je prie chaque jour pour le repos de leur âme. » On voyait dans ses yeux que leur mort la hanterait jusqu'à la fin de ses jours.

Ce n'est pas amusant à admettre mais, compassion pour Reba mise à part, il ne m'a pas fallu longtemps pour m'inquiéter des conséquences que le massacre du comté de Sannah aurait sur moi personnellement. Le suicide collectif des Pamélistes me vaudrait à coup sûr une nouvelle vague de questions et de lettres de journaleux m'implorant de les mettre en relation avec Kendra Vorhees. Ça n'aurait pas de fin. Ce qui m'a fait vraiment péter les plombs, je crois, c'est le discours de Reynard à la nation, avec ses faux airs d'acteur de cinéma pour en rajouter dans la dévotion :

— Le suicide est un péché, mais nous devons prier pour ceux qui sont tombés. Nous devons voir en leur acte le signe qu'il nous faut travailler ensemble, pleurer ensemble, nous efforcer ensemble de créer une Amérique morale.

Il n'y avait plus rien pour me retenir aux États-Unis. Je les laissais à Reynard, à Lund, aux Apocalyptiques et aux enculés d'industriels qui les ont soutenus. Tu ne peux pas m'en vouloir, Sam. Notre relation était brisée, nos amis étaient fâchés contre moi (soit pour avoir publié *DCAC*, soit pour m'être apitoyée sur mon sort quand on me l'a reproché) et ma carrière avait implosé. J'ai pensé aux étés que je passais chez mon père, à Londres, et décidé que je ne serais pas plus mal en Angleterre qu'ailleurs.

Mais il faut que tu me croies, Sam : j'étais convaincue que le rêve de Reynard d'une nation gouvernée par la loi biblique n'était que cela : un rêve. Oui, je savais que la campagne « Pour une Amérique Morale » de Reynard et Lund rassemblerait les factions fondamentalistes disparates, mais je te jure que j'avais sous-estimé la vitesse à laquelle le mouvement se répandrait. (Je suppose que ç'a été dû en partie au tremblement de terre de la province de Gansu – un autre SIGNE de la colère de Dieu.) Si j'avais su que la peur instillée par Reynard infesterait les États violets en plus des rouges[1], et l'ampleur que ça prendrait, je ne serais pas partie sans toi.

Assez d'excuses.

Donc.

J'ai échangé mon hôtel de l'East Side pour un appartement à Notting Hill. Le quartier me rappelait Brooklyn Heights : un mélange d'actifs pressés, aux cheveux lustrés, de hipsters et, de temps en temps, un clochard pour fouiller dans les poubelles. Mais je n'avais absolument pas réfléchi à ce que je *ferais* à Londres. Écrire la suite de *dcac* était bien sûr hors de question. Je n'arrive pas à croire que j'étais cette femme tellement excitée à l'idée de publier *Les Histoires cachées du Jeudi Noir*. Des interviews des proches des victimes (la femme du commandant Seto et Kelvin des 277 Ensemble, par exemple), un article sur les réfugiés du Malawi toujours à la recherche des membres de leur famille disparus à Khayelitsha ; un exposé sur la nouvelle vague de faux Kenneth qui a surgi après la débâcle de Mandla Inkatha.

Les premières semaines, j'ai glandé, me nourris-

1. Traditionnellement, sur les cartes électorales, les bastions républicains sont représentés en rouge et les bastions démocrates en bleu, les États violets étant ceux où règne l'alternance.

sant exclusivement de plats thaï et de Stolichnaya. Je n'adressais la parole à personne, à part au caissier de l'épicerie et au livreur du traiteur thaïlandais. Je m'efforçais de me transformer en *hikikomori,* comme Ryu. Et, quand je sortais, j'essayais de contrefaire mon accent. Les Britanniques ne comprenaient pas que Reynard ait remporté l'élection après le scandale de Kenneth Oduah – et la dernière chose dont j'avais envie, c'était de me laisser entraîner dans des discussions politiques sur le thème de l'échec de la démocratie. Les Anglais croyaient sans doute qu'on avait appris la leçon après le mandat de Blake. On le croyait tous.

J'essayais d'éviter les infos, mais j'ai vu des images des manifestations anti-loi biblique à Austin sur MindSpark. Bon sang, ça faisait peur. Des arrestations par dizaines. Des lacrymos. Les brigades antiémeutes. Je savais, pour t'avoir épiée sur Twitter (je n'en suis pas fière, d'accord ?) que tu étais allée rejoindre le contingent de la Ligue Rationaliste au Texas avec *Sisters Together Against Conservatism*, et je n'ai pas dormi pendant deux jours. Finalement, j'ai appelé Kayla – j'avais besoin de te savoir saine et sauve. Est-ce qu'elle te l'a dit ? Quoi qu'il en soit, je t'épargne les détails de l'isolement que je me suis imposé à Londres et je passe directement à ce que tu appellerais « les morceaux juteux ».

Quelques semaines après les émeutes d'Austin, j'allais à l'épicerie quand un gros titre du *Daily Mail* m'a attiré l'œil : « Projet de Commémoration dans la Maison du Crime ». D'après l'article, un employé du conseil municipal proposait que la maison de Stephen et Shelly Craddock – où Paul avait poignardé Jess – soit changée en un lieu commémoratif du Jeudi Noir. Quand je m'étais rendue au Royaume-Uni pour rencontrer mes éditeurs anglais et interviewer Marilyn Adams, j'avais évité de la visiter. Je ne voulais pas de cette image-là dans ma tête. Le lendemain de la parution de cet article, pourtant, je me suis retrouvée sur un quai glacial et j'ai pris un train en retard pour Chislehurst. Je me disais que c'était ma dernière chance de voir la maison avant qu'elle ne subisse le traitement Monuments Historiques. Mais ce n'était pas seulement ça. Tu te rappelles, Mel Moran disait qu'elle n'avait pas pu s'empêcher de monter dans la chambre de Paul, alors même qu'elle savait que c'était une mauvaise idée ? C'est exactement ce que j'ai ressenti : que j'étais obligée d'y aller. (Je sais, ça fait con, on dirait du Paulo Coelho, mais c'est pourtant vrai.)

La maison se dressait dans une rue bordée de manoirs en miniature rutilants, avec ses fenêtres condamnées, ses murs maculés de peinture rouge sang et de graffitis « Attention le DIABLE habite ici ». L'allée était envahie par la mauvaise herbe et une pancarte « à vendre » tristement plantée de guingois près du garage. Le plus troublant, c'était le mini-sanctuaire de jouets moisis empilés devant la porte d'entrée. J'ai remarqué plusieurs figurines *My little pony* – certaines encore dans leur emballage – étalées sur le perron.

J'envisageais d'escalader le portail verrouillé du jardin quand j'ai entendu une voix crier :

— Ohé !

Une femme bien charpentée, aux sévères cheveux gris, qui tenait en laisse un petit chien âgé, remontait la rue à grands pas.

— Vous êtes sur une propriété privée, ma jeune amie.

Je l'ai reconnue aussitôt : je l'avais vue sur les photos des obsèques de Jess. Elle n'avait pas changé d'un iota.

— Madame Ellington-Burn ?

Elle a hésité puis carré les épaules. Malgré son attitude militaire, elle avait quelque chose de mélancolique. On aurait dit un général mis à la retraite avant l'heure.

— Qui êtes-vous ? Encore une journaliste ? Vous ne pourriez pas nous laisser tranquilles ?

— Je ne suis pas journaliste. Je ne le suis plus, en tout cas.

— Vous êtes américaine.

— Oui.

Je l'ai rejointe. Le petit chien s'est laissé tomber à mes pieds. Quand je lui ai grattouillé les oreilles, il m'a regardée de ses yeux voilés par la cataracte. Il ressemblait à Snookie (autant par l'aspect que par l'odeur), ce qui m'a rappelé Kendra Vorhees (la dernière fois que j'avais eu de ses nouvelles – juste après le massacre du comté de Sannah –, elle m'avait dit avoir changé de nom et envisager de rejoindre une communauté végétarienne dans le Colorado).

Les yeux de Mme Ellington-Burn se sont étrécis.

— Attendez... je vous connais, non ?

J'ai maudit la photo géante que le service marketing avait collée au dos de *DCAC*.

— Je ne crois pas.

— Si. C'est vous qui avez écrit ce bouquin. Ce bouquin sinistre. Qu'est-ce que vous voulez ?

— J'étais juste curieuse de voir la maison.

— Curiosité malsaine, hein ? Vous devriez avoir honte de vous.

Je n'ai pas pu m'empêcher de demander :

— Voyez-vous encore Paul ?

— Qu'est-ce que ça peut vous faire ? Maintenant, fichez le camp avant que j'appelle la police.

Il y a un an, j'aurais attendu qu'elle rentre chez elle et fouiné un peu plus. Au lieu de ça, je suis partie.

Une semaine plus tard, mon téléphone a sonné – ce qui était un événement : les seules personnes à connaître mon nouveau numéro étaient Madeleine, ma future ex-agente, et les démarcheurs. J'ai été complètement désarçonnée quand le type à l'autre bout du fil s'est présenté comme Paul Craddock. (J'ai découvert plus tard que le nouvel assistant de Madeleine avait été séduit par son accent anglais distingué au point de lui donner mon numéro.) Il m'a dit que Mme E.-B. l'avait averti de ma présence à Londres, puis il m'a confié sur un ton badin qu'un de ses psychiatres, en une manœuvre assez controversée, l'avait encouragé à lire *DCAC*, afin de l'aider à « accepter ce qu'il avait fait ». Et, Sam, cet homme – qui, ne l'oublions pas, a poignardé sa nièce à mort – paraissait tout à fait sain d'esprit, cohérent et même spirituel. Il m'a donné des nouvelles de Mel et Geoff Moran (partis s'installer au Portugal pour être plus près de la tombe de Lorraine) et de Mandi Solomon, son nègre littéraire, désormais membre d'une secte apocalyptique dissidente dans les Cotswolds.

Il m'a proposé de faire une demande de visite afin que nous puissions bavarder face à face.

J'ai accepté d'aller le voir. Évidemment. J'étais en pleine dépression, en pleine crise d'apitoiement sur mon sort, j'étais venue à Londres pour échapper aux conséquences de ce foutu livre, mais aurais-je pu laisser passer cette occasion ? Ai-je besoin d'expliquer pourquoi je l'ai saisie au vol, Sam ? Tu me connais assez.

Cette nuit-là, j'ai réécouté ses enregistrements. (J'admets que ça m'a fait peur ; j'ai dû laisser la lumière de la chambre allumée.) Je me suis repassé encore et encore la voix de Jess qui disait « Coucou, tonton Paul », essayant de détecter dans sa voix autre chose que de l'amusement. Je n'ai pas pu. D'après Google Images, Kent House – l'hôpital psychiatrique de haute sécurité où est incarcéré Paul – était un monolithe austère de pierre grise. Je n'ai pu m'empêcher de penser que les asiles de fous (je sais, ce n'est pas le terme politiquement correct) ne devraient pas avoir le droit d'être aussi stéréotypés, d'avoir autant l'air de sortir d'un livre de Dickens.

J'ai dû m'engager par écrit à ne rien publier des détails de mon entretien avec Paul. L'autorisation de visite délivrée par la police m'est parvenue le dernier jour d'octobre – Halloween, le jour même où Reddit a lancé la rumeur que Reynard projetait d'abroger le Premier Amendement. J'évitais toujours SKY et CNN mais je ne pouvais pas ignorer les panneaux d'affichage des journaux. Je me rappelle m'être demandé comment tout pouvait se déliter aussi vite. Même alors, je n'aurais pu croire que Reynard obtiendrait les deux tiers de majorité au Congrès dont il avait besoin. Je pensais qu'il suffirait de faire le dos rond pendant son mandat et s'occuper des retombées après l'élection suivante. J'étais con, je sais. À ce moment-là, l'Église catholique et les Mormons avaient apporté leur soutien à la campagne « Pour une Amérique Morale ». Même un crétin aurait vu où ça allait mener.

J'ai décidé de m'offrir un taxi plutôt que de jouer à la roulette russe avec les chemins de fer, et je suis arrivée juste à l'heure à mon rendez-vous. Kent House était aussi impressionnant en vrai que sur Google Images. Un ajout récent, une verrue en brique et en verre collée au bâtiment, réussissait à rendre l'ensemble encore plus intimidant. Après avoir été fouillée et passée au scanner par deux gardiens à la bonne humeur incongrue, j'ai été escortée dans la verrue par un infirmier jovial à la peau aussi grise que ses cheveux. Je m'étais imaginée rencontrer Paul au fond d'une cellule sombre, avec des barreaux aux fenêtres, entourée de deux geôliers patibulaires et plusieurs psychiatres chargés d'observer nos moindres gestes. Au lieu de cela, j'ai franchi une porte vitrée pour pénétrer dans une pièce spacieuse meublée de chaises aux couleurs tellement vives qu'elles aussi paraissaient folles. L'infirmier m'a appris qu'il n'y aurait pas d'autres visites ce jour-là – apparemment, le service de bus menant à l'institution avait été suspendu pour l'après-midi. Cela arrivait souvent. Le Royaume-Uni n'était pas immunisé contre la récession induite par les interventions de Reynard au Moyen-Orient. Je dois dire toutefois qu'il y a eu une admirable absence de grogne quand le rationnement de l'électricité et du fuel a été proposé ; peut-être que la fin du monde fait aux Anglais l'effet du Prozac.

[Sam – je n'ai pas pu enregistrer notre conversation, puisque j'avais dû laisser mon iPhone à l'entrée, donc je te la raconte de mémoire. Je sais que ce genre de détail ne t'intéresse pas, mais moi si.]

La porte à l'autre bout de la pièce s'est ouverte en cliquetant et un homme atteint d'obésité morbide, vêtu d'un T-shirt aussi vaste qu'une tente et portant un sac Tesco est entré en se dandinant. L'infirmier l'a appelé.

— Tout va bien, Paul ? Votre visiteuse est là.

J'ai d'abord supposé qu'il y avait erreur.

— C'est Paul ? Paul Craddock ?

— Bonjour, mademoiselle Martins, a dit l'intéressé

de la même voix que celle des enregistrements. C'est un plaisir de vous rencontrer.

J'avais regardé les vidéos de Paul, acteur, sur YouTube juste avant de partir, et je cherchais en vain une trace de sa beauté classique dans ses bajoues pendantes et ses joues pâteuses. Seuls les yeux étaient les mêmes.

— Appelez-moi Elspeth.

— Très bien, Elspeth.

Nous nous sommes serré la main. La sienne était moite ; j'ai résisté à l'envie de m'essuyer sur mon pantalon.

L'infirmier a tapoté l'épaule de Paul et désigné d'un signe de tête un petit espace vitré, à quelques mètres de notre table.

— Je reste là.

— Merci, Duncan.

La chaise de Paul a grincé quand il s'est assis.

— Ah ! Avant que j'oublie.

Il a tiré de son sac en plastique un exemplaire de *DCAC* et un feutre rouge.

— Vous voulez bien me le dédicacer ?

Sam, nous quittions le bizarre pour le surréaliste.

— Euh, bien sûr. Que voulez-vous que je marque ?

— Pour Paul, sans qui je n'aurais rien pu faire.

Comme je sursautais, il a éclaté de rire.

— Ne faites pas attention. Marquez ce que vous voulez.

J'ai griffonné « Meilleurs vœux, Elspeth » et poussé le livre vers lui.

— Je vous prie d'excuser mon physique, a-t-il repris. Je me transforme en pudding. Il n'y a pas grand-chose à faire ici, à part manger. Ça vous choque que je me sois autant laissé aller ?

J'ai marmonné que quelques kilos en trop n'étaient

pas la fin du monde ou quelque chose comme ça. J'avais les nerfs en pelote. Paul ne ressemblait en aucun cas à un fou furieux et il ne se conduisait pas comme tel. (Je ne sais pas trop ce que je m'étais attendue à trouver, peut-être un forcené en camisole de force, les yeux exorbités.) Mais, s'il pétait brusquement les plombs, bondissait par-dessus la table et essayait de m'étrangler, il n'y avait qu'un infirmier chétif pour l'en empêcher.

Paul a lu dans mes pensées.

— L'absence de surveillance vous étonne. Il y a eu des réductions de personnel. Mais ne vous en faites pas : Duncan est ceinture noire de karaté. N'est-ce pas, Duncan ?

Il a adressé un signe de la main à l'infirmier, qui a gloussé et secoué la tête.

— Qu'est-ce que vous faites à Londres, Elspeth ? Votre agente m'a dit que vous y viviez. Vous avez quitté les États-Unis à cause du regrettable climat politique ?

J'ai répondu que c'était une des raisons.

— Je ne peux pas vous le reprocher. Si ce connard, à la Maison Blanche, obtient ce qu'il veut, vous serez bientôt tous soumis au Lévitique. Les homos et les enfants désobéissants sont lapidés à mort, les femmes ayant leurs règles et les acnéiques mis à l'écart. Charmant. Ça me console presque d'être ici.

— Pourquoi avez-vous voulu que je vienne, Paul ?

— Comme je vous l'ai dit au téléphone, j'ai appris que vous étiez en Angleterre. J'ai pensé qu'il serait agréable de vous voir face à face. Le docteur Atkinson a admis que rencontrer un de mes biographes pourrait me faire du bien. (Il a éructé dans sa main.) C'est lui qui m'a donné votre livre. Et il est agréable de voir de nouvelles têtes ici. Mme E.-B.

vient une fois par mois mais il lui arrive d'être un peu pénible. Oh, ce n'est pas que je manque de demandes de visites. (Il jette un coup d'œil à l'infirmier dans sa guérite.) Parfois, j'en ai jusqu'à cinquante par semaine. La plupart viennent de cinglés conspirationnistes, bien sûr, mais j'ai aussi une bonne quantité de demandes en mariage. Pas autant que Jurgen mais pas loin.

— Jurgen ?

— Oh, vous avez sûrement entendu parler de Jurgen Williams. Il est ici aussi. Il a assassiné cinq écoliers, mais on ne le dirait jamais, à le voir. En fait, il est assez ennuyeux.

Je ne savais absolument pas quoi répondre à ça.

— Elspeth, quand vous avez étudié mon histoire pour le livre... avez-vous écouté les enregistrements originaux ou juste lu les transcriptions ?

— Les deux.

— Et ?

— Ça m'a fait peur.

— Une psychose, ce n'est pas joli. Vous devez avoir beaucoup de questions à me poser. Vous pouvez me demander ce que vous voulez.

Je l'ai pris au mot.

— N'hésitez pas à m'arrêter si je vais trop loin mais... que s'est-il passé durant les derniers jours de Jess ? Vous a-t-elle dit quelque chose qui vous a poussé à... à...

— À la poignarder ? Vous pouvez en parler. Ce sont les faits. Mais non. Elle n'a rien dit. Mon acte est impardonnable. On me l'avait confiée et je l'ai tuée.

— Dans vos enregistrements, vous affirmez qu'elle vous narguait.

— Illusions paranoïaques. (Il a froncé le sourcil.) Tout dans ma tête. Jess n'avait rien de bizarre. C'était seulement moi. Le docteur Atkinson me l'a bien expliqué. (Il a jeté un nouveau coup d'œil à l'infirmier.) J'ai eu une crise psychotique provoquée par l'abus d'alcool et le stress. Point final. Vous pouvez mettre ça dans votre prochain livre. Puis-je vous demander une faveur, Elspeth ?

— Bien sûr.

Il a encore fouillé dans le sac en plastique, cette fois pour en extraire un mince cahier relié.

— J'écris un peu. Ce n'est pas grand-chose… un peu de poésie. Vous voulez bien lire ça et me dire ce que vous en pensez ? Votre éditeur serait peut-être intéressé.

J'ai décidé de ne pas l'informer que je n'avais plus d'éditeur, même si je soupçonnais que l'ancien bondirait sur la chance de publier les poèmes d'un célèbre assassin d'enfant. Au lieu de cela, j'ai répondu que j'en serais ravie et nous nous sommes à nouveau serré la main.

— Assurez-vous bien de tout lire.

— Je n'y manquerai pas.

Je l'ai regardé s'éloigner de son pas chaloupé, puis l'infirmier à la peau grise m'a escortée jusqu'à l'entrée. J'ai lu le cahier dans le taxi qui me ramenait chez moi. Les trois premières pages étaient occupées par de courts poèmes affligeants, avec des titres tels que *Les Rêves de Cavendish* (Lire une réplique/Pour la vingtième fois/Me fait penser/Que nous sommes tous acteurs) et *Prison de chair* (Je mange pour oublier/Ça me fait l'âme suer/Je crois… quand donc/Dirai-je non ?).

Les autres pages étaient blanches mais sur la troisième de couverture on pouvait lire :

Jess voulait que je le fasse. Elle m'a poussé à le faire. Avant de partir elle a dit qu'ils étaient déjà venus et que parfois elle décide de ne pas mourir. Elle a dit que parfois ils donnent aux gens ce qu'ils veulent, parfois non. Demandez aux autres. ils savent.

Qu'est-ce que tu aurais fait de ça, Sam ? Te connaissant, tu aurais aussitôt contacté le psychiatre de Paul pour lui dire que ce dernier était encore en pleine crise psychotique.

Ç'aurait été la chose à faire.

Mais je ne suis pas toi.

Après la sortie de *DCAC*, je m'étais parfois demandé si je n'étais pas seule au monde à penser que les Trois n'avaient rien de surnaturel (à défaut d'un mot plus approprié). J'ai perdu le compte du nombre de barjos qui m'ont implorée de faire la pub de leur bouquin autoédité racontant que les enfants ont survécu et sont élevés en Nouvelle-Zélande par une Maorie/subissent des expériences dans une base militaire secrète du Cap/fréquentent des extraterrestres à la base de l'armée de l'air de Dulce, au Nouveau Mexique (« J'ai les preuves, mademoiselle Martins !!!! Pourquoi est-ce que le monde partirait encore à vau-l'eau, sinon ???? ») Et puis il y a tous les sites conspirationnistes qui utilisent des citations ou des extraits de *DCAC* pour « prouver » que les Trois étaient possédés par des extraterrestres, ou bien des voyageurs du temps multidimensionnels. (Les extraits qui les séduisent le plus sont les suivants :)

BOBBY : « Un jour, c'est moi qui les [les dinosaures] ramènerai à la vie. »

JESS : « Ça marche pas comme ça. Une putain d'armoire. Comme *si*, tonton Paul. »

« C'est un accident. Parfois, on fait des erreurs. »

CHIYOKO : [Hiro] se rappelle avoir été hissé dans

l'hélicoptère. Il dit que c'était rigolo. « Comme de voler. » Il dit qu'il a hâte de recommencer.

Il y a même plusieurs sites consacrés à l'étude du sens de l'obsession de Jess pour *Le Lion, la sorcière blanche et l'armoire magique*.

Mais les autres gens, toi ou moi, doivent admettre que tout a une explication rationnelle. Les enfants ont survécu aux accidents parce qu'ils ont eu de la chance. La version de Paul Craddock du comportement de Jess n'était que le délire d'un malade mental. Reuben Small a pu connaître une rémission et Hiro ne faisait qu'imiter la passion de son père pour les androïdes. Le changement de comportement des enfants, quant à lui, était le résultat du traumatisme subi. Et n'oublions pas les heures d'interview que j'ai choisi de ne pas intégrer au livre – Paul Craddock déplorant longuement de ne trouver personne pour baiser, les minuscules détails de la vie quotidienne de Lillian Small – parce qu'il ne s'y passait rien du tout. Le client d'Amazon avait bien raison de qualifier ma prose de manipulatrice et sensationnaliste.

Mais... *mais... « ... elle a dit qu'ils étaient déjà venus et que parfois elle décide de ne pas mourir. Elle a dit que parfois ils donnent aux gens ce qu'ils veulent, parfois non »*.

J'avais un certain nombre de choix. Je pouvais retourner voir Paul et lui demander pourquoi il avait choisi de me fournir cette information ; je pouvais ignorer l'incident, le considérer comme le délire d'un fou ; ou je pouvais balancer la raison par la fenêtre et essayer de comprendre le sens de ces mots. J'ai d'abord choisi la première solution, mais on m'a répondu que le prisonnier ne désirait pas avoir d'autres contacts avec moi (sans nul doute parce qu'il craignait de me voir révéler à son psychiatre ce qu'il m'avait écrit). La deuxième était tentante, mais Paul avait sûrement une raison de me faire passer ce message. *Demandez aux autres. ils savent.* J'ai songé que mener ma petite enquête ne pourrait pas nuire – qu'avais-je d'autre à faire, à part effacer des e-mails d'insultes et traîner dans Notting Hill au milieu d'une brume de vodka ?

J'ai donc décidé de jouer l'avocat du diable. Admettons que Paul répétait vraiment ce que lui avait dit Jess juste avant qu'il ne la tue, qu'est-ce que cela signifiait ? Des adeptes du complot auraient mille théories sur *ils étaient déjà venus* et *parfois elle décide de ne pas mourir,* mais je n'avais aucune intention d'en contacter. Et que dire de : *parfois ils donnent aux gens ce qu'ils veulent, parfois non* ? Après tout, les Trois avaient donné aux gens – à tout le moins aux Apocalyptiques – ce qu'ils voulaient : la preuve apparente que la fin du monde était proche. Jess avait donné à Paul ce qu'il croyait vouloir : la célébrité. Hiro avait donné à Chiyoko une raison de vivre et Bobby... Bobby avait rendu son mari à Lillian.

J'ai décidé qu'il était temps de rompre ma promesse.

Sam, je sais que ça te rendait folle que je te cache des choses (l'intégralité du premier jet de *DCAC*, par exemple), mais j'avais donné à Lillian Small ma parole de ne pas révéler qu'elle avait survécu à l'accident ayant tué Reuben et Bobby. De toutes les personnes que j'avais interviewées pour le livre, c'est elle qui m'avait le plus émue – et j'avais été touchée qu'elle me fasse assez confiance pour me contacter de sa chambre d'hôpital. Le FBI avait proposé de lui trouver une nouvelle adresse et nous avions jugé préférable de rompre tout contact – elle n'avait pas besoin qu'on lui rappelle davantage ce qu'elle avait perdu.

Je doutais que le FBI me donne son numéro de téléphone, aussi ai-je essayé d'appeler son ancienne voisine, Betsy.

— *Ja ?* a dit la personne qui a décroché.

— Je cherche Mme Katz.

— Elle n'habite plus ici.

Je n'arrivais pas à identifier son accent – peut-être d'Europe de l'Est.

— Avez-vous sa nouvelle adresse ? C'est très important.

— Attendez.

J'ai entendu le bruit du combiné qu'on lâchait, une ligne musicale de basse en fond sonore. Puis :

— J'ai un numéro.

Google m'a appris que l'indicatif était celui de Toronto. Je ne sais pas pourquoi, je n'imaginais pas Betsy au Canada.

[Sam : tu liras ci-dessous la transcription de l'appel. Oui, je sais, pourquoi l'aurais-je enregistré et transcrit si je ne comptais pas m'en servir dans un livre ou un article ? S'il te plaît, crois-moi : je te jure que tu ne verras jamais *La Vérité sur les Trois* d'Elspeth Martins en librairie.]

MOI : Bonjour… est-ce que c'est Betsy ? Betsy Katz ?

BETSY : Qui est à l'appareil ?

MOI : Elspeth Martins. Je vous ai interviewée pour mon livre.

[*Longue pause*]

BETSY : Ah ! L'auteur ! Elspeth ! Ça va ?

MOI : Très bien. Et vous ?

BETSY : Qui m'écoutera si je me plains ? Qu'est-ce que vous pensez de ce qui se passe à New York ? Ces émeutes et les restrictions sur le carburant. Vous êtes en lieu sûr ? Au chaud ? Vous mangez à votre faim ?

MOI : Tout va bien, merci. Je me demandais... Savez-vous où je peux contacter Lillian ?

[*Pause plus longue.*]

BETSY : Vous n'êtes pas au courant ? Non, bien sûr, comment le seriez-vous ? Je suis désolée de vous l'apprendre, mais Lillian nous a quittés. Il y a un mois, maintenant. Elle est partie dans son sommeil – une bonne mort. Elle n'a pas souffert.

MOI : [*Après plusieurs secondes de silence durant lesquelles j'ai lutté pour ne pas perdre les pédales – j'étais carrément à côté de mes pompes, Sam.*] Je suis désolée.

BETSY : C'était quelqu'un de bien. Vous savez qu'elle m'a invitée à vivre avec elle. Quand on a eu les premiers black-out à New York. Elle m'a appelée et elle m'a dit : « Betsy, tu ne peux pas rester là-bas toute seule, viens au Canada. » Au Canada ! Moi ! Elle me manque, je ne peux pas dire le contraire. Mais il y a une bonne communauté, ici, un gentil rabbin qui prend soin de moi. Lily disait avoir apprécié la manière dont vous la présentiez dans votre livre : plus maligne qu'en vrai. Mais les propos de Mona... quel poison ! Lily avait trouvé ça très dur. Et qu'est-ce que vous pensez de ce qui se passe en Israël ? Ce *schmuck,* à la Maison Blanche, à quoi est-ce qu'il joue ? Il veut que tous les musulmans nous tombent dessus, ou quoi ?

MOI : Betsy... avant de disparaître, est-ce que Lillian a mentionné quelque chose de... euh... particulier au sujet de Bobby ?

BETSY : De Bobby ? Qu'aurait-elle pu dire ? Seulement que sa vie avait été une tragédie, et que tous ceux qu'elle avait aimés lui avaient été enlevés. Parfois, Dieu est cruel.

J'ai raccroché. Ensuite, j'ai pleuré pendant deux heures d'affilée – et, pour une fois, ce n'était pas sur mon sort.

Mais mettons que j'aie parlé à Lillian, que m'aurait-elle dit, de toute façon ? Que le Bobby revenu à la maison après l'accident n'était pas son petit-fils ? Pendant notre interview, quelques mois plus tôt, j'entendais l'amour vibrer dans sa voix chaque fois qu'elle parlait de lui.

Demandez aux autres. ils savent.

Alors qui y avait-il d'autre ? Je ne pouvais m'adresser à Mona, la meilleure amie de Lori Small (depuis le scandale de *DCAC*, elle niait m'avoir jamais parlé), mais quelqu'un d'autre avait rencontré Bobby et n'en était pas sorti indemne.

Ace Kelso.

Sam, je vois d'ici ta tête. Un mélange d'exaspération et de fureur. Tu avais raison de dire que j'aurais dû faire passer sa réputation avant tout. Tu avais raison de m'accuser de ne pas me battre assez pour faire retirer des éditions ultérieures le passage où il affirme avoir vu du sang dans les yeux de Bobby Small (encore un clou du cercueil de notre relation). Et, oui, j'aurais dû détruire l'enregistrement prouvant qu'Ace, malgré ce qu'il a ensuite prétendu, ne m'avait pas dit ça en confidence. Pourquoi diable ne t'ai-je pas écoutée ?

Je l'ai rencontré pour la dernière fois dans la salle de réunion sans âme des avocats de mon éditeur, le jour où on lui a annoncé qu'il n'avait pas matière à intenter un procès. Il avait les traits affaissés, les yeux injectés de sang, il ne s'était pas rasé depuis plusieurs jours ; son jean élimé faisait des poches aux genoux et son blouson de cuir usé puait la transpiration aigre. L'Ace que j'avais interviewé et vu à la télé avait la mâchoire carrée, les yeux bleus – un vrai Captain America, comme disait Paul Craddock.

Je ne savais pas s'il accepterait seulement de me parler, mais qu'avais-je à perdre ? Je l'ai appelé par Skype, sans grand espoir. Il a répondu tout de même, la voix pâteuse, comme s'il venait de se réveiller.

ACE : Ouais ?

MOI : Ace... Bonjour. Ici Elspeth Martins. Euh... Comment ça va ?

[*Une pause de plusieurs secondes.*]

ACE : Je suis en congé de longue maladie. Un euphémisme pour suspension permanente. Merde, qu'est-ce que vous voulez, Elspeth ?

MOI : Je me sens obligée de vous apprendre que je suis allée voir Paul Craddock.

ACE : Et alors ?

MOI : Face à face, il m'a affirmé que ce qu'il avait fait à Jess était le résultat d'une crise psychotique. Toutefois, au moment où je partais, il m'a donné un message écrit. Écoutez, ça va vous paraître dingue, mais il affirme que Jess lui avait dit – entre autres choses – « être déjà venue ici » et « décider parfois de ne pas mourir ».

[*Un autre long silence.*]

ACE : Pourquoi me dites-vous ça ?

MOI : Je pensais... Je ne sais pas. Je crois... ce que vous avez dit de Bobby... Je le répète, c'est dingue de seulement envisager ça, mais Paul m'a écrit : « Demandez aux autres », et je...

ACE : Vous savez quoi, Elspeth ? Je sais que vous avez été très critiquée pour ce que vous avez mis dans votre livre mais, à mon avis, on vous a étrillée pour de mauvaises raisons. Vous avez publié tous ces récits incendiaires sur les changements de personnalité des enfants, vous avez lâché la bombe et vous êtes partie. Vous n'avez pas cherché plus loin : vous étiez persuadée que tout avait une explication rationnelle et vous pensiez naïvement que vos lecteurs seraient aussi de cet avis.

MOI : Je n'avais pas l'intention de...

ACE : Je sais quelles étaient vos intentions. Et, aujourd'hui, vous fouinez pour savoir si ces enfants n'avaient pas réellement quelque chose de louche, au bout du compte. Je me trompe ?

MOI : Je précise juste quelques détails.

ACE : [*Un soupir.*] Attendez un peu. Je vais vous envoyer un e-mail.

MOI : Quoi ?

ACE : Lisez-le. Ensuite, on parlera.

[L'e-mail est arrivé aussitôt et j'ai cliqué sur une pièce jointe intitulée : SA678ORG.

Au premier coup d'œil, j'ai cru revoir la transcription exacte des voix enregistrées dans le cockpit du vol Sun Air que j'avais intégrée dans *DCAC*. Et c'était bien ça, augmenté de l'échange suivant, une seconde avant que l'avion ne commence à avoir des problèmes :

Pilote : [juron] Vous avez vu ça ?

Copilote : *Hai !* La foudre ?

Pilote : Négatif. Jamais vu un éclair comme ça. On ne voit rien sur le TCAS, demandez à la Tour s'il y a un autre appareil avec nous...]

MOI : C'est quoi, ces conneries ?

ACE : Comprenez qu'on ne voulait pas alimenter

la panique. Les gens devaient croire les causes des accidents concrètes. Il fallait que les avions consignés au sol reprennent l'air.

MOI : Le NTSB a falsifié la transcription du vol Sun Air ? Alors, vous pensiez sérieusement à un contact extraterrestre.

ACE : On était confrontés à des faits qu'on ne pouvait pas expliquer. Le vol Sun Air mis à part, la seule catastrophe à avoir une cause déterminée était celle du vol Dalu Air.

MOI : Qu'est-ce que vous racontez, bordel ? Et le vol Maiden Air ?

ACE : De multiples impacts avec des oiseaux mais pas de déchets organiques ? Ç'aurait pu s'expliquer si les moteurs avaient brûlé – mais ça n'a pas été le cas. Comment diable des oiseaux pourraient bousiller deux moteurs de jet sans laisser une goutte de sang ? Et regardez l'incident de la Go ! Go ! On se perdait en conjectures pour celui-là – mais une chose est sûre : il est très rare que des pilotes volent au milieu d'une tempête de cet ordre-là de nos jours. Et répondez à une question : comment les gamins ont-ils survécu, nom de Dieu ?

MOI : Prenez Zainab Farra, la fillette rescapée d'un accident d'avion en Éthiopie. Tout comme elle : les Trois ont eu de la chance...

ACE : C'est des conneries. Et vous le savez.

MOI : Cette transcription... pourquoi me l'avoir envoyée ? Vous voulez vraiment que je la publie ?

ACE : [*Rire amer.*] Qu'est-ce qui peut arriver de pire maintenant ? Reynard me donnera une médaille – encore une preuve que les Trois n'étaient pas des enfants normaux. Faites-en ce que vous voulez. De toute façon, le NTSB et le JTSB démentiront.

MOI : Alors, sérieusement, selon vous, il y a quelque

chose de... je ne sais pas... d'inhumain chez les Trois ? Vous êtes un expert... un scientifique.

ACE : Tout ce que je sais, c'est ce que j'ai vu sur Bobby. Ce n'était pas une hallucination, Elspeth. Et le photographe, celui qui a fini bouffé par ses putain de reptiles, il avait vu quelque chose, lui aussi.

[*Un autre soupir.*]

Écoutez, vous faisiez juste votre boulot. J'ai eu tort de m'en prendre à vous pour avoir publié mes déclarations sur Bobby. J'avais peut-être dit ça sous le sceau de la confidence, peut-être pas, mais c'était la vérité. Le fait est qu'il faut être aveugle pour ne pas voir que ces gamins avaient quelque chose d'étrange.

MOI : Alors, qu'est-ce que vous me suggérez ?

ACE : À vous de voir, Elspeth. Mais, quoi que vous fassiez, je vous suggère de faire vite. Les Apocalyptiques sont décidés à ce que leurs prophéties s'accomplissent. Comment peut-on négocier avec un président persuadé que la fin du monde est proche et que le seul moyen de sauver l'humanité de la damnation éternelle est de changer les États-Unis en théocratie ? C'est simple : on ne peut pas.

Bien sûr, j'avais peine à croire que le NTSB puisse trafiquer des archives – même avec la crainte de voir les gens s'affoler en apprenant l'absence de cause des accidents. Cette transcription était-elle la vengeance d'Ace pour la débâcle des yeux qui saignent ? Si je publiais un truc pareil, la Ligue Rationaliste aurait une raison de plus de me clouer au pilori.

Mais tu vois où je veux en venir, non ? J'avais le message de Paul, la transcription (peut-être fausse) d'Ace et son assurance qu'il avait bel et bien vu du sang dans les yeux de Bobby.

Ça pouvait n'être que des conneries – c'était probablement le cas. Mais il me restait un enfant à étudier.

Pendant plusieurs jours, j'ai effectué des recherches sur Chiyoko et Hiro. La plupart des sites menaient à de nouveaux textes concernant l'histoire d'amour tragique de Chiyoko et Ryu, notamment un article récent sur une vague de suicides imités du leur, mais on trouvait étonnamment peu de choses sur Hiro. J'ai contacté Eric Ku-shan, le traducteur des textes japonais reproduits dans *DCAC*, dans l'espoir qu'il me donne des pistes, mais il avait quitté le Japon depuis plusieurs mois, après la révocation du Traité de coopération mutuelle entre les États-Unis et le Japon. Tout ce qu'il a pu me suggérer, c'est de m'intéresser au Culte de Hiro.

Ce dernier, selon moi, aurait pu se changer en un groupe du calibre de la secte Moon ou d'Aum Shrinrikyo, mais il s'est délité et, plutôt qu'un culte ultranationaliste, il est devenu une mode excentrique pour célébrités. Son mari désormais élu, Aikao Uri a abandonné ses théories sur les extraterrestres et son substibot, consacrant toute son énergie à faire campagne pour la triple alliance asiatique. Le Mouvement Orz est devenu entièrement clandestin.

Tu te rappelles Daniel Mimura ? Le journaliste du *Tokyo Herald* qui m'a permis d'utiliser un ou deux de ses articles dans *DCAC*. C'est l'un des rares contributeurs (avec Lola, la « bonne amie » du pasteur Len, et le cinéaste documentariste Malcolm Adelstein) à m'avoir envoyé un mot de soutien quand les choses ont commencé à mal tourner. Il a paru ravi d'avoir de mes nouvelles. Nous avons discuté un moment de la manière dont le peuple japonais envisageait le spectre d'une possible alliance avec la Chine et la Corée.

J'ai transcrit le reste de notre conversation :

MOI : Tu crois que Chiyoko et Ryu sont vraiment morts dans la forêt Aokigahara ?

DANIEL : Ryu, c'est sûr : on a fait une autopsie, ce qui est assez rare à Tokyo – nullement automatique dans les cas de mort suspecte. Le corps de Chiyoko n'a jamais été retrouvé, alors qui sait ?

MOI : Tu crois qu'elle peut être en vie ?

DANIEL : Possible. Tu as entendu les rumeurs à propos de Hiro ? Elles circulent depuis un moment.

MOI : Tu veux dire les habituelles conneries sur le thème « les Trois sont toujours vivants » ?

DANIEL : Ouais. Tu veux que je développe un peu ?

MOI : Et comment !

DANIEL : C'est un scénario délirant pour théorie du complot mais… Écoute, d'abord, les flics ont verrouillé le quartier sacrément vite. Les infirmiers et l'équipe du légiste avaient pour instructions de ne pas parler à la presse. Même la police n'en a pas tiré grand-chose, en dehors de leur déclaration officielle.

MOI : D'accord… Mais pourquoi faire croire qu'il est mort ?

DANIEL : Il est possible que ç'ait été arrangé par les néonationalistes. Quel meilleur moyen de retourner l'opinion publique contre les Américains, hein ? À la limite, si on avait l'esprit tordu comme ça, on pourrait dire qu'ils ont tout organisé, tout mis en scène, tué les Kamamoto et le soldat, fait croire que Hiro était mort.

MOI : Ça ne tient pas debout. Jake Wallace était

paméliste – il avait un mobile pour tuer Hiro. Comment l'aurait-on embarqué dans un complot pareil ?

DANIEL : Hé, ne fusille pas le messager. Je t'informe juste des rumeurs. Donc, je ne sais pas, ils ont peut-être eu vent de ce qu'il allait faire et ils lui ont tendu un piège. Ils ont pu pirater sa boîte mail, comme l'ont fait ces autres types.

MOI : Mais les témoins disent avoir vu Chiyoko porter le cadavre de Hiro.

DANIEL : Ouais. Tu as vu les substibots que fabrique Kenji Yanagida ? Ils sont incroyables. À moins d'être tout près, ils sont extrêmement convaincants.

MOI : Attends... ça voudrait dire que Chiyoko était au courant, non ?

DANIEL : Si.

MOI : Bon, disons que ça s'est passé comme ça. Chiyoko est sortie et a laissé assassiner ses parents... Pourquoi ?

DANIEL : Qui sait ? De l'argent ? Pour gagner avec Hiro un pays inconnu où vivre dans le luxe jusqu'à la fin de leurs jours ? Ce pauvre vieux Ryu s'est trouvé pris au milieu de tout ça et il a grossi les rangs des victimes.

MOI : Tu sais combien de fois j'ai entendu ce genre de théorie ?

DANIEL : Bien sûr. Comme on disait : des conneries.

MOI : Tu as quand même enquêté ?

DANIEL : J'ai creusé un peu. Tu sais comment ça marche, ces trucs-là. S'il y avait un soupçon de vérité là-dedans, quelqu'un aurait déjà laissé fuiter un indice.

MOI : Kenji Yanagida n'a pas identifié le corps de Hiro ?

DANIEL : Et alors ?

MOI : Si quelqu'un connaît la vérité, c'est lui. Tu crois qu'il me parlerait ?

DANIEL : [*Rire.*] Pas l'ombre d'une chance. C'est des conneries, tout ça, Ellie. Le gosse est mort.

MOI : Est-ce que Kenji Yanagida habite toujours Osaka ?

DANIEL : Aux dernières nouvelles, il a quitté l'université après avoir été traqué par le Culte de Hiro – ils tenaient à faire de lui une de leurs mascottes. Apparemment, il s'est installé à Tokyo et il a changé de nom.

MOI : Tu peux me trouver ses coordonnées ?

DANIEL : Tu sais combien de gens ont essayé de rencontrer Kenji Yanagida et se sont heurtés à un mur ?

MOI : J'ai quelque chose qu'ils n'avaient pas.

DANIEL : Quoi ?

Je n'ai pas parlé à Daniel de la transcription d'Ace. Peut-être me permettrait-elle de parler à Kenji Yanagida. Peut-être pas.

Je sais ce que tu penses : que je n'ai pas informé Daniel parce que c'était mon exclusivité et que je voulais m'en servir à mes propres fins – ou l'utiliser dans un autre bouquin. Mais, encore une fois, j'en ai terminé avec tout ça, Sam, je te le jure.

Je n'ai rien fait avant plusieurs semaines. Le monde retenait son souffle après que le groupement apocalyptique renégat avait tenté d'incendier la mosquée d'al-Aqsa sur le mont du Temple, en un nouvel effort pour accélérer la course au Ravissement. Même moi, je n'étais pas assez bête pour me rendre en Asie à la veille de ce qui était peut-être la Troisième Guerre mondiale.

Et les nouvelles que nous recevions des États-Unis étaient tout aussi déprimantes. J'avais beau me cacher la tête dans le sable, les agressions de plus en plus nombreuses d'adolescents gays, la fermeture massive de cliniques pratiquant l'avortement, les coupures d'Internet, les arrestations des chefs de la GLAAD et de la Ligue Rationaliste sous couvert de lois ayant prétendument trait à la sécurité de l'État, toutes ces nouvelles finissaient par me parvenir. Il y a même eu des manifestations anti-américaines en Angleterre. Le Royaume-Uni était en train de couper les ponts avec le régime de Reynard, et l'agence de surveillance de l'immigration faisait campagne pour qu'on limite le flux d'immigrants des États-Unis. Et je ne veux pas que tu croies que je n'étais pas inquiète pour toi. Je n'ai eu que ça en tête pendant la période des fêtes. (Non, je ne vais pas me plaindre d'avoir passé Thanksgiving toute seule dans mon salon glacial, à bouffer du *jalfrezi* dans des boîtes en carton.) J'ai pensé à toi quand les célébrités britanniques se sont jointes aux stars américaines pour la campagne « Sauvez nos droits » – ton côté cynique se serait régalé. Tous les clips YouTube du monde, toutes les chansons de supergroupes sur iTunes ne changeraient pas la position de gens sincèrement persuadés qu'en éliminant « l'immoralité », ils empêcheraient leurs prochains de brûler en enfer pour l'éternité.

Mais je ne pouvais pas laisser tomber.

Comme Ace m'avait conseillé de ne pas traîner, j'ai

téléphoné à Daniel début décembre (d'accord, j'étais un peu bourrée à ce moment-là) et je lui ai dit que j'avais besoin d'aide pour venir à Tokyo. Il m'a crue folle, bien sûr – son contrat venait d'être annulé. (Il m'a dit que ça arrivait aux Occidentaux dans tout le Japon, « leur manière de nous dire qu'on n'est plus les bienvenus » ; lui, il est à moitié japonais, alors ça lui a fait un vrai choc.) Même avec mon passeport britannique, les nouveaux règlements m'imposaient d'avoir un visa, une raison valable de faire le voyage et un citoyen japonais prêt à se porter garant de moi. À regret, Daniel m'a dit qu'il demanderait à un ami de m'aider.

J'ai retrouvé Pascal de la Croix, le vieux copain de Kenji, et je l'ai supplié de m'arranger un entretien avec lui. J'ai dit la vérité – que j'avais de nouvelles informations à propos de la catastrophe Sun Air – et j'ai précisé que je venais à Tokyo spécialement pour le voir. Pascal n'était pas enchanté, bien sûr, mais il a accepté d'envoyer un e-mail à Kenji pour moi, à condition que, si je le voyais bel et bien, je ne publie rien de ce qui sortirait de notre rencontre.

J'ai dû relever ma boîte mail cinquante fois par jour après ça – en filtrant les messages d'insultes et le spam –, dans l'espoir d'une réponse.

Elle est arrivée le même jour que mon visa. Une adresse, rien de plus.

Comme cadeau d'anniversaire, je me suis offert un billet pour Tokyo. (Grâce aux restrictions de carburant, ça a fait un sacré trou dans mon compte en banque – pour la première fois, j'étais contente d'avoir publié ce foutu bouquin.)

Sam, je vais être franche. Avant de partir, je me suis observée longuement et attentivement. À quoi est-ce que je jouais, nom de Dieu ? Suivre cette piste ne me rendait-il pas aussi dingue que les Apocalyptiques et les conspirationnistes ? Et, supposons que ma chasse insensée à Kenji Yanagida m'amène bien à Hiro. Supposons qu'il soit vivant et que je parvienne à lui parler. Qu'il me dise que les Trois étaient possédés par les Cavaliers de l'Apocalypse, qu'ils étaient des psycho-extraterrestres ou bien trois membres du Golden Gate Quartet, qu'est-ce que je ferais ? N'aurais-je pas le devoir de révéler la vérité ? Et, si je la révélais, cela ferait-il la moindre différence ? Il n'y avait qu'à voir ce qui était arrivé avec le scandale de Kenneth Oduah. On disposait de preuves solides que son test ADN avait été truqué : pourtant, des millions de gens ont accepté les conneries du docteur Lund selon qui : « La volonté de Dieu est que le Quatrième Cavalier ne soit jamais trouvé. »

Le vol a été un cauchemar. J'ai connu une trouille à la Pamela May Donald avant même le décollage. Je n'arrêtais pas d'imaginer ce qu'elle avait ressenti durant les minutes ayant précédé le crash. Je me suis même surprise à composer un *isho* dans ma tête, au cas où. (Je ne te l'inflige pas.) Pour ne rien arranger, au bout d'une demi-heure de vol, 90 % des autres passagers (tous occidentaux, surtout des Britanniques et des Scandinaves) étaient déjà ivres. Mon voisin, un informaticien engagé pour participer au démantèlement de la branche de Roppongi d'IBM, m'a appris à quoi je pouvais m'attendre à l'arrivée.

— Ce n'est pas qu'ils soient ouvertement hostiles ni rien, voyez, mais il vaut mieux rester dans les « quartiers occidentaux » – Roppongi et Roppongi Hills. C'est pas si mal. Y a plein de bars.

Il a descendu un double Jack Daniel's et m'a soufflé au visage son haleine chargée de bourbon.

— Et puis pourquoi on traînerait avec les Japs, de toute façon ? Je peux vous faire visiter, si vous voulez.

J'ai décliné et, Dieu merci, il s'est endormi peu après.

Une fois à Narita, nous avons été acheminés jusqu'à une salle où nos passeports et nos visas ont été examinés avec une précision scientifique, puis on nous a fait monter dans des cars. Au début, je n'ai vu aucun signe suggérant que le Japon, comme le reste du monde, se dirigeait vers un effondrement économique. Pas avant de passer sur le pont qui mène au cœur de la ville et de remarquer que les panneaux publicitaires, les panneaux de signalisation et même la Tokyo Tower n'étaient illuminés qu'à moitié.

Daniel m'a retrouvée à l'hôtel le lendemain, et il a pris la peine de m'écrire des indications étape par étape pour me rendre chez Kenji, dans le quartier Kanda. Comme ça se situe dans la vieille ville, hors des zones ouvertes aux Occidentaux, il m'a suggéré de cacher mes cheveux, de porter des lunettes et de me couvrir le visage d'un masque sanitaire. Ça me paraissait un peu exagéré mais, tout en m'assurant que je n'aurais sûrement aucun ennui, il affirmait préférable que je n'attire pas l'attention.

Sam, je suis épuisée et j'ai une grosse journée qui m'attend. Le jour se lève mais j'ai une dernière scène à te raconter. Je n'ai pas eu le temps de transcrire ma conversation avec Kenji Yanagida – je ne l'ai rencontré qu'hier – donc tu vas l'avoir écrite normalement.

Sans les indications détaillées de Daniel, je me serais perdue en quelques secondes. Après l'architecture occidentale sans âme de Roppongi, Kanda était un ahurissant lacis de rues que bordaient de minuscules restaurants, librairies et cafétérias enfumées accueillant des employés en costume noir. J'ai suivi les indications jusqu'à une ruelle étroite où l'on croisait beaucoup de personnes trop couvertes, le visage dissimulé par un foulard ou un masque. Devant une porte, entre une petite boutique qui vendait du poisson séché dans des paniers en plastique et une galerie qui exposait des tableaux représentant des mains d'enfants, j'ai comparé le kanji inscrit sur la façade à celui qu'avait tracé Daniel pour moi. Le cœur au bord des lèvres, j'ai alors pressé le bouton de l'interphone.

— *Hai* ? a aboyé une voix d'homme.

— Kenji Yanagida ?

— Oui.

— Je m'appelle Elspeth Martins. Nous avons été mis en relation par Pascal de la Croix.

Presque aussitôt, la porte s'est ouverte en cliquetant.

Je me suis avancée dans un couloir qui sentait le moisi et, faute d'autre choix, j'ai monté un petit escalier. Il s'achevait devant une porte anonyme, à demi ouverte, que j'ai franchie pour arriver dans un vaste atelier encombré. Un petit groupe de personnes se tenaient au milieu de la pièce. Puis mon cerveau a tressauté (je ne vois aucune autre manière de décrire ça, Sam) et j'ai compris qu'il ne s'agissait pas d'êtres humains mais de substibots.

J'en ai compté six – trois femmes, deux hommes et (horreur) un enfant –, sur des estrades, leur peau cireuse et leurs yeux trop brillants reflétaient les lumières halogènes. Plusieurs autres occupaient des chaises en plastique ou des fauteuils élimés dans un angle obscur – l'un croisait même les jambes, adoptant une posture si humaine qu'elle en devenait obscène.

Kenji a contourné un établi couvert de fils électriques, d'écrans d'ordinateurs et de matériel à souder. Il paraissait plus vieux de dix ans et plus léger de vingt kilos que sur ses vidéos YouTube : sa peau était ridée autour des yeux et ses pommettes hautes aussi proéminentes que celles d'un crâne décharné.

Sans me saluer, il a demandé :

— Quels renseignements avez-vous pour moi ?

Je lui ai parlé de la confession d'Ace avant de lui remettre un exemplaire de la transcription. Il l'a lu, le visage impassible, puis il l'a plié pour le glisser dans sa poche.

— Pourquoi m'avoir apporté ça ?

— Vous aviez le droit de connaître la vérité. Votre femme et votre fils se trouvaient à bord de cet avion.

— Merci.

Il m'a regardée fixement pendant plusieurs secondes, et j'ai eu l'impression qu'il voyait clair en moi.

J'ai désigné les substibots.

— Sur quoi travaillez-vous ? Est-ce que c'est destiné au Culte de Hiro ?

Il a grimacé.

— Non. Je les fabrique pour des clients. Surtout des Coréens. Des répliques des proches qu'ils ont perdus.

Ses yeux ont dérivé vers une pile de masques de cire posés sur l'établi. Des masques mortuaires.

— Comme celle que vous aviez faite de Hiro ?

Il a froncé le nez, comment lui en vouloir ? Ce n'était pas vraiment délicat de lui demander ça.

— Yanagida-san… votre fils, Hiro… quand il a été tué, c'est vous qui l'avez identifié ?

Je me suis cuirassée pour résister à un barrage d'invectives. Au lieu de cela, il a répondu :

— Oui.

— Je suis désolée de vous demander ça... C'est juste que la rumeur court que, peut-être, il n'est pas... que, peut-être, il...

— Mon fils est mort. J'ai vu son corps. C'est cela que vous vouliez savoir ?

— Et Chiyoko ?

— Vous êtes venue pour ça ? Pour m'interroger sur Hiro et Chiyoko ?

— Oui. Mais la transcription est authentique. Je vous en donne ma parole.

— Pourquoi vous intéressez-vous à Chiyoko ?

J'ai décidé de lui dire la vérité. Je soupçonnais qu'aucun mensonge ne prendrait avec lui.

— Je suis une série de pistes concernant les Trois. Elles m'ont menée à vous.

— Je ne peux rien pour vous. Partez, s'il vous plaît.

— Yanagida-san, j'ai fait un long voyage...

— Pourquoi n'oubliez-vous pas tout ça ?

Le chagrin brûlait dans ses yeux. Je l'avais poussé trop loin et, pour être franche, je me dégoûtais. Je me suis tournée pour partir mais, à ce moment-là, j'ai remarqué un substibot dans un coin sombre, en partie dissimulé derrière le fac-similé d'un homme corpulent. Une femme assise sur une estrade isolée, silhouette sereine vêtue d'un kimono blanc. C'était la seule qui paraissait respirer.

— Yanagida-san... est-ce que c'est la copie de votre femme ? Hiromi ?

Un long silence, puis :

— Oui.

— Elle était très belle.

— Oui.

— Yanagida-san, est-ce qu'elle… a laissé un message ? Un *isho,* comme certains autres passagers ?

Je n'ai pas pu m'en empêcher. Il fallait que je sache.

— La *Jukai*. Elle est là-bas.

Une seconde, j'ai cru qu'il parlait de son épouse. Puis j'ai réalisé.

— Elle ? Vous voulez dire Chiyoko ?

— *Hai*.

— La forêt ? Aokigahara ?

Un infime hochement de tête.

— Où dans la forêt ?

— Je ne sais pas.

Je n'allais pas pousser davantage ma chance.

— Merci, Yanagida-san.

Comme je retournais vers l'escalier, il m'a rappelée :

— Attendez.

Je me suis retournée vers lui. Son expression demeurait aussi indéchiffrable que celle du substibot près de lui.

— Hiromi, a-t-il déclaré. Dans son message, elle disait : « Hiro est parti. »

Voilà. C'est tout ce dont je dispose. Je n'ai aucune idée de la raison pour laquelle Kenji m'a révélé l'*isho* de sa femme. Peut-être m'était-il reconnaissant de la transcription ; peut-être pensait-il, comme Ace, ne plus avoir de raison de garder cela pour lui.

Et peut-être mentait-il.

Je ferais mieux de t'envoyer ceci, à présent. Le WiFi est merdique ici – il faut que je descende dans le hall pour avoir la connexion. La forêt va être froide : il commence à neiger.

Sam, je suis consciente que les chances que tu lises ceci sont minces, mais je tiens à ce que tu saches qu'une fois cette histoire terminée, j'ai décidé de rentrer à la maison. De retourner à New York : si le gouverneur a vraiment l'intention d'organiser un référendum sur une sécession, je veux en être. Je ne fuirai plus. J'espère que tu seras là, Sam.

Je t'aime.

Ellie.

Cela s'achève ainsi

Le déguisement d'Elspeth, les lunettes de soleil et le masque désormais humide, ramolli, est aussi efficace en banlieue qu'au centre-ville : jusqu'ici, aucun passager ne lui a accordé plus d'un regard. Quand elle arrive à Otsuki – une gare délabrée qui paraît coincée dans les années 1950 –, un homme en uniforme aboie quelque chose à son adresse. Elle éprouve un moment de panique, puis réalise qu'il lui demande simplement son billet. Idiote. Hochant la tête, elle montre le document, et l'employé lui désigne une vieille locomotive le long d'un quai adjacent. Comme un coup de sifflet retentit, elle se hâte de monter à bord, ravie de trouver le compartiment vide. Elle se laisse tomber sur la banquette, tente de se détendre. Le train s'ébranle, cahote, puis trouve son rythme de croisière, elle regarde par les vitres sales défiler des champs semés de neige, des maisons en bois au toit pentu et une suite de petits jardins gelés, déserts sauf un carré de choux dévorés par le givre. Un air glacial s'introduit par des fentes dans les parois du wagon ; de petits flocons épars frôlent les vitres. Elspeth se rappelle qu'il y a quatorze arrêts avant Kawaguchiko, le terminus de la ligne.

Elle se concentre sur le claquement des roues ; tente de ne pas trop songer à sa destination. Au troisième arrêt, un homme au visage aussi plissé que ses vêtements monte dans le compartiment. Elle se raidit quand il choisit le siège en face du sien. Pourvu qu'il ne veuille pas engager la conversation. Il grogne, fouille dans un grand sac de supermarché et en sort un paquet de ce qui ressemble à des rouleaux de nori géants. Il en fourre un dans sa bouche, puis lui présente le paquet. Estimant qu'il serait impoli de refuser, elle mumure « *arigato* » et se sert. Plutôt que du riz enveloppé dans une algue, elle sent sous ses dents un gâteau léger et croustillant, au goût d'édulcorant. Elle le mange lentement, de crainte que son compagnon de voyage ne lui en offre un autre (elle est déjà écœurée), puis baisse la tête comme si elle somnolait. Ce n'est qu'en partie de la comédie : après sa nuit sans sommeil, elle est épuisée.

Quand elle relève les yeux vers la fenêtre, à sa stupéfaction, un antique manège de montagnes russes emplit le paysage, son armature rouillée hérissée de crocs de glace. Dinosaure incongru coincé au milieu de nulle part, il doit faire partie d'un des parcs d'attractions du mont Fuji, désormais fermé, dont lui a parlé Daniel.

Dernier arrêt.

En lui lançant un large sourire qui la culpabilise d'avoir feint de dormir, le vieillard descend. Elle attend un peu, puis elle suit le mouvement, traverse les voies et pénètre dans la gare déserte, un bâtiment en pin lambrissé qui serait plus à sa place dans un chalet alpin. Le son d'une vielle à roue s'élève quelque part, assez fort pour la suivre quand elle sort devant la gare. Le guichet d'informations touristiques, sur sa droite, a des allures de mausolée, mais elle repère un unique taxi garé près d'une station de bus, le pot d'échappement fumant.

Elle sort le papier sur lequel Daniel a (sans enthousiasme) inscrit sa destination, l'enroule autour d'un billet de dix mille yens et s'approche de la voiture. Elle tend le tout au chauffeur qui ne montre aucune émotion : il hoche la tête, fourre l'argent dans sa veste et regarde droit devant lui. L'intérieur du taxi pue le tabac froid et le désespoir. Combien d'hommes et de femmes ce chauffeur a-t-il transportés jusqu'à la forêt en sachant que, très probablement, ils ne reviendraient pas ? Il fait ronfler le moteur avant même que sa passagère n'ait attaché sa ceinture de sécurité, et file à travers le village désert. La plupart des boutiques sont fermées définitivement, les pompes de la station-service cadenassées. Le taxi dépasse un seul véhicule : un car scolaire vide.

Quelques minutes plus tard, il contourne un large lac vitreux, et Elspeth se cramponne à la poignée de la portière tandis que le chauffeur négocie à toute vitesse les virages de la petite route. De toute évidence, il a aussi hâte qu'elle d'en terminer avec ce trajet. Elle aperçoit le squelette affaissé d'un grand sanctuaire devant lequel se dresse une forêt de pierres tombales négligées. Un alignement de kayaks démantelés et les montants brûlés de plusieurs cabanes de vacances jaillissent bravement de la neige. On aperçoit, dans le lointain, la cime noyée de brume du mont Fuji.

Le taxi laisse le lac derrière lui pour prendre une voie rapide déserte puis, au terme d'un brusque tournant, il accélère sur une route plus étroite, semée de plaques de neige, luisante de verglas. La forêt les entoure, sinistre. Il ne peut s'agir que d'Aokigahara : Elspeth reconnaît les racines bulbeuses perçant le sol volcanique. Dans une des voitures abandonnées au bord de la route, couvertes de neige, elle est presque sûre de distinguer une silhouette affaissée au volant.

Le chauffeur s'engage sur un parking et s'arrête dans un cahot près d'un bâtiment bas aux volets clos, cruellement négligé. Il désigne un panneau en bois au bord d'un chemin qui mène dans la forêt.

Là aussi, on distingue plusieurs bosses en forme de véhicules.

Comment diable retournera-t-elle à la gare ? Il y a un arrêt de bus de l'autre côté de la route mais comment savoir si le service est toujours assuré ?

Le chauffeur tapote son volant, impatient. Elspeth n'a pas le choix : elle doit tenter de communiquer avec lui.

— Euh… Savez-vous où je pourrais trouver Chiyoko Kamamoto ? Elle habite par ici.

L'homme secoue la tête. Désigne à nouveau la forêt.

Et maintenant ? Qu'espérait-elle trouver, bordel ? Chiyoko l'attendant dans une limousine ? Elle aurait dû écouter Daniel : venir était une erreur. Puisqu'elle est venue tout de même, à quoi bon retourner à Tokyo sans explorer toutes les possibilités ? Elle sait qu'il y a des villages dans la région. Si les bus ne passent plus, elle n'aura qu'à trouver le chemin de l'un d'eux. Elle murmure « *arigato* » mais le chauffeur ne répond pas. Il démarre au moment précis où elle ferme la portière arrière.

Elspeth reste immobile plusieurs secondes, elle laisse le silence retomber autour d'elle. Elle jette un coup d'œil à la gueule noire du passage. Les esprits affamés qui rôdent dans la forêt ne vont-ils pas tenter de l'attirer entre les arbres, à présent ? Après tout, songe-t-elle, ils prennent pour cible les individus vulnérables et blessés, non ? Or, vulnérable et blessée, elle l'est, non ?

Ridicule.

Elle évite de regarder de trop près les véhicules abandonnés, et se fraye un chemin entre de larges congères et se dirige vers les monticules enneigés disposés en cercle devant le bâtiment. Elle a lu que plusieurs monuments aux victimes de l'accident ont été érigés dans les environs. Elle balaye des cristaux de glace du sommet d'une des bosses et révèle une plaque funéraire en bois. Plus loin, en partie cachée derrière une autre congère, une croix de type occidental est plantée. Elspeth chasse la neige et la glace fondue, qui commencent à traverser ses gants, et elle lit les mots suivants : « Pamela May Donald – Regrets Éternels ». Le commandant Seto a-t-il aussi sa plaque ici ? Elle a entendu dire que, malgré les preuves, certaines familles de passagers (*izoku,* le terme qu'Eric Kushan tenait à utiliser pour les familles des victimes, lui revient en tête) lui reprochent toujours ce qui est arrivé. Peut-être serait-ce vraiment un sujet intéressant. *Les Récits inédits du Jeudi Noir.* Sam avait raison : elle est vraiment faux-cul.

Une voix derrière elle la fait sursauter. Pivotant sur ses talons, elle voit un homme voûté en anorak rouge vif marcher vers elle, sorti de derrière le bâtiment. Il lui lance quelques mots sur un ton agressif.

Inutile de dissimuler. Elle ôte ses lunettes de soleil et cligne des paupières sous l'assaut lumineux.

— Que faites-vous ici ? demande l'homme, hésitant, dans un anglais marqué d'un léger accent californien.

— Je suis venue voir le site commémoratif, ment-elle – sans trop savoir pourquoi.

— Dans quel but ?

— J'étais curieuse.

— Il n'y a plus d'Occidentaux qui viennent ici.

— Ça ne m'étonne pas. Euh… votre anglais est excellent.

Il a un sourire féroce qui dévoile ses dents déchaussées, mal plantées, puis il les masque à nouveau.

— J'ai appris il y a très longtemps. En écoutant la radio.

— Vous êtes le gardien ?

— Je ne comprends pas, répond-il, le sourcil froncé.

Elle désigne le bâtiment délabré.

— Vous habitez ici ? C'est vous qui entretenez les lieux ?

— Ah ! (Nouvelle exhibition de dents.) Oui, j'habite ici.

Elle se demande s'il peut s'agir de Yomojuri Mayajima, le bénévole qui a secouru Hiro et découvert le cadavre de Ryu. Mais cela tiendrait d'un hasard bien improbable.

— Je parcours la forêt pour ramasser ce que les gens laissent. Après, je fais du troc.

Elspeth frissonne avec violence quand le froid qui lui mord les joues lui fait monter les larmes aux yeux. Elle tape des pieds, ce qui ne l'aide en rien.

— Il y a beaucoup de gens qui viennent ici ? demande-t-elle en désignant les voitures d'un signe de tête.

— Oui. Vous voulez aller là-dedans ?

— Dans la forêt ?

— Il faut marcher longtemps pour arriver sur le site où s'est écrasé l'avion. Mais je peux vous guider. Vous avez de l'argent ?

— Combien ?

— Cinq mille.

Elle fouille dans sa poche et tend un billet. A-t-elle vraiment envie de faire ça ? Elle se rend compte que oui. Mais ce n'est pas pour ça qu'elle est venue. Ce qu'elle devrait faire, c'est demander à l'homme s'il sait où trouver Chiyoko, mais… maintenant qu'elle a fait tout ce chemin, pourquoi ne pas aller dans la forêt ?

Son guide se dirige vers le sentier. Elspeth presse le pas pour le rattraper. Il a les jambes torses et au moins trente ans de plus qu'elle, mais sa vigueur est celle d'un tout jeune homme.

Décrochant une chaîne tendue en travers du passage, il contourne un panneau en bois aux inscriptions décolorées, écaillées. Les arbres sèment sur Elspeth des fleurs de neige ; les flocons se fraient un chemin dans son cou, trouvent le défaut de son écharpe. Elle entend son propre souffle irrégulier dans ses oreilles. Le vieil homme quitte le chemin principal pour les profondeurs de la forêt. Elspeth hésite. Seul Daniel sait qu'elle est ici (Sam ne lira peut-être même pas l'e-mail qu'elle lui a envoyé ce matin) et il quittera le Japon dans quelques jours. S'il lui arrive malheur, elle est foutue. Elle pêche son téléphone dans son sac. Pas de réseau. Évidemment. Bien qu'elle tente de concentrer son attention, de chercher des repères qui l'aideront à retrouver le parking, les arbres l'avalent tout entière au bout de quelques minutes. Elle s'étonne de ne pas ressentir d'angoisse. Ce décor est magnifique, se dit-elle. Des poches de terre brune s'étendent là où la canopée masque le ciel, et les racines noueuses des arbres ont beaucoup de charme. Samuel Hockemeier – le marine arrivé sur les lieux deux jours après l'accident – les avait qualifiées de surnaturelles et angoissantes.

Toutefois, tandis qu'elle marche bruyamment dans la neige, suivant les pas du vieil homme, Elspeth ne parvient pas à oublier que tout a commencé ici. Une suite d'événements déclenchée non par trois enfants ayant survécu à des catastrophes aériennes, mais par le message en apparence innocent enregistré par une ménagère texane moribonde.

L'homme s'arrête soudain, puis il se dirige vers la droite. Elspeth, ne sachant trop que faire, reste en arrière. Lorsqu'elle constate qu'il ne va pas bien loin, elle avance avec précaution, mais s'arrête net en voyant un éclair bleu sombre au milieu de la neige. Une silhouette repose en position fœtale au pied d'un arbre. Les restes d'une corde disparaissent entre les branches au-dessus du cadavre, l'extrémité tranchée raidie par des cristaux de glace.

Le vieil homme s'accroupit pour fouiller dans les poches de l'anorak bleu marine. Le cadavre a la tête baissée, Elspeth ne saurait dire s'il s'agit d'un homme ou d'une femme. La fermeture à moitié ouverte du sac à dos, près de lui, révèle un téléphone portable et ce qui doit être un journal intime. Ses mains sont bleues et recroquevillées, leurs ongles blancs. Le gâteau sucré que lui a offert le vieil homme dans le train a formé des grumeaux dans son estomac.

Elle détaille le corps avec une espèce de fascination morbide. Son cerveau semble incapable de traiter les images qu'il reçoit. D'un coup, un flot de bile brûlante monte dans sa gorge et elle se détourne, empoignant un tronc d'arbre, secouée de haut-le-cœur mais sans rien à vomir. Elle gonfle ses poumons, s'essuie les yeux.

— Vous voyez ? fait son guide sur un ton badin. Cet homme est mort il y a deux jours, je crois. La semaine dernière, j'en ai trouvé cinq. Deux couples. Beaucoup choisissent de mourir ensemble.

Elspeth s'aperçoit qu'elle tremble.

— Qu'est-ce que vous allez faire du corps ?

— On viendra le chercher quand il fera plus chaud, répond-il en haussant les épaules.

— Et sa famille ? Il y a peut-être des gens qui le cherchent.

— C'est possible, oui.

Il empoche le téléphone portable, se redresse, tourne les talons et se remet en marche.

Elspeth en a vu plus qu'elle ne le voulait. Comment a-t-elle pu trouver cet endroit magnifique ?

— Attendez, rappelle-t-elle son guide. Je cherche quelqu'un. Une jeune femme qui vit dans les environs. Chiyoko Kamamoto. (L'homme s'arrête net mais ne se retourne pas.) Vous savez où elle habite ?

— Oui.

— Vous voulez bien m'emmener ? Je vous paierai.

— Combien ?

— Combien voulez-vous ?

Ses épaules s'affaissent.

— Venez.

Elle recule d'un pas, le laisse passer, puis le suit vers le parking.

Sans se retourner pour regarder le cadavre.

Elle court à petites foulées afin de rattraper son guide, marche sur une plaque de verglas, manque perdre l'équilibre, et se rattrape de justesse en agitant les bras.

Le vieil homme ouvre une porte à double battant dans le flanc du bâtiment et disparaît à l'intérieur. Quelques secondes plus tard, Elspeth entend crachoter un moteur qui cherche à démarrer.

Une voiture sort en marche arrière, soufflant comme un asthmatique.

— Montez, dit le vieil homme par la vitre, sur un ton sec.

Visiblement, elle l'a vexé – parce qu'elle n'a pas voulu aller sur le site de l'accident ou bien parce qu'elle a parlé de Chiyoko ?

Elle monte avant qu'il ne change d'avis. Il sort du parking et s'engage sur la route, aussi insouciant de la neige et du verglas que l'était le chauffeur de taxi. Il semble longer l'orée de la forêt. Au détour d'un virage, sa passagère aperçoit les toits enneigés de plusieurs maisons en bois.

Ils roulent au pas et passent devant une suite de résidences de plain-pied qui semblent emplies de courants d'air. Elspeth remarque un distributeur de confiseries rouillé, un tricycle d'enfant à demi enfoui sous la neige au bord de la route, un tas de bois contre le flanc d'une maison, parsemé de stalactites de glace. Comme ils atteignent le bout du village, le conducteur reprend la direction de la forêt. La route est recouverte d'une neige immaculée – pas la moindre trace de pas, ni empreinte d'animale.

— Quelqu'un habite ici ?

Sans répondre, l'homme accélère et la voiture s'élance sans grâce à l'assaut d'une pente légère, avant de s'arrêter à cent mètres d'une cahute en planches bâtie dans une poche d'ombre proche de la forêt. Sans la véranda délabrée qui l'entoure et les volets aux fenêtres, on la prendrait pour un hangar.

— Voici l'endroit que vous cherchez.

— Chiyoko habite ici ?

Le vieillard se mord les lèvres, regarde droit devant lui. Elspeth retire un de ses gants trempés et cherche l'argent dans sa poche.

— *Arigato,* dit-elle en le lui tendant. Si jamais j'ai besoin à nouveau d'une voiture, est-ce que je peux… ?

— Descendez.

— Je vous ai vexé ?

— Non. Je n'aime pas cet endroit.

Venant d'un homme qui gagne sa vie en détroussant des cadavres… Elspeth frissonne encore. Elle descend de voiture et, tout en attendant qu'il recule dans une pétarade et un nuage noir de gaz d'échappement, elle résiste à l'impulsion de crier : « Attendez ! »

Le gémissement du moteur s'atténue très vite, comme si l'air absorbait goulûment les sons. L'endroit est tranquille. Trop. D'une certaine manière, la forêt était plus accueillante.

Et Elspeth éprouve une étrange démangeaison à la base de la nuque, comme si un regard était posé sur elle.

Sur la véranda en bois qui entoure la maison, elle remarque avec soulagement que le sol est jonché de mégots. Un signe de vie. Elle frappe à la porte. Son souffle fait de la fumée et, pour la première fois depuis des années, elle a envie d'une cigarette. Elle frappe à nouveau. Décide que, si personne ne répond, elle s'en ira pour de bon.

La seconde d'après, toutefois, une grosse femme vêtue d'un *yukata* rose sale ouvre la porte. Elspeth essaie de se remémorer les photos de Chiyoko. Elle revoit une adolescente grassouillette, au regard dur et à l'expression de défi. Les yeux, peut-être, sont les mêmes.

— Êtes-vous Chiyoko ? Chiyoko Kamamoto ?

Le large visage de la femme se fend d'un sourire. Elle s'incline brièvement.

— Entrez, je vous en prie, dit-elle.

Son anglais parfait, comme celui du vieil homme, porte une trace d'accent américain.

Elspeth pénètre dans une entrée étroite où la température n'est pas plus clémente qu'à l'extérieur. Elle ôte ses bottes trempées, grimace quand le bois glacé la mord à travers ses collants, et les pose sur une étagère, près d'escarpins rouge sang et de plusieurs paires de pantoufles crasseuses.

Chiyoko (si c'est bien elle, Elspeth n'en est pas encore sûre) lui fait franchir une porte pour pénétrer dans la partie principale de la maison, tout aussi froide et bien plus petite qu'elle n'en avait l'air de l'extérieur. Un bref couloir sépare deux zones isolées par des paravents. Tout au bout, Elspeth distingue ce qui ressemble à une petite cuisine.

Elle suit Chiyoko derrière le paravent de gauche, dans une pièce carrée au sol couvert de tatamis abîmés. Au centre, plusieurs coussins gris passé entourent une table basse.

— Asseyez-vous. (Chiyoko désigne un des coussins.) Je vous apporte du thé.

Elspeth obtempère. Ses genoux craquent quand elle s'agenouille. Il fait à peine plus chaud ici, et une vague odeur de poisson flotte dans l'air. La table basse est maculée de sauce et parsemée de nouilles séchées.

Elle entend des voix qui murmurent, puis un rire léger. Un rire d'enfant ?

La femme revient avec une théière et deux tasses rondes sur un plateau. L'ayant posé sur la table, elle se laisse tomber à genoux avec plus de grâce que ne devrait l'y autoriser sa corpulence. Elle sert le thé, tend une tasse à sa visiteuse.

— Vous êtes Chiyoko, n'est-ce pas ?

Un sourire satisfait.

— Oui.

— Vous et Ryu… Que s'est-il passé ? On a trouvé vos chaussures dans la forêt.

— Savez-vous pourquoi on doit enlever ses chaussures avant de mourir ?

— Non.

— Pour ne pas emporter de boue dans la vie future. C'est pour ça qu'il y a tant de fantômes sans pieds.

Un petit éclat de rire.

Elspeth boit une gorgée de thé. Froid et amer. Elle se force à en prendre une deuxième, retient de justesse un hoquet.

— Pourquoi vous êtes-vous installée ici ?

— Je m'y plais. J'ai des visiteurs. Il y en a qui viennent avant d'aller mourir dans la forêt. Des amants qui se croient très nobles et sont persuadés qu'on ne les oubliera jamais. Comme si qui que ce soit s'en préoccupait ! Ils me demandent toujours s'ils doivent le faire. Et vous savez ce que je leur réponds ? (Chiyoko a un sourire en coin malicieux.) Je leur dis : « Allez-y. » La plupart m'apportent une offrande – à manger, parfois du bois. Comme si j'étais un sanctuaire ! Ils ont écrit des livres sur moi, des chansons. Il y a même une série de mangas à la con. Vous l'avez vue ?

— Je l'ai vue.

Elle hoche la tête, grimace.

— Ah, oui, vous en avez parlé dans votre livre.

— Vous savez qui je suis ?

— Oui.

Elspeth sursaute quand un cri haut perché jaillit derrière le paravent.

— Qu'est-ce que c'est ?

— C'est Hiro, soupire Chiyoko. Il est presque l'heure de le nourrir.

— *Quoi ?*

— Le fils de Ryu. On n'a fait ça qu'une seule fois. (Un autre rire.) Ce n'était pas terrible. Il était puceau.

Elspeth s'attend à ce que Chiyoko se lève pour aller s'occuper de l'enfant, mais elle ne semble pas en avoir l'intention.

— Est-ce que Ryu savait qu'il allait être père ?

— Non.

— Est-ce que c'est bien son corps qu'on a trouvé dans la forêt ?

— Oui. Pauvre Ryu. Un *otaku* sans cause. Je l'ai aidé à trouver ce qu'il cherchait. Vous voulez que je vous raconte comment ça s'est passé ? C'est une bonne histoire. Vous pourrez la mettre dans un livre.

— Oui.

— Il assurait qu'il me suivrait n'importe où. Quand j'ai dit que je voulais mourir, il a répondu qu'il me suivrait aussi dans la mort. Il s'était inscrit à un club de suicidaires sur Internet avant qu'on se rencontre, vous le saviez ?

— Non.

— Personne ne le savait. C'était juste avant qu'on se mette à discuter. Il n'était pas capable d'aller jusqu'au bout. Il avait besoin qu'on l'aide.

— Et je devine que vous l'avez aidé ?

Un haussement d'épaules.

— Il n'a pas fallu grand-chose.

— Et vous ? Vous avez essayé aussi, non ?

Chiyoko éclate de rire et remonte ses manches. Aucune cicatrice ne marque ses avant-bras et ses poignets.

— Non. C'est des blagues. Ça vous est déjà arrivé ? D'avoir envie de mourir ?

— Oui.

— Ça arrive à tout le monde. C'est la peur qui arrête les gens. La peur de l'inconnu. De ce qu'on risque de trouver dans l'autre monde. Mais il n'y a pas de raison d'avoir peur. Ça continue encore et encore.

— Qu'est-ce qui continue ?

— La vie. La mort. J'ai passé des heures à discuter de tout ça avec Hiro.

— Votre fils, vous voulez dire ?

Chiyoko a un rire moqueur.

— Ne soyez pas ridicule. Ce n'est qu'un bébé. Je parle de l'autre Hiro, bien sûr.

— Hiro Yanagida ?

— Oui. Vous aimeriez lui parler ?

— Hiro est ici ? Comment pourrait-il être ici ? Il a été tué. Le marine lui a tiré dessus.

— Vraiment ? (Chiyoko se remet sur ses pieds avec souplesse.) Venez. Vous devez avoir beaucoup de questions à lui poser.

Elspeth se lève, les muscles des cuisses douloureux, elle est restée trop longtemps accroupie. Un vertige la saisit, une crampe lui tord l'estomac et, durant un horrible instant, elle se demande si Chiyoko l'a droguée. Cette femme est à l'évidence dérangée et, si elle ne ment pas au sujet de Ryu et des suicidaires qui lui rendent visite, elle est dangereuse. Elspeth n'oublie pas non plus la réaction du vieil homme face à cette cahute. Sa bouche s'emplit de salive et elle se pince le bras gauche, refusant de se laisser aller. Son malaise se dissipe. C'est l'épuisement qui lui donne le vertige. Elle arrive au bout de ses forces.

Pourtant, elle suit Chiyoko dans la pièce cloisonnée de l'autre côté du couloir.

— Venez, dit la jeune Japonaise en écartant juste assez le paravent pour qu'une personne puisse passer.

Il fait sombre ici, les volets en bois sont fermés. Elspeth plisse les yeux. Comme son regard s'habitue à l'obscurité, elle distingue un berceau sur la gauche de la pièce et, sous la fenêtre, un futon sur lequel s'entassent des oreillers. L'odeur de poisson est plus forte dans cette chambre. L'Américaine frissonne, se rappelant les illusions de Paul Craddock au sujet de son frère défunt. Chiyoko sort du berceau un bébé qui lui passe les bras autour du cou.

— Vous ne disiez pas que Hiro était ici ?

— Il est ici.

Le bébé en équilibre sur sa hanche, elle ouvre un volet, laisse entrer un rayon de lumière.

Elspeth se trompait : les oreillers sur le futon sont

en fait une silhouette recroquevillée contre le mur, les jambes tendues.

— Je vous laisse seuls, dit Chiyoko.

Sa visiteuse ne réagit pas, fascinée. Le substibot de Hiro Yanagida cligne des paupières, une fraction de seconde trop lentement pour paraître tout à fait humain. Il a la peau griffée par endroits. Ses vêtements sont très usés.

— Bonjour.

La voix – sans conteste un timbre d'enfant – fait sursauter Elspeth.

— Bonjour, répète l'androïde.

— C'est toi, Hiro ? demande l'Américaine.

La folie pure et simple de la situation la frappe enfin. Elle est au Japon. Elle parle avec un robot. Elle est en train de parler à un putain de robot.

— C'est moi.

— Puis-je… Puis-je te parler ?

— Tu es en train de le faire.

Elspeth s'approche un peu de lui. De petites gouttes brunes maculent la peau terne de son visage – du sang séché.

— Qui es-tu ?

— Je suis moi, répond l'androïde en bâillant.

Elle ressent le même genre de déconnexion que dans l'atelier de Kenji Yanagida. Son esprit se vide, si bien qu'elle n'a aucune idée de ce qu'elle doit demander en premier.

— Comment as-tu survécu à l'accident ?

— On l'a choisi. Mais parfois, on fait des erreurs.

— Et Jessica ? Bobby ? Où sont-ils ? Sont-ils vraiment morts ?

— Ils s'ennuyaient. En général, ils s'ennuient. Ils savaient comment ça se terminerait.

— Et comment est-ce que ça se termine ?

Il la regarde encore en clignant des yeux.

— Est-ce qu'il y a… un quatrième enfant ? demande Elspeth après plusieurs secondes de silence.

— Non.

— Et ce quatrième accident d'avion, alors ?

Un léger mouvement saccadé agite la tête du robot.

— On savait que c'était le bon jour pour ça.

— Pour quoi ?

— Pour arriver.

— Alors… pourquoi des enfants ?

— On n'est pas toujours des enfants.

— Qu'est-ce que ça veut dire ?

Il agite la tête et bâille à nouveau. On a l'impression qu'il intime à son interlocutrice : *T'as qu'à deviner, connasse.* Puis il émet un son qui pourrait être un rire, sa mâchoire s'ouvre juste un tout petit peu trop. Il y a quelque chose de familier dans la manière dont il a donné ses réponses. Elspeth sait comment le substibot fonctionne, elle a vu la caméra qui enregistrait les expressions de Kenji Yanagida, mais il n'y a aucune trace d'ordinateur dans la pièce. Et… ne faudrait-il pas un réseau satellite ? Il n'y en a pas ici, n'est-ce pas ? Elle consulte à nouveau son téléphone pour s'en assurer. Toutefois, Chiyoko ne pourrait-elle pas diriger l'androïde depuis une autre pièce ?

— Chiyoko ? C'est vous ? C'est vous, n'est-ce pas ?

La poitrine du robot se soulève, retombe, puis s'immobilise.

Elspeth sort en courant et glisse sur les tatamis. Elle ouvre à la volée la porte proche de la cuisine déserte, révélant une salle de bains minuscule. Des serviettes sales nagent dans la petite baignoire. L'Américaine revient sur ses pas et écarte d'un geste le paravent qui dissimule la seule autre pièce. Le bébé allongé par terre est en train de jouer avec un animal en peluche sale, il lève les yeux vers elle et éclate de rire.

Quand elle ouvre la porte d'entrée, elle découvre Chiyoko debout sur la véranda, de la fumée de cigarette s'enroule autour de sa tête. Peut-elle s'être réfugiée ici pendant la fouille de la maison ? Difficile à dire. Elspeth enfile ses bottes et la rejoint.

— Est-ce que c'était vous ? Qui parliez par l'androïde ?

Chiyoko écrase sa cigarette sur la balustrade. En allume une autre.

— Vous avez cru que c'était moi ?

— Oui. Non. Je ne sais pas.

La fraîcheur de l'air n'aide pas à clarifier ses idées, et Elspeth en a plus qu'assez d'entendre parler par énigmes.

— D'accord… alors, si ce n'était pas vous, qu'est-ce qu'ils étaient ? Qu'est-ce qu'ils sont ? Les Trois, je veux dire.

— Vous avez vu ce qu'est Hiro.

— Tout ce que j'ai vu, c'est un putain d'androïde.

Un haussement d'épaules.

— Toute chose a une âme.

— Alors c'est ce qu'il est ? Une âme ?

— Dans un sens.

Ô bon Dieu.

— Est-ce que vous pourriez me donner une réponse directe, s'il vous plaît ?

Un autre sourire exaspérant.

— Posez-moi une question directe.

— D'accord… Est-ce que Hiro – le vrai Hiro – vous a dit pourquoi les Trois, quoi qu'ils puissent être, sont venus ici et ont possédé les corps des enfants ?

— Pourquoi faudrait-il une raison ? Pourquoi chassons-nous, alors que nous avons assez à manger ?

Pourquoi nous entretuons-nous pour des broutilles ? Qu'est-ce qui vous fait croire qu'il leur fallait une motivation plus forte que la seule volonté de voir *ce que ça allait donner* ?

— Hiro a laissé entendre qu'ils étaient déjà venus. C'est une chose que m'a aussi dite l'oncle de Jessica Craddock.

Un haussement d'épaules.

— Toutes les religions ont leurs prophéties de la fin du monde.

— Et alors ? Quel rapport avec le fait que les Trois soient déjà venus ici ?

Chiyoko émet un bruit à mi-chemin entre le soupir et le ronflement.

— Vous qui êtes journaliste, vous devriez savoir tirer des conclusions logiques. Et s'ils étaient venus auparavant pour planter la graine ?

Sa visiteuse sursaute.

— Et puis quoi encore ? Vous voulez dire qu'ils sont venus ici il y a des milliers d'années pour tout mettre en place – juste histoire de revenir voir ensuite comment l'histoire se terminait ? C'est du délire !

— Bien sûr.

Elspeth en a assez. Elle est tellement épuisée qu'elle en a mal dans la moelle des os.

— Et maintenant ?

Chiyoko bâille – il lui manque beaucoup de dents du fond – et s'essuie la bouche sur sa manche.

— Faites votre travail. Vous êtes journaliste. Vous avez trouvé ce que vous cherchiez. Allez dire à tout le monde ce que vous avez vu. Écrivez un article.

— Vous croyez vraiment que quelqu'un va me croire si j'affirme que j'ai parlé à un putain d'androïde qui abrite… l'âme ou je ne sais quoi de l'un des Trois.

— Les gens croient ce qu'ils ont envie de croire.

— Et s'ils me croient… Ils penseront… Ils diront…
— Ils diront que Hiro est un dieu.
— Et c'en est un ?
Chiyoko hausse encore les épaules.
— *Shitaka ga nai,* dit-elle. Quelle importance ?
Elle écrase sa cigarette sur la balustrade et rentre dans la maison.
Elspeth reste sur la terrasse plusieurs minutes. Puis, n'ayant d'autre choix, elle remonte la fermeture de son blouson et part à pied.

Cela commence ainsi

Pamela May Donald, allongée sur le côté, regarde le garçonnet voleter avec les autres dans les arbres.

— Aidez-moi, croasse-t-elle.

Elle cherche son téléphone portable. Il est quelque part dans sa banane, elle en est sûre. *Allez, allez, allez.* Ses doigts le frôlent, elle l'a presque… *si près, tu peux y arriver…* mais elle est incapable de s'en emparer… Une sensation anormale envahit ses doigts. Ils refusent de fonctionner. Gourds, morts, ils ne lui appartiennent plus.

— Snookie, murmure-t-elle – ou peut-être imagine-t-elle seulement le dire à haute voix.

Quoi qu'il en soit, c'est le seul mot qui pénètre son esprit avant qu'elle meure.

Le garçon approche en sautillant sur la pointe des pieds entre les racines et les débris d'épave. Il baisse les yeux sur Pamela May Donald. Elle s'est éteinte, sa flamme a été soufflée avant qu'elle puisse enregistrer le message. Il est déçu mais c'est déjà arrivé, et ce jeu commençait à l'ennuyer de toute façon. À les ennuyer tous. C'est sans importance. Ça se termine toujours de la même façon.

Il s'accroupit, enroule les bras autour de ses genoux et frissonne. Le bourdonnement encore lointain des hélicoptères de secours lui parvient. Il prend toujours plaisir à se laisser hisser dans le ventre de l'hélico.

Mais, la prochaine fois, il s'y prendra autrement. Et il pense savoir comment.

Remerciements

Ma plus vive gratitude à mon extraordinaire agent Oli Munson de A. M. Heath qui, après un coup d'œil rapide à mon synopsis, m'a dit : « On y va » et a changé ma vie.

Mon roman aurait beaucoup perdu sans les conseils éditoriaux avisés de mon éditrice de choc Anne Perry qui a misé sur moi, m'a aidée à progresser, à peaufiner mon texte, sans jamais se départir de son sens de l'humour. Un grand merci également à Oliver Johnson, Jason Bartholomew et la fantastique équipe de chez Hodder, à Reagan Arthur et ses excellents collaborateurs de chez Little, Brown, à Conrad Williams et à tous ceux de chez Blake Friedmann.

Les personnes suivantes ont partagé avec moi leurs compétences, leurs expériences personnelles, répondu à mes questions sans fin et m'ont ouvert grand leur porte : le capitaine Chris Zurinskas, Eri Uri, AtsukoTakahashi, Hiroshi Hayakawa, Atsushi Hayakawa, Akira Yamaguchi, David France Mundo, Paige et Ahnika de chez House of Collections, Darrell Zimmerman de chez Cape Medical Response, Eric Begala et Wongani Bandah. Merci à tous pour votre patience et votre générosité. Les erreurs et libertés (tant géographiques que narratives) qui pourraient subsister sont de mon fait et de mon fait seulement.

Le précieux travail universitaire de Christopher Hood, *Dealing with Disaster in Japan : Responses to the Flight JL 123 Crash*, a été pour moi une référence inestimable et m'a permis de me familiariser avec les termes *isho* et *izoku*. Je dois beaucoup aux auteurs de documents, de blogs, d'articles et de romans qui m'ont aidée à faire la lumière sur les thèmes abordés dans *Trois* : *Welcome to Our Doomsday* de Nicholas Guyatt, *God's Own Country* de Stephen Bates, *Shutting out the Sun* de Michael Zielenziger, *The Otaku Handbook* de Patrick W Galbraith, *Quantum : A Guide for the Perplexed* de Jim Al-Khalili, *Train Man* de Nakano Hitori, *Are we Living in the End Times?* de Tim LaHaye et Jerry B Jenkins, *Understanding End Times Prophecy* de Paul Benware, *Below Luck Level* de Barbara Erasmus, *Alzheimer's From the Inside Out* de Richard Taylor, sherizeee.blogspot.com, www.dannychoo.com, www.tofugu.com, Apolycalypse Now, Nancy Gibbs (time.com 2002). Je remercie également les artistes anonymes de asciiart.en.com pour avoir inspiré les ascii de Ryu.

Les personnes dont les noms suivent ont généreusement accepté de lire mon manuscrit et de me donner un retour avisé et sincère : Alan et Carol Walters, Andrew Solomon, Bronwyn Harris, Nick Wood, Michael Grant, Sam Wilson, Kerry Gordon, Tiah Beautement, Joe Vaz, Vienne Venter, Nechama Brodie, Si et Sally Partridge. Eric Begala, Thembani Ndzandza, Siseko Sodela, Walter Ntsele, Lwando Sibinge et Thando Makubalo ont corrigé mes naïvetés concernant l'Afrique du Sud. Jared Shurin, Alex Smith, Karina Brink, le photographe de talent Pagan Wicks et Nomes m'ont aidée à rester saine d'esprit. Vous êtes tous géniaux.

Lauren Beukes, Alan Kelly, Nigel Walters, Louis Greenberg et mon camarade l'elfe Paige Nick m'ont soutenue et encouragée au-delà de ce que j'aurais pu espérer. Je vous dois une fière chandelle. Comme toujours, mon amie et éditrice Helen Moffett m'a plus d'une fois tirée d'affaire (puisses-tu ne jamais manquer de pâtisseries maison).

Et bien sûr, merci à mon mari Charlie et à ma fille Savannah qui se sont livrés à des heures de brainstorming, et m'ont servi du café à 3 heures du matin. Je n'aurais jamais pu écrire un traître mot sans vous. Merci d'avoir toujours été derrière moi.

Composition et mise en pages
Nord Compo à Villeneuve-d'Ascq

Imprimé en France par CPI
en février 2016

POCKET - 12, avenue d'Italie - 75627 Paris Cedex 13

N° d'impression : 3014676
Dépôt légal : mars 2016
S25732/01